DNA DO INOVADOR

JEFF DYER, HAL GREGERSEN & CLAYTON M. CHRISTENSEN

O MAIS INFLUENTE PENSADOR DE MANAGEMENT DO MUNDO

DNA DO INOVADOR

DOMINANDO AS 5 HABILIDADES DOS INOVADORES DE RUPTURA

CONHEÇA OS SEGREDOS DE STEVE JOBS, JEFF BEZOS E LARRY PAGE, ENTRE OUTROS

ALTA BOOKS
EDITORA
Rio de Janeiro, 2019

Tradução: Esníder Pizzo e Mário Fernandes
Preparação e revisão: Frank de Oliveira
Adaptação do projeto gráfico original e paginação: A2
Produção Editorial – HSM Editora - CNPJ: 01.619.385/0001-32

Dados Internacionais de Catalogação na Publicação (CIP)
(Câmara Brasileira do Livro, SP, Brasil)

Dyer, Jeff
  DNA do Inovador : Dominando as 5 habilidades dos inovadores de ruptura/ Jeff Dyer, Hal Gregersen, Clayton M. Christensen ; [tradução Esníder Pizzo e Mário Fernandes]. – Rio de Janeiro : Alta Books, 2019.

  Título original: The innovator's DNA. Bibliografia.
  ISBN 987-85-508-0749-2

  1. Criatividade nos negócios 2. Empreendedorismo 3. Inovações tecnológicas 4. Mudança organizacional I. Gregersen, Hal. II. Christensen, Clayton M. III. Título.

2-05671   CDD-658.4063

Índices para catálogo sistemático:
1. Criatividade nos negócios : Administração de empresas   658.4063

Rua Viúva Cláudio, 291 — Bairro Industrial do Jacaré
CEP: 20.970-031 – Rio de Janeiro (RJ)
Tels.: (21) 3278-8069 / 3278-8419
www.altabooks.com.br — altabooks@altabooks.com.br
www.facebook.com/altabooks — www.instagram.com/altabooks

ALTA BOOKS
EDITORA

Sumário

Introdução

NOVAÇÃO é o sangue vital que corre nas veias de nossa economia global e uma prioridade estratégica para praticamente todos os CEOs deste mundo. Uma pesquisa recente da IBM com 1.500 CEOs identificou a criatividade como "a competência de liderança" número um do futuro[1]. O poder das ideias inovadoras para revolucionar setores da economia e gerar riqueza é evidente na história: o iPod, da Apple, suplantou o walkman, da Sony, os grãos e a atmosfera da Starbucks tomaram o lugar dos cafés tradicionais, a Skype usa uma estratégia de "gratuidade" para desbancar a AT&T e a British Telecom, a eBay esmaga os anúncios classificados e a Southwest Airlines voa abaixo do radar da American e da Delta. Em todos esses casos, as ideias criativas de empreendedores inovadores produziram grandes vantagens competitivas e enormes ganhos para a empresa pioneira. Naturalmente, a pergunta retroativa que vale 1 milhão é: como eles conseguiram? E talvez a pergunta prospectiva que vale 10 milhões seja: como eu posso fazer a mesma coisa? O livro *DNA do Inovador* tenta responder a essas perguntas fundamentais – e mais. A origem deste livro está na pergunta que fizemos há anos ao guru das tecnologias disruptivas e consultor Clayton Christensen: de onde surgem os modelos de negócios disruptivos? Os dois *best-sellers* escritos por Christensen, *O dilema da inovação** e *The Innovator's Solution*, trouxeram importantes visões das características das tecnologias disruptivas em modelos de negócios e empresas. DNA *do Inovador* surgiu de um estudo colaborativo de oito anos durante os quais buscamos um entendimento mais amplo dos inovadores de ruptura – quem são eles e as empresas inovadoras que eles criam. O objetivo primário de nosso projeto era desvendar as origens das ideias de negócios inovadoras – e que frequentemente rompem barreiras. Assim, entrevistamos cerca de uma centena de inventores de produtos e serviços revolucionários, além de fundadores e CEOs de empresas que viraram o jogo e foram construídas sobre ideias de negócios inovadoras. Entre eles, estavam pessoas como Pierre Omidyar, da e-Bay, Jeff Bezos, da Amazon, Mike Lazaidis, da Research in Motion e Marc Benioff, da Salesforce.com. Para ver a lista completa dos inovadores que entrevistamos e cujas palavras reproduzimos neste livro, consulte o apêndice A. Praticamente todos os inovadores que citamos entre aspas neste livro, com exceção de Steve Jobs (Apple), Richard Branson (Virgin) e Howard Schultz (Starbucks) – que escreveram autobiografias ou deram inúmeras entrevistas sobre inovação –, foram entrevistados por nós.

Estudamos também CEOs que deram início a inovações em empresas já existentes, como A.G. Lafley da Procter & Gamble, Meg Whitman, da eBay, e Orit Gadiesh, da Bain & Company. Algumas empresas de empreendedores que estudamos fizeram sucesso e são muito conhecidas. Não foi o caso de outras, como Movie Mouth, Cow-Pie Clocks e Terra Nova BioSystems. Mas todas ofereceram uma surpreendente e única proposta de valor

---

* Edição brasileira M. Books, 1ª edição, 2011.

para seus executivos. Por exemplo, todas tinham aspectos, preços, comodidades ou personalizações novos ou diferentes em relação à concorrência. Nosso objetivo foi menos o de investigar as estratégias das empresas e mais o de nos aprofundar no pensamento dos próprios inovadores. Queríamos entender o máximo possível dessas pessoas, incluindo o momento (quando e como) em que elas surgiram com as ideias criativas que lançaram novos produtos ou negócios. Pedimos que nos falassem sobre as ideias mais originais e valiosas que tiveram em suas carreiras e nos contassem de onde surgiram essas ideias. Suas histórias foram provocativas, reveladoras e, curiosamente, semelhantes.

Quando analisamos as entrevistas, padrões de ação consistentes foram surgindo. Empreendedores e executivos inovadores se comportavam de modo parecido quando descobriam ideias de ponta. Cinco competências de descoberta primárias – as competências que compõem o que chamamos de DNA do Inovador – apareceram de nossas conversas. Descobrimos que os inovadores "pensam diferente", para usar o conhecido slogan da Apple. Suas mentes são excelentes para combinar ideias que não estão relacionadas de maneira óbvia, para produzir ideias originais (chamamos essa competência cognitiva de "pensamento associativo" ou "associação"). Mas, para pensar de forma diferente, os inovadores têm que agir de forma diferente. Todos eram indagadores e faziam perguntas que desafiavam o status quo. Alguns observavam o mundo com uma intensidade que ia além do normal. Outros se ligavam pela internet às mais diversificadas pessoas na face da Terra. Outros ainda colocavam a experimentação no centro de sua atividade de inovação. Quando levadas adiante de forma consistente, essas ações – questionar, observar, manter uma rede de relações (networking) e experimentar – davam início a um pensamento associativo para produzir novos negócios, produtos, serviços e/ou processos. A maioria de nós acredita que a criatividade é uma competência inteiramente cognitiva: tudo acontece dentro do cérebro. Uma sensação muito importante deixada por nossa pesquisa é de que *a capacidade de uma pessoa de gerar ideias inovadoras não é apenas uma função da mente, mas também uma função de comportamentos.* É uma boa notícia para nós, pois significa que *se mudarmos nossos comportamentos, podemos melhorar nosso impacto criativo.*

Depois de trazer à tona esses padrões de ação de empreendedores e executivos famosos, voltamos as lentes de nossa pesquisa para inovadores menos conhecidos, mas igualmente competentes, de todas as partes do mundo. Preparamos uma pesquisa, com base em nossas entrevistas, orientada para as competências de descoberta dos líderes inovadores: associar, questionar, observar, manter rede de relacionamentos e experimentar. Até hoje, coletamos dados de autorrelatos e de 360 graus de mais de 500 inovadores e mais de 5 mil executivos de mais de 75 países (para informações sobre nossas avaliações de pessoas e empresas, vá ao nosso site, www.innovatorsdna.com). Encontramos o mesmo padrão em líderes famosos e não tão famosos. Os inovadores eram simplesmente muito mais propensos a questionar, observar, contatar pessoas e experimentar do que os executivos típicos. Publicamos os resultados de nossa pesquisa no *Strategic Entrepreneurship Journal*, a mais importante publicação acadêmica com foco nos empreendedores (detalhes de nosso estudo estão relacionados no apêndice B)[2]. Publicamos também nossas conclusões em um artigo intitulado "The innovator's DNA", que obteve o segundo lugar no prêmio McKinsey da *Harvard Business Review* de 2009.

Então, nos voltamos para o que poderíamos aprender sobre o DNA de organizações e equipes inovadoras. Começamos por verificar o ranking anual de empresas inovadoras da revista *Business Week*. Esse ranking, baseado nos votos de executivos, identifica empresas com a reputação de serem inovadoras. Uma verificação rápida nas listas da *Business Week* de 2005 a 2009 mostrou a Apple em primeiro lugar e o Google em segundo.

Intuitivamente, soa correto. Mas sentíamos que a metodologia da *Business Week* (executivos votando em quais são as empresas inovadoras) leva a uma lista que é basicamente um concurso de popularidade baseada no comportamento *passado*. Será que General Electric, Sony, Toyota e BMW merecem estar na lista atual de empresas mais inovadoras? Ou estão lá apenas porque tiveram sucesso no passado?

Para responder a essas questões, preparamos nossa própria lista de empresas inovadoras com base em processos de inovação correntes (e nas expectativas de futuras inovações). Como fizemos isso? Achamos que a melhor maneira era verificar se os investidores – que votaram com seus bolsos – poderiam nos dar uma visão sobre quais empresas seriam capazes de produzir inovações no futuro: novos produtos, serviços ou mercados. Juntamo-nos à HOLT (uma divisão do Credit Suisse Boston que fez uma análise semelhante para *The Innovator's Solution*), a fim de desenvolver uma metodologia que determinasse que porcentagem do valor de mercado de uma empresa podia ser atribuída aos seus negócios existentes (produtos, serviços, mercados). Se fosse maior do que os fluxos de caixa que poderiam ser atribuídos aos seus negócios, a empresa teria um *crescimento e um prêmio de inovação* (para facilitar, daqui em diante usaremos apenas *prêmio de inovação*). O prêmio de inovação seria a parte do valor de mercado da empresa que não poderia ser atribuída aos fluxos de caixa dos produtos ou negócios existentes em seus mercados atuais. É o prêmio dado pelo mercado a essas empresas porque os investidores esperam que elas surjam com novos produtos ou mercados – *e* eles têm a esperança de que as empresas sejam capazes de gerar altos lucros com eles (veja no capítulo 7 detalhes de como o prêmio é calculado). É um prêmio que todos os executivos e todas as empresas gostariam de ter.

Mostramos nossa lista de empresas mais inovadoras – classificadas de acordo com o prêmio de inovação – no capítulo 7.

Quem se classifica como inovador?

Talvez uma das descobertas mais surpreendentes dos últimos três anos de pesquisas sobre o empreendedorismo seja a de que *os empreendedores não têm diferenças significativas (em traços de personalidade ou medições psicométricas) com relação aos executivos de negócios típicos.*[a] Normalmente, encaramos essa descoberta com ceticismo, já que a maioria de nós acredita intuitivamente que os empreendedores são de algum modo diferentes de outros executivos. É bom notar que nossa pesquisa teve como foco os *inovadores* e, em particular, os empreendedores *inovadores,* e não os empreendedores em geral. Eis aqui o motivo: os empreendedores inovadores dão início a empresas que oferecem valores únicos ao mercado. Quando alguém abre uma empresa de lavagem a seco ou uma funerária, ou mesmo uma série de concessionárias Volkswagen ou franquias do McDonald's, os pesquisadores o colocam na mesma categoria de empreendedor que os fundadores da eBay (Pierre Omidyar) e da Amazon (Jeff Bezos). Isso cria um problema de categorização na hora de descobrir se os empreendedores *inovadores* são diferentes dos executivos típicos. A realidade é que a maioria dos empreendedores dá início a negócios fundamentados em estratégias que não são únicas e certamente não disruptivas. Entre os empreendedores como um grupo, somente entre 10% e 15% podem ser qualificados como "empreendedores inovadores" do tipo que estamos discutindo.

Nosso estudo inclui quatro tipos de inovadores: (1) empreendedores iniciantes (como descrevemos acima), (2) empreendedores corporativos (que lançam um empreendimento inovador do interior da empresa), (3) inovadores de produtos (os que inventam um novo produto) e (4) inovadores de processos (que lançam um novo processo). Nossa categoria de inventor de processos inclui pessoas como A.G. Lafley, que deu início a uma série de processos inovadores na Procter & Gamble – esses processos originaram numerosas inovações em produtos. Em todos os casos, a ideia original do novo negócio, produto ou processo deve ser uma ideia do inovador.

a. Esses tipos diferentes de inovadores têm numerosas semelhanças e também algumas diferenças, como veremos nos capítulos a seguir. Isso é evidente nas conclusões de numerosos estudos sobre empreendedores, entre as quais as seguintes:

> "Depois de numerosas pesquisas, conclui-se agora com frequência que a maior parte das diferenças psicológicas entre os empreendedores e os dirigentes de grandes organizações é pequena ou não existe" (L.W. Busenitz e J.B. Barney, "Differences Between Entrepreneurs and Managers in Large Organizations", *Journal of Business Venturing* 12, 1997).

> "Não parece existir características de padrão de personalidade que possam ser descobertas e ser capazes de diferenciar empreendedores de sucesso de não empreendedores" (W. Guth, "Director's Corner: Research in Entrepreneurship", *The Entrepreneurship Forum*, inverno de 1991).

> "A maior parte das tentativas para estabelecer diferenças entre empreendedores e proprietários ou dirigentes de pequenos negócios não descobriu aspectos de diferenciação" (R.H. Brockhaus e P.S. Horwitz, "The Psychology of the Entrepreneur", *The Art and Science of Entrepreneurship*, 1986).

Não surpreende o fato de haver entre as 25 primeiras colocadas algumas que também aparecem na lista da *Business Week* – como Apple, Google, Amazon e Procter & Gamble. Essas empresas tiveram um prêmio de inovação de pelo menos 35% nos últimos cinco anos. Verificamos, ainda, que empresas como Salesforce.com (software), Intuitive Surgical (equipamentos médicos), Hindustan Lever (produtos para o lar), Alstom (equipamentos de eletricidade) e Monsanto (produtos químicos) têm prêmios semelhantes. Quando estudamos essas empresas com maiores detalhes, aprendemos que elas são também muito inovadoras. Comparando nossa lista com a de empresas mais inovadoras da *Business Week*, descobrimos diversos padrões.

Primeiro, notamos que, em comparação com as empresas típicas, elas tinham uma probabilidade muito maior de serem dirigidas por um fundador inovador ou um líder com notas extremamente altas nas cinco competências de descoberta que compõem o DNA do inovador (seu quociente de descoberta médio estava no parâmetro 88, o que quer dizer que tinham notas mais altas do que 88% das pessoas submetidas à nossa avaliação de competências de descoberta). Empresas inovadoras são, quase sempre, dirigidas por líderes inovadores. Vamos repetir: empresas inovadoras são, quase sempre, dirigidas por líderes inovadores. Conclusão: se você quiser inovação, precisará ter competências criativas na equipe de alta direção de sua empresa. Verificamos de que modo fundadores inovadores, muitas vezes, imprimiam seus comportamentos nas organizações. Jeff Bezos, por exemplo, cuja competência é especial para a experimentação, ajudou a criar na Amazon processos institucionalizados para que outras pessoas pudessem realizar experiências. De maneira semelhante, Scott Cook, da Intuit, se destaca como observador e estimula a observação em sua empresa. Talvez nossa descoberta de que o DNA de organizações inovadoras espelhe o DNA de indivíduos inovadores não seja surpreendente. *Pessoas* inovadoras se dedicam sistematicamente a comportamentos nos quais questionam, observam, contatam e experimentam para dar origem a novas ideias. De modo semelhante, *organizações* inovadoras desenvolvem sistematicamente *processos* que estimulam seus empregados a questionar, observar, fazer *networking* e experimentar. Nossos capítulos sobre a construção do DNA do observador em sua organização e equipe descreverão como você pode encorajar e apoiar de maneira ativa os esforços de inovação de outras pessoas.

Por que as ideias deste livro devem ser importantes para você

Na última década, foram escritos muitos livros sobre o tema da inovação e criatividade. Alguns deles têm como foco a inovação de ruptura, como *O dilema da inovação** e *The innovator's solution*, de Clayton Christensen. Outros, como *Os 10 mandamentos da inovação estratégica*** (Govindarajan e Trimble), *O jogo da liderança**** (A.G. Lafley e Ram Charan) e *The entrepreneurial mindset* (Rita McGrath e Ian MacMillan), examinam como organizações e seus líderes estimulam e apoiam a inovação. Alguns tratam de forma mais específica o desenvolvimento de produtos e processos de inovação dentro e através de empresas, como *How breakthroughs happen* (Andrew Hargadon) e *The sources of innovation* (Eric von Hippel). Há os livros que destacam o papel do indivíduo nos processos de inovação dentro das empresas, como as *As dez faces da inovação***** e *A arte da inovação****** (ambos por Tom Kelley, do IDEO), ou *O cérebro do futuro******* (Daniel Pink). Finalmente, livros como *Creativity in context* (Teresa Amabile) e *Creativity* (Mihaly Csikszentmihalyi) examinam a criatividade individual e, de forma mais específica, teorias e pesquisas sobre criatividade. Nosso livro difere desses por ter como foco a criatividade individual no contexto dos negócios e como base nosso estudo de vasta amostra de inovadores nos negócios, incluindo inovadores famosos como Jeff Bezos (Amazon.com), Pierre Omidyar (eBay), Michael Lazaridis (Research In Motion/BlackBerry), Michael Dell (Dell), Marc Benioff (Salesforce.com), Niklas Zennström (Skype), Scott Coo (Intuit), Peter Thiel (PayPal), David Neeleman (JetBlue e Azul Linhas Aéreas).

*   Editora M. Books, 1ª edição, 2011.
**   Editora Campus, 1ª edição, 2006.
***   Editora Campus, 1ª edição, 2008.
****   Editora Campus, 1ª edição, 2007.
*****   Editora Futura, 2ª edição, 2001.
******   Editora Campus, 1ª edição, 2007.

Termo de responsabilidade

Achamos importante lembrar três coisas significativas para quando você for ler *DNA do Inovador*. Primeiro: dedicar-se às competências de descoberta não garante sucesso financeiro. No decorrer do livro, contamos histórias de pessoas que tiveram claro sucesso em relação à inovação. Colocamos o foco em histórias de sucesso porque somos todos mais voltados para o sucesso do que para o fracasso. Mesmo assim, em nossa amostragem de 500 inovadores, só dois terços lançaram empreendimentos ou projetos que atendem a nossos critérios de sucesso. Muitos não tiveram êxito. Os inovadores desenvolveram as competências corretas – questionar, observar, ter rede de relacionamento *(network)* e experimentar – e deram origem a um empreendimento ou produto inovador, mas nem sempre o resultado foi o sucesso financeiro. O fato é que as competências de descoberta descritas são necessárias, até mesmo críticas, para gerar ideias de negócios inovadoras, mas elas não garantem o sucesso.

Segundo: o fracasso (no sentido financeiro) é resultado, muitas vezes, de não se estar atento ao envolvimento de todas as competências de descoberta. Os inovadores que obtiveram maior sucesso financeiro em nossa amostragem desenvolveram um quociente de descoberta maior do que os de menos sucesso. Se você fracassar com uma inovação, pode ser que não tenha feito todas as perguntas corretas, realizado todas as observações necessárias, conversado com pessoas diversificadas de um grupo de tamanho suficiente ou feito os experimentos necessários. Naturalmente, pode ser que você tenha feito tudo certo, mas uma tecnologia mais nova tenha surgido ou outro inovador brilhante tenha aparecido com uma ideia ainda melhor. Ou talvez você não tenha chegado à excelência na execução da ideia, ou não possua os recursos para competir com uma firma já estabelecida e que imitou sua invenção. Muitos fatores podem evitar que um novo produto ou uma nova ideia de negócios ganhe ímpeto no mercado. Mas quanto melhor você fizer as perguntas corretas, realizar as observações certas, obter ideias e *feedback* pelo *networking* com as pessoas indicadas, e fizer experimentos, será menos provável que você falhe.

Terceiro: destacamos diversos inovadores e empresas inovadoras para ilustrar ideias ou princípios muito importantes, mas não queremos apontá-los como exemplos perfeitos de como ser inovador. Alguns inovadores que estudamos eram "inovadores em série", pois desenvolveram um número considerável de inovações com o decorrer do tempo e pareciam estar motivados a continuar. Outros se beneficiaram de estar no lugar certo e no momento certo para fazer uma observação muito importante, conversar com uma pessoa-chave cujo conhecimento era útil e aprender fortuitamente com uma experiência. Isso resultou em uma importante descoberta certa vez, mas não é necessariamente capaz de levar a, ou motivar (talvez devido ao sucesso financeiro), uma situação que continuará a produzir ideias inovadoras. De forma semelhante, descobrimos que empresas inovadoras podem rapidamente ter seu processo inovador interrompido, enquanto outras podem melhorá-lo na mesma velocidade. No capítulo 8, mostramos que o processo de inovação da Apple (medido pelo prêmio de inovação) caiu drasticamente depois que Steve Jobs se afastou em 1984, mas subiu drasticamente alguns anos depois quando ele voltou a dirigir a empresa. A Procter & Gamble tinha um sólido desempenho inovador antes de A.G. Lafley assumir o leme, mas aumentou seu prêmio de inovação em 30% sob sua liderança. O ponto é que pessoas e empresas podem mudar, e nem sempre de forma a atender as melhores expectativas.

A premissa de nosso livro é explicar como esses grandes nomes tiveram suas "grandes ideias" e traçar um processo que pode ser emulado pelos leitores. Descrevemos em detalhe cinco competências que qualquer pessoa pode controlar de forma a melhorar sua capacidade pessoal como pensador-inovador.

Pergunte a você mesmo: sou bom em produzir ideias inovadoras de negócios? Sei onde encontrar pessoas inovadoras para minha organização? Sei como treinar pessoas para serem mais criativas e inovadoras? Alguns executivos respondem à última pergunta estimulando os funcionários a pensar "fora da caixa". Mas pensar fora da caixa é justamente o que os funcionários (e executivos) estão tentando descobrir como fazer. Já ouvimos alguns executivos responderem à pergunta de como pensar fora da caixa com uma frase igualmente genérica (e que não ajuda em nada): "Seja criativo". Se você se descobrir lutando para dar respostas concretas e que funcionem a essas perguntas, continue a leitura até dominar de maneira sólida as cinco competências, que podem fazer toda a diferença quando tiver pela frente seu próximo desafio na área da inovação. Todos os líderes enfrentam problemas e oportunidades para os quais não acham soluções. Pode ser um processo novo. Pode ser um produto ou serviço novo. Pode ser um modelo de negócios novo para um negócio antigo. Em qualquer um desses casos, as competências que você ganha ao pôr em execução o DNA do inovador podem salvar seu emprego, sua organização e, talvez, sua comunidade. Já constatamos que se você quiser subir aos níveis mais altos de sua organização – para uma posição de responsável por uma unidade de negócios, presidente ou CEO –, você precisa ter fortes competências de descoberta. E se você quiser dirigir uma organização realmente inovadora, provavelmente terá que ser excelente em relação a essas competências. Esperamos que *DNA do Inovador* estimule você a recuperar parte de sua curiosidade juvenil. Permanecer curioso mantém qualquer profissional empenhado e sua organização viva[3]. Imagine o grau de competitividade de sua empresa daqui a dez anos sem inovadores, e se não forem encontradas novas maneiras de melhorar seus processos, produtos ou serviços. Claramente, sua empresa não vai sobreviver. Os inovadores constituem o núcleo da capacidade de competir de qualquer empresa, ou mesmo de qualquer país.

Como se divide o DNA do inovador

Como o mapa de bolso de uma cidade no exterior, nosso livro serve para guiar você em sua jornada pela inovação. A primeira parte (capítulos 1 a 6) explica por que o DNA do inovador é importante e como as peças podem ser combinadas em uma abordagem personalizada para a inovação. Adicionamos vigor ao slogan "pense diferente", explicando em detalhes os hábitos e as técnicas que permitem aos inovadores pensarem de modo criativo. Os capítulos da primeira parte do livro oferecem muitos detalhes sobre como dominar as competências específicas, que são a chave da formulação de novas ideias – associar, questionar, observar, ter uma rede de relacionamentos (*networking*) e experimentar.

A segunda parte (capítulos 7 a 10) amplifica os blocos que formam a estrutura da inovação, e mostra como as competências de descoberta dos inovadores descritas na primeira parte operam em organizações e equipes. O capítulo 7 apresenta nosso ranking das empresas mais inovadoras do mundo, com base no prêmio de inovação da empresa – o prêmio no valor de mercado calcado nas expectativas dos investidores em relação a inovações futuras. Apresentamos também uma estrutura para perceber como o DNA do inovador funciona nas equipes e nas organizações mais inovadoras do mundo. Essa estrutura, que chamamos de "3P"*, contém os três blocos de orientação para a descoberta de organizações ou equipes altamente inovadoras – *pessoas, processos e filosofias*. O capítulo 8 tem como foco o bloco número

---

* N. da T.: de *people*, *processes* e *philosophies*, em inglês.

um, *pessoas*, e descreve como organizações inovadoras obtêm o máximo de impacto ao recrutar, estimular e recompensar de forma ativa pessoas que mostram fortes competências de descoberta – e junta, de maneira eficiente, os inovadores e os profissionais que exibem fortes competências de execução. O capítulo 9 mostra *processos* inovadores de equipes e empresas que espelham as cinco competências de descoberta dos inovadores de ruptura. Em outras palavras, empresas inovadoras confiam em processos que estimulam – ou mesmo exigem – que seus funcionários se dediquem a questionar, observar, fazer *networking*, experimentar e associar. O capítulo 10 tem como objetivo abordar as *filosofias* fundamentais que guiam o comportamento no interior de equipes e organizações inovadoras. Essas filosofias de trabalho orientam os inovadores de ruptura e ficam gravadas na organização, dando às pessoas coragem para inovar. Finalmente, aqueles interessados em desenvolver as competências de descoberta em si mesmos, em sua equipe ou na geração mais nova (jovens que você conhece), vão encontrar no apêndice C a orientação para levar seu DNA de inovador a um nível mais alto.

Estamos muito satisfeitos com o fato de você começar ou continuar sua própria jornada pela inovação. Assistimos a inúmeras pessoas assumindo a fundo as ideias deste livro para depois descrever como aumentaram dramaticamente suas competências de inovação. Elas confirmaram que vale a pena fazer a jornada. Achamos que você vai se sentir da mesma forma depois que terminar a leitura e dominar as competências de um inovador de ruptura.

DNA DO INOVADOR

PARTE UM

A Inovação de Ruptura Começa com Você

1

O DNA dos Inovadores de Ruptura

"Quero pôr uma marca no Universo."

Steve Jobs

SEI COMO PRODUZIR ideias de negócios inovadoras e mesmo disruptivas? Sei como encontrar pessoas criativas ou treinar profissionais para pensar de modo diferente? São questões sempre presentes na cabeça da maior parte dos executivos de alto nível, cuja capacidade de inovar – eles bem sabem disso – é o "ingrediente secreto" do sucesso nos negócios. Infelizmente, a maioria de nós quase não tem noção do que faz uma pessoa ser mais criativa que outra. Talvez por isso, ficamos espantados diante de empreendedores visionários como Steve Jobs, da Apple, Jeff Bezos, da Amazon, e Pierre Omidyar, da eBay, e de executivos inovadores como A.G. Lafley, da P&G, Orit Gadiesh, da Bain & Company, e Meg Whitman, da eBay. Como essas pessoas propõem ideias tão radicalmente novas? Se fosse possível desvendar como funciona internamente o cérebro dos mestres, o restante de nós poderia aprender como a inovação ocorre de verdade?

Ideias para a inovação

Consideremos o caso de Jobs, que chegou a obter o primeiro lugar no ranking de CEOs de melhor desempenho em um estudo publicado pela *Harvard Business Review*[1]. Pode ser que você se lembre da famosa campanha publicitária "Pense diferente" da Apple. Esse slogan diz tudo. A campanha mostrava inovadores de diversas áreas, como Albert Einstein, Picasso, Richard Branson e John Lennon. Mas o rosto de Jobs poderia facilmente ser mostrado entre os outros. Afinal, todos sabem que Jobs era um sujeito inovador, que ele conhecia a maneira de pensar diferente. Mas a questão é: como ele fazia isso? Aliás, como um inovador pensa de modo diverso do dos outros?

A resposta comum é que a capacidade de pensar criativamente tem origem genética. A maioria de nós acredita que algumas pessoas, como Jobs, nascem simplesmente com genes criativos, ao contrário de outros. Os inovadores supostamente pensam com o lado direito do cérebro, significando que são geneticamente abençoados com capacidades criativas. O restante de nós pensa com o lado esquerdo – de maneira lógica e linear, com pouca ou nenhuma capacidade de pensar criativamente.

Se você acredita nessas hipóteses, podemos garantir que está errado. Pelo menos na área da inovação em negócios, praticamente todos nós mostramos capacidade de pensar de forma criativa ou inovadora. Até mesmo você. Assim, usando o exemplo de Jobs, vamos explorar essa capacidade de pensar diferente. Como Jobs surgiu com algumas de suas ideias inovadoras? E o que sua jornada tem a nos dizer?

Ideia inovadora # 1: computadores pessoais devem ser silenciosos e pequenos

Uma das inovações mais importantes do Apple II, o computador que lançou a Apple no mercado, veio da decisão de Jobs de que ele deveria ser silencioso. Essa convicção teve origem, em parte, no período que ele passou estudando o zen-budismo e meditando[2]. Ele descobriu que o barulho de um computador era um elemento de distração. Assim, Jobs determinou que o Apple II não teria ventilador, noção relativamente radical na época. Ninguém mais havia questionado o uso de um ventilador, porque *todos* os computadores tinham ventiladores para evitar o superaquecimento. Não seria possível eliminar o ventilador sem um tipo diferente de fonte de energia, que gerasse menos calor.

Assim, Jobs saiu à caça de alguém que pudesse projetar uma nova fonte de força. Por meio de sua rede de contatos, descobriu Rod Holt, um militante socialista com mais de 40 anos, que fumava sem parar, da equipe da Atari[3]. Estimulado por Jobs, Holt abandonou a tecnologia convencional de unidade linear, criada 50 anos antes, e criou um sistema de fornecimento de energia liga-desliga, que revolucionou a forma como a eletricidade era distribuída em aparelhos eletrônicos. A busca de Jobs pelo silêncio e a capacidade de Holt de oferecer uma fonte de energia inovadora, que tornava desnecessário um ventilador, fizeram do Apple II o mais silencioso e menor computador pessoal já produzido (o computador podia ser menor porque não precisava do espaço reservado ao ventilador). Se Jobs não tivesse perguntado por que um computador precisa ter um ventilador, e como manter o computador refrigerado sem o ventilador, o Apple que conhecemos não teria existido.

Ideia inovadora #2: a interface com o usuário, o sistema operacional e o mouse do Macintosh

As sementes do Macintosh e de seu sistema operacional revolucionário foram lançadas quando Jobs visitou o Centro de Pesquisas de Palo Alto (Palo Alto Research Center, PARC) da Xerox em 1979. A Xerox, empresa de copiadoras, havia criado o PARC como um laboratório de pesquisas destinado a projetar o escritório do futuro. Jobs conseguiu a visita ao centro em troca de uma oferta à Xerox de investir na Apple. A Xerox não sabia como aproveitar as coisas fora do comum que estavam surgindo no PARC, mas Jobs sabia. Ele observou cuidadosamente a tela de computador do centro que continha ícones, menus que podiam ser baixados e janelas que podiam sobrepor-se uma à outra – tudo isso controlado pelo clique de um mouse. Jobs diria: "O que vimos estava incompleto e defeituoso, mas o embrião da ideia estava lá... Depois de dez minutos, ficou óbvio para mim que todos os computadores funcionariam daquela maneira"[4]. Ele passaria os cinco anos seguintes na Apple liderando a equipe de projetistas que lançaria o computador Macintosh, o primeiro computador pessoal com interface gráfica para o usuário e com mouse. E ele viu outra coisa durante a sua visita ao PARC. Teve seu primeiro contato com a programação voltada para objetos, que se tornaria a chave para o sistema operacional OSX que a Apple adquiriu de outra empresa iniciada por Jobs, a NeXT Computers. O que teria acontecido se Jobs nunca tivesse visitado o centro da Xerox e observado o que estava acontecendo por lá?

Ideia inovadora #3: editoração eletrônica no Mac

O Macintosh, com sua impressora LaserWriter, foi o primeiro computador a levar a editoração eletrônica às massas. Jobs afirmava que a "bela tipografia" disponível no Macintosh nunca teria surgido se ele não tivesse entrado em uma aula de caligrafia no Reed College, no Oregon. Ele contava:

"O Reed College oferecia o que talvez seja o melhor ensino de caligrafia do país. Por todo o campus, todos os cartazes e todas as etiquetas em todas as gavetas eram lindamente escritos à mão. Como eu havia desistido do curso e não precisava assistir às aulas normais, decidi tomar uma aula de caligrafia para aprender como fazer isso. Aprendi sobre a tipografia com e sem serifa, as variações no espaço ocupado por diversas combinações de letras, o processo que faz a grande tipografia ser grande. Era bonito, histórico, artisticamente sutil, de um jeito que a ciência não consegue captar. Achei o assunto fascinante. Mas não havia sequer uma esperança de tudo isso ter aplicação prática em minha vida. Dez anos depois, quando estávamos projetando o primeiro computador Macintosh, todas essas ideias voltaram à minha cabeça. E projetamos tudo no Mac. Foi o primeiro computador com tipografia bonita. Se eu não tivesse entrado naquele curso, o Mac não teria tipografias múltiplas. E como o Windows simplesmente copiou o Mac, é provável que elas não existissem em nenhum computador"[5].

O que teria acontecido se Jobs não tivesse resolvido ingressar nas aulas de caligrafia quando decidiu deixar a faculdade?

Então, o que aprendemos da capacidade de Jobs de pensar diferente? Primeiro, verificamos que suas ideias inovadoras não jorravam inteiramente formadas a partir de seu cérebro, como se fossem um presente da fada das ideias. Quando verificamos as origens delas, descobrimos que o catalisador foi (a) uma questão que desafiou o status quo, (b) uma observação de uma tecnologia, empresa ou um cliente, (c) uma experiência ou experimento do qual ele procurava tirar alguma coisa nova ou (d) uma conversa com alguém que chamou sua atenção para um importante conhecimento ou oportunidade. Se examinarmos com cuidado os *comportamentos* de Jobs e, especificamente, como esses comportamentos levaram a conhecimentos novos e diversificados que resultaram numa ideia inovadora, podemos rastrear suas ideias inovadoras até a origem.

Qual é a moral da história? Queremos convencer você de que a criatividade não é só um dom da genética e uma competência cognitiva. Nós aprendemos que as ideias criativas surgem de competências comportamentais que você também pode adquirir, a fim de catalisar ideias inovadoras em você mesmo e em outros.

O que faz os inovadores serem diferentes?

Assim, o que torna os inovadores diferentes do restante de nós? A maioria de nós acredita que essa pergunta já foi respondida. É um dom genético. Algumas pessoas usam mais o lado direito do cérebro, algo que gera pensamentos mais intuitivos e divergentes. Ou você é assim ou não é. Mas as pesquisas realmente apoiam essa ideia? Nossa pesquisa confirmou outros trabalhos em que as competências criativas não são simplesmente traços genéticos recebidos no nascimento, e podem ser desenvolvidas. O estudo mais completo confirmando esse fato foi feito por um grupo de pesquisadores, Merton Reznikoff, George Domino, Carolyn Bridges e Merton Honeymon, que estudou as competências criativas de 117 pares de gêmeos univitelinos e bivitelinos. Ao submeter gêmeos entre 15 e 22 anos a testes, determinaram que cerca de 30% do desempenho de gêmeos idênticos em uma bateria de dez testes de criatividade poderiam ser atribuídos à genética[6]. Em contraste, aproximadamente entre 80% e 85% do desempenho dos gêmeos em testes de inteligência geral (QI) poderiam ser atribuídos à genética[7]. Assim, a inteligência geral (ao menos na forma em que é medida pelos cientistas) é basicamente fruto da genética, mas a criatividade não é. *O que é assimilado supera a natureza no que diz respeito à criatividade.* Seis outros estudos sobre a criatividade em gêmeos univitelinos confirmam as conclusões de Reznikoff et al: entre 25% e 40% do que fazemos de forma criativa deriva da genética[8]. Isso significa que aproximadamente dois terços de nossas competências de inovação *ainda* chegam por meio do aprendizado – e primeiro compreendemos a competência, depois a praticamos e, por fim, ganhamos confiança em nossa capacidade de criar. Esse é um dos motivos de as pessoas que crescem em sociedades que promovem os interesses da comunidade sobre os do indivíduo e colocam a hierarquia acima do mérito – como Japão, China, Coreia e muitas nações árabes –, terem menos probabilidade de desafiar criativamente o status quo e produzir inovações (ou ganhar prêmios Nobel). Muitos inovadores incluídos em nosso estudo pareciam ser geneticamente beneficiados. Mas, mais importante, eles descreviam como adquiriram competências de inovação a partir de modelos que tornavam "segura" e, ao mesmo tempo, estimulante a descoberta de novos meios de fazer as coisas.

Se os inovadores podem ser feitos e não apenas nascem assim, como apareceram com essas grandes ideias novas? Nossa pesquisa, que comparava cerca de 500 inovadores a aproximadamente outros 500 executivos, nos levou a identificar cinco competências de descoberta que distinguem os inovadores dos executivos típicos (para saber detalhes dos métodos usados na pesquisa, vá ao apêndice B). Em primeiro e no mais importante lugar, os inovadores contam com uma competência cognitiva que chamamos de "pensamento associativo" ou simplesmente "associação". A associação ocorre quando o cérebro procura sintetizar e tirar sentido de novas informações. Ela ajuda os inovadores a descobrir novas direções fazendo ligações entre questões, problemas e ideias aparentemente sem relação entre si. Descobertas inovadoras ocorrem muitas vezes na interseção de disciplinas e campos diversos. O autor Frans Johanssen descreveu esse fenômeno como "o efeito Médici", referindo-se à explosão criativa que ocorreu em Florença quando a família Médici reuniu criadores de um amplo leque de disciplinas – escultores, cientistas, poetas, filósofos, pintores e arquitetos. Quando essas pessoas entraram em contato umas com as outras,, criaram novas ideias nos pontos em que seus campos se encontravam, e espalharam o Renascimento, uma das mais inovadoras épocas da história. Em termos simples, pensadores inovadores fazem ligações de campos do conhecimento, problemas e ideias que, para outros, não têm relação entre si.

As outras quatro competências de descoberta acionam o pensamento associativo, porque permitem aos inovadores aumentar seu estoque de ideias formadoras das quais surgem ideias inovadoras. Os inovadores passam pelas seguintes competências de comportamento mais frequentemente:

Questionar. Os inovadores são grandes questionadores, que mostram paixão pelo ato de perguntar. Suas questões desafiam com frequência o status quo, como Jobs fez quando perguntou por que o computador precisava de um ventilador. Eles adoram perguntar o que aconteceria se fizessem algo. Inovadores como Jobs fazem perguntas para entender como as coisas são, os motivos de serem assim e como podem ser mudadas ou repensadas. Tomadas em conjunto, suas perguntas provocam novas compreensões, ligações, possibilidades e direções. Constatamos que os inovadores demonstram de forma consistente uma alta relação P/R, em que as perguntas (P) aparecem em número superior às respostas (R) em uma conversa normal, e têm um valor pelo menos tão grande como o de uma boa resposta.

Observar. Os inovadores são intensos observadores. Prestam cuidadosamente atenção ao mundo em sua volta – incluindo clientes, produtos, serviços, tecnologias e empresas –, e essas observações os ajudam a compreender e a ter ideias que levam a novos meios de fazer as coisas. A visita de observação de Jobs ao

PARC da Xerox ofereceu o *insight* básico que foi o catalisador do mouse e do sistema operacional interativo do Macintosh e também do sistema operacional OSX da Apple.

Cultivar o **networking.** Os inovadores gastam muito tempo e energia descobrindo e testando ideias por meio de uma rede diversificada de pessoas que têm *backgrounds* e perspectivas diferentes. Mais do que fazer *network* social, ou ter um *network* para obter recursos, eles buscam novas ideias ao conversarem com pessoas capazes de oferecer um ponto de vista radicalmente diferente sobre as coisas. Por exemplo, Jobs conversou com um colega da Apple chamado Alan Kay, que o aconselhou a "fazer uma visita àqueles malucos de San Rafael, na Califórnia". Os malucos eram Ed Catmull e Alvy Ray, que dirigiam uma pequena operação de computação gráfica, chamada Industrial Light & Magic (o grupo criava efeitos especiais para filmes de George Lucas). Fascinado pela operação, Jobs comprou a Industrial Light & Magic por US$ 10 milhões, deu-lhe o nome de Pixar, e abriu seu capital com o valor de US$ 1 bilhão. Se ele nunca tivesse conversado com Kay, jamais teria comprado a Pixar, e o mundo não se emocionaria com maravilhosos filmes animados como *Toy Story, WALL-E* e *Up*.

Experimentar. Os inovadores estão constantemente testando novas experiências e pilotando ideias novas. Os experimentadores exploram sem cessar o mundo, intelectual e fisicamente, desafiam convicções, testam hipóteses ao longo do caminho. Visitam lugares diferentes, buscam e avaliam informações novas, provam para aprender fatos novos. Jobs, por exemplo, fez experiências durante toda a sua vida – da meditação e de viver em um *ashram* na Índia a se inscrever em uma aula de caligrafia no Reed College. Todos esses conhecimentos variados iriam dar origem a ideias para inovações na Apple Computer.

Coletivamente, as competências de descoberta – a competência cognitiva de associar e as competências comportamentais de questionar, observar, cultivar o *networking* e experimentar – constituem o que chamamos de DNA do inovador, ou o código que produz ideias de negócios inovadoras.

A coragem de inovar

Por que os inovadores questionam, observam, conversam e experimentam mais que os executivos típicos? Quando examinamos as causas de sua motivação, descobrimos dois temas em comum. Primeiro, querem, de maneira ativa, mudar o status quo. Segundo, assumem regularmente riscos inteligentes para que as mudanças aconteçam. Considere a consistência da linguagem usada pelos inovadores para descrever seus motivos. Jobs queria deixar sua marca no Universo. Larry Page, cofundador do Google, afirmou que está dedicado a "mudar o mundo". Inovadores como esses evitam uma armadilha cognitiva comum, chamada *propensão para o status quo* – a tendência a preferir um estado de coisas presente às suas alternativas. A maioria de nós simplesmente aceita o status quo. Podemos até mesmo gostar da rotina e não fazer nada para balançar o barco. Respeitamos a velha máxima de "se está funcionando, não tente consertar", sem contestar se o que está sendo feito cumpre sua função. Os inovadores, ao contrário, acham que muitas coisas não funcionam. E saem a campo para consertá-las.

Como os inovadores rompem o status quo? Uma das formas é se recusar a serem governados pelos horários de outras pessoas. Passe os olhos pelo calendário típico de um executivo inovador e você vai descobrir um horário radicalmente diferente do dos menos inovadores. *Descobrimos que os empreendedores inovadores (que são também CEOs) passam 50% a mais de tempo em atividades de descoberta (questionar, observar, experimentar, conversar) do que os CEOs sem um histórico de inovação. Isso se traduz* em passar quase um dia inteiro por semana a mais em atividades de descoberta. Eles entendem que, para cumprir seu sonho de mudar o mundo, devem passar uma parte significativa de seu tempo tentando descobrir *como* podem cumprir tal tarefa. E ter a coragem de inovar significa que estão buscando de maneira ativa oportunidades para mudar o mundo.

Assumir a missão de transformar torna muito mais fácil assumir riscos inteligentes, cometer erros e aprender rapidamente com eles. A maior parte dos empreendedores inovadores que estudamos achava que cometer erros não era motivo de vergonha. De fato, erros formam parte dos custos esperados de se fazer negócios. Jeff Bezos nos disse: "Se as pessoas que dirigem a Amazon não cometerem erros significativos, não estarão fazendo um bom trabalho para nossos acionistas, pois não estaremos tentando romper as cercas". Em resumo, os inovadores confiam em sua "coragem de inovar" – uma propensão ativa para desafiar o status quo e uma disposição inquebrantável de assumir riscos inteligentes – para transformar ideias em impactos poderosos.

O DNA dos inovadores – ou o código para a geração de ideias inovadoras – é expresso no modelo mostrado na figura 1-1. A competência principal para a geração de ideias inovadoras é a competência cognitiva do pensamento associativo. O motivo de algumas pessoas gerarem mais associações que outras é, em parte, porque seus cérebros simplesmente funcionam dessa maneira. Mas a razão ainda mais importante é que elas praticam com frequência as competências comportamentais de questionar, observar, fazer *networking* e experimentar. São esses os catalisadores do pensamento associativo. Naturalmente, a pergunta seguinte é: por que algumas pessoas empregam essas quatro competências mais que outras? A resposta é que elas têm coragem de inovar. Estão dispostas a abraçar a missão de mudar e correr riscos para que as mudanças ocorram. A conclusão é que, para melhorar sua capacidade de gerar ideias inovadoras, você deve

FIGURA 1-1

O modelo do DNA do inovador para gerar ideias novas

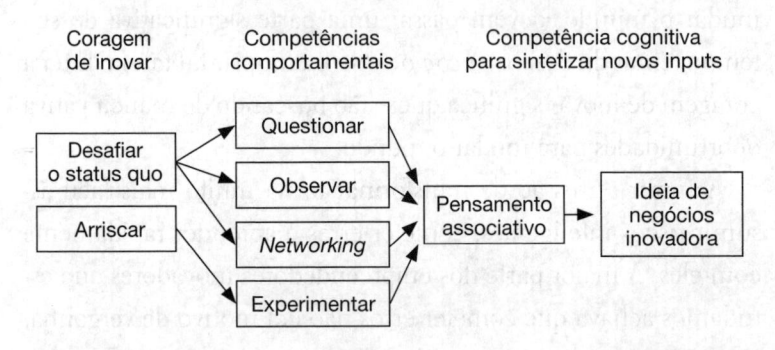

praticar o pensamento associativo e mais frequentemente questionar, observar, cultivar o *networking* e experimentar. Mas isso só vai acontecer se você, de alguma maneira, privilegiar a coragem de inovar.

Quando os inovadores praticam de maneira ativa suas competências de descoberta, no decorrer de suas vidas, constroem hábitos de descoberta e se tornam definidos por esses hábitos. Eles crescem cada vez mais confiantes em sua capacidade de descobrir o que vem a seguir e acreditam que a geração de *insights* criativos seja o *seu* trabalho. Não é uma coisa a ser delegada a outra pessoa. Como A.G. Lafley declarou, "a inovação é o trabalho central de todos os líderes – encarregados de unidades de negócios, líderes funcionais e CEOs"[9].

O DNA do inovador

Acabamos de dizer que a capacidade de ser inovador *não* tem primariamente base genética. Ao mesmo tempo, usamos a metáfora do DNA para descrever o funcionamento interno dos inovadores. Isso pode sugerir que existe uma ligação. Mas vamos pensar um instante no assunto (e seja bem-vindo ao mundo da inovação, em que a capacidade de sintetizar duas ideias aparentemente opostas é o tipo de associação que produz novos *insights*). Desenvolvimentos recentes no campo da terapia dos genes mostram que é possível modificar e fortalecer seu DNA físico, por exemplo, para ajudar a evitar doenças[10]. E é metaforicamente possível fortalecer seu DNA pessoal de inovador. Vamos apresentar uma ilustração.

Imagine que você tenha um irmão gêmeo idêntico, dotado com o mesmo tipo de cérebro e talentos naturais iguais aos seus. Os dois têm uma semana para apresentar uma nova ideia de negócios criativa. Durante essa semana, vocês tentam implementar suas ideias sozinhos, cada um pensando em seu quarto. Como diferença, seu irmão gêmeo (a) conversa com dez pessoas – incluindo um engenheiro, um músico, seu pai que está em casa e um projetista – sobre a iniciativa; (b) visita três empresas iniciantes inovadoras para observar o que elas estão fazendo; (c) escolhe cinco produtos novos no mercado e os desmonta; (d) mostra a cinco pessoas um protótipo que construiu, (e) e pergunta a elas o que achariam de ele experimentar esse protótipo e o que ele poderia fazer caso não funcionasse – essas perguntas seriam feitas pelo menos dez vezes por dia, levando em consideração as atividades de *networking*, observação e experimentação. Qual seria sua aposta sobre quem apresentaria a ideia mais inovadora (e capaz de ser usada)? Acho que você apostaria em seu irmão, e não por causa das habilidades criativas naturais (ou genéticas) dele. Naturalmente, o peso de âncora da genética ainda está ali, mas não é o fator dominante. Pessoas podem aprender a apresentar de maneira mais eficaz soluções inovadoras para os problemas agindo da forma como fez seu irmão.

Como mostra a figura 1-2, raramente os empreendedores inovadores se destacam de forma ampla em observar, experimentar e manter um *networking*. E não precisam. Todos os empreendedores inovadores de alto nível de nosso estudo tiveram notas acima do percentil 70 em associar e perguntar. Os inovadores parecem ter essas duas competências de descoberta de forma

As forças nas competências de descoberta são diferentes nos inovadores de ruptura

Para entender que os empreendedores inovadores desenvolvem e usam competências diferentes, observe a figura 1-2. Ela mostra os percentis atingidos nas cinco competências de descoberta por quatro fundadores e inovadores conhecidos: Pierre Omidyar (eBay), Michael Dell (Dell), Michael Lazaridis (Research In Motion) e Scott Cook (Intuit). A posição do percentil está relacionada com a porcentagem dos mais de 500 executivos e inovadores de nosso banco de dados que tiraram notas menores naquela competência em particular. Ela é medida pela frequência e intensidade com que as pessoas realizam atividades dessa competência.

FIGURA 1-2

Perfil das competências de descoberta de inovadores de alto nível

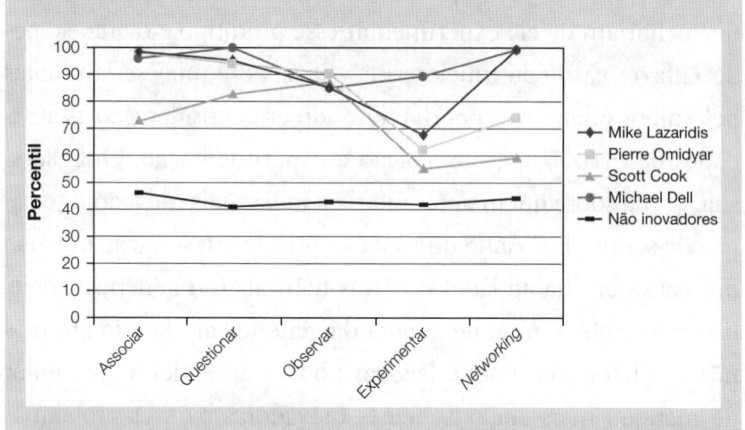

Você pode observar que os padrões de cada empreendedor inovador são diferentes. Por exemplo, Omidyar é muito mais propenso a adquirir suas ideias questionando (índice 95) e observando (índice 87); Dell, por meio de experimentação (90) e *networking* (98); Cook, usando a observação (88) e questionando (83); Lazaridis, empregando as perguntas (96) e o *networking* (98). O ponto é que esses empreendedores inovadores não atingem níveis muito altos em *todas* as competências de descoberta. Cada um deles combinou as competências de descoberta de forma *única* para chegar às suas conclusões. Da mesma maneira que o DNA físico de cada pessoa é único, o DNA do inovador compreende uma combinação única de competências e comportamentos.

universal. Mas os inovadores que estudamos não precisavam ter qualificações de primeira categoria nos outros comportamentos. Ajudaria se eles fossem excelentes em uma das quatro competências e muito bons em pelo menos duas. Se você espera ser um inovador melhor, vai ter que descobrir em quais dessas competências pode melhorar e quais são as competências diferenciadoras que o ajudarão a gerar ideias inovadoras.

Competências de resultados: por que a maioria dos altos executivos não pensa de forma diferente

Passamos os últimos oito anos entrevistando altos executivos, a maioria de grandes empresas. Pedimos a todos para descrever as percepções estratégicas mais novas e valiosas que geraram em suas carreiras. De forma um pouco surpreendente, descobrimos que os altos executivos raramente mencionaram uma ideia inovadora de negócios que eles mesmos produziram. São pessoas bastante inteligentes e talentosas, determinadas a produzir resultados. Mas não tinham muita experiência direta e pessoal com a geração de ideias de negócios inovadoras.

Ao contrário dos inovadores que buscam transformar modelos de negócios, produtos ou processos existentes, a maior parte dos altos executivos trabalha para oferecer de forma eficiente a próxima etapa do que deve ser feito *dentro* do modelo de negócios já existente. Ou seja, trabalham dentro das normas. São brilhantes

Eu não sou Steve Jobs. Isso é relevante?

Certo, você não é Steve Jobs. Nem Jeff Bezos. Nem qualquer outro inovador de negócios famoso. Mas isso não quer dizer que não possa aprender com esses inovadores. Você *pode* ser melhor em inovação, mesmo se a maior parte de suas inovações for de natureza apenas complementar. Já vimos isso acontecer e detectamos que pode fazer diferença. Notamos que um executivo da indústria farmacêutica praticava a técnica de questionamento (veja capítulo 3) uma vez por dia para identificar casos estratégicos muito importantes enfrentados por sua divisão. Depois de três meses, seu superior lhe disse que se transformara no pensador estratégico mais efetivo da equipe. Depois de seis meses, foi promovido a um cargo no planejamento estratégico da corporação. "Só melhorei minha capacidade de fazer perguntas", ele nos disse. Assistimos a estudantes de MBA em nossas aulas usarem técnicas de observação, *networking* e experimentação para gerar ideias empreendedoras de negócios. Um teve a ideia de lançar uma empresa que emprega bactérias para conter a poluição usando seu *networking*, durante uma conversa com uma pessoa que conheceu num churrasco na vizinhança. Outro observou que quem melhor falava inglês no Brasil era quem assistia a filmes e seriados norte-americanos. Assim, lançou uma empresa que vende programas de computador para ajudar pessoas a aprender inglês assistindo a filmes. Muitas ideias inovadoras podem parecer pequenas, como a de um novo processo para examinar efetivamente candidatos a emprego ou a melhor maneira de obter a fidelidade dos clientes. Mas, mesmo assim, são ideias novas e valiosas. E se você apresentar um número suficiente dessas ideias, elas vão ajudá-lo a avançar em sua carreira. O ponto é: você não precisa ser igual a Steve Jobs para gerar ideias inovadoras em seu negócio.

quando se trata de transformar uma visão ou objetivo em tarefas específicas destinadas a atingir a meta definida. Organizam as tarefas e executam de maneira consciente planos de ação lógicos, detalhados e orientados por números. Em resumo, a maior parte dos altos executivos é excelente na execução, inclusive no acompanhamento, de quatro competências de transmissão: *analisar, planejar, implementar com atenção aos detalhes e executar de forma disciplinada.* (Vamos falar mais sobre essas competências antes do fim deste capítulo e depois, no capítulo 8, mas por enquanto precisamos apenas notar que elas são essenciais para a obtenção de resultados e para transformar uma ideia inovadora em realidade.)

Muitos inovadores percebem que são diferentes nessas competências críticas e, como consequência, tentam formar equipes com profissionais que as possuem. Por exemplo, o fundador da eBay, Omidyar, reconheceu rapidamente a necessidade de competências de execução e contratou Jeff Skoll, MBA de Stanford, e Meg Whitman, MBA de Harvard, para trabalhar com ele. Omidyar nos disse: "Jeff Skoll e eu tínhamos competências que se complementavam muito bem. Diria que eu fazia a maior parte do trabalho criativo, desenvolvendo e resolvendo problemas em torno do produto, enquanto Jeff tinha sua participação mais no lado analítico e prático das coisas. Era ele quem ouvia uma de minhas ideias e dizia, certo, vamos ver como fazemos isso". Skoll e Whitman profissionalizaram o site da eBay na internet, incluíram leilões com preços fixos, dirigiram a expansão internacional, desenvolveram novas categorias, como automóveis, e integraram capacidades importantes, como o PayPal.

Por que a maioria dos altos executivos é excelente em competências de execução, mas fica pouco acima da média em competências de descoberta? É vital entender que as competências críticas para o sucesso de uma organização variam sistematicamente ao longo do ciclo de vida do negócio (veja a figura 1-4).

Por exemplo, na fase de lançamento de um empreendimento inovador, os fundadores são mais voltados para as descobertas e mais empreendedores. As competências de descoberta são cruciais no início do ciclo de vida do negócio porque a tarefa-chave da empresa é gerar novas ideias de negócios que merecem ser seguidas. Assim, as competências de descoberta (exploração) são muito valorizadas nessa etapa e as competências de entrega (execução), são secundárias. Entretanto, uma vez que os empreendedores inovadores surjam com uma nova ideia promissora, e moldem essa ideia em uma oportunidade de negócios de boa-fé, a empresa começa a crescer. Será preciso, então, ficar atento à construção dos processos necessários para implementar a ideia.

Durante a etapa de crescimento, o empreendedor inovador pode muito bem deixar a empresa, seja porque não tem interesse em dar escala à ideia (o que envolve trabalho entediante, pelo menos para ele), seja por não ter as competências para dirigir de forma efetiva uma grande organização. Os empreendedores inovadores são, muitas vezes, retratados como maus administradores por não terem capacidade de dar prosseguimento às suas novas ideias de negócios e por estarem irracionalmente superconfiantes nessas ideias. Eles são mais sujeitos a tomar decisões com base em palpites ou preferências pessoais do que na análise de dados concretos[11]. Não surpreende que a solução convencional para esses problemas seja substituir os empreendedores por administradores profissionais, indivíduos com competência comprovada na obtenção de resultados. Nessa altura do ciclo de vida de um negócio, administradores profissionais, mais bem equipados para dar escala ao negócio, substituem com frequência os empreendedores fundadores. Quando essa substituição acontece, *a equipe de alta direção deixa de contar com competências de descoberta importantíssimas.*

Com o empreendedor fundador fora do quadro, começam as etapas seguintes da vida do negócio, de crescimento e ma-

A matriz das competências de descoberta e de execução: em quê inovadores se apoiam

Para testar a assertiva de que os executivos inovadores têm uma série de competências diferente da dos executivos típicos, usamos nossa avaliação do DNA do inovador para comparar os dados com os de uma amostra de empreendedores inovadores de alto nível (os CEOs fundadores de empresas que compõem a lista das 100 empresas mais inovadoras da *Business Week*) em relação às cinco competências de descoberta (associar, questionar, observar, fazer *networking* e experimentar) e às quatro competências de execução: analisar, planejar, implementar com base em dados e executar de forma autodisciplinada. Tiramos uma média de todos os seus resultados nas cinco competências de descoberta para estabelecer um ranking, e fizemos o mesmo em relação às quatro competências de execução para obter a média. Chamamos o resultado geral obtido nas cinco competências de descoberta de "quociente de descoberta", ou QD. Enquanto os testes de quociente intelectual (QI) são projetados para medir a inteligência geral e as avaliações do quociente emocional (ou QE) medem a inteligência emocional (ou capacidade de identificar, avaliar e controlar as emoções de nós mesmos e dos outros), o quociente de descoberta (QD) é projetado para medir nossa capacidade de descobrir ideias para novos empreendimentos, produtos e processos.

A figura 1-3 mostra que os empreendedores inovadores de alto nível obtiveram o índice 88 em competências de descoberta, mas apenas 56 em competências de execução. Em resumo, ficaram pouco acima da média em execução. Realizamos, então, a mesma análise para uma amostra de CEOs não fundadores (executivos que nunca deram início a um novo negócio). Descobrimos que a maioria dos altos executivos de grandes organizações era a imagem no espelho dos empreendedores inovadores: ficava em torno do índice 80 em competências de execução, mas apenas pouco acima da média em competências de descoberta (índice de 62). Em resumo, são escolhidos primariamente por suas competências de execução. O foco na execução é ainda mais acentuado em dirigentes de unidades de negócios e dirigentes funcionais, piores em descoberta que os CEOs típicos. Esses dados mostram que organizações inovadoras são dirigidas por indivíduos com QD muito elevado. Mostra ainda que, mesmo em uma organização média, as competências de descoberta tendem a levar aqueles que as realizam aos níveis mais altos da empresa. Assim, se você quiser subir, é melhor aprender como ser inovador.

FIGURA 1-3

Matriz de competências de descoberta e execução

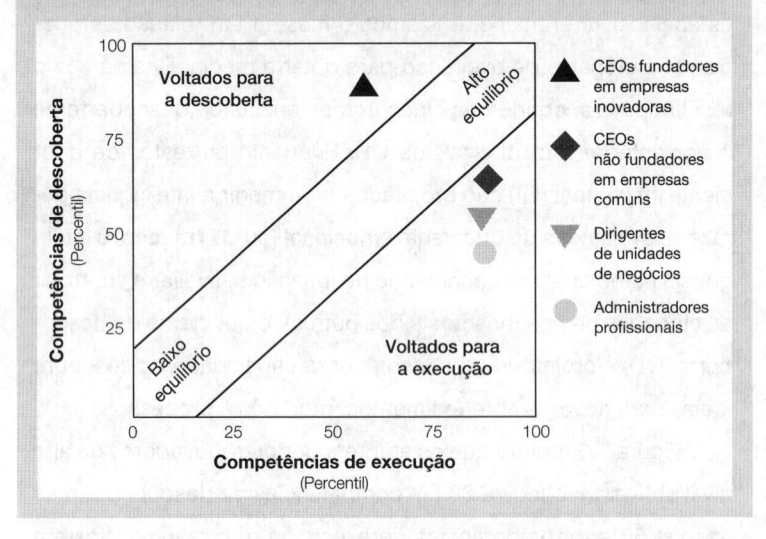

turação. Nessas etapas, os administradores chegam ao topo da pirâmide por meio de suas qualidades como grandes executores. O termo pode incluir a geração de inovações incrementais (de sustentação) para os clientes existentes, mas o foco fica na execução, não na construção de novos negócios. Um número bastante reduzido de empresas nesse estágio dá atenção sistemática à seleção ou à promoção de pessoas com competências fortes de des-

FIGURA 1-4

Ciclos de vida do negócio e das competências dos executivos

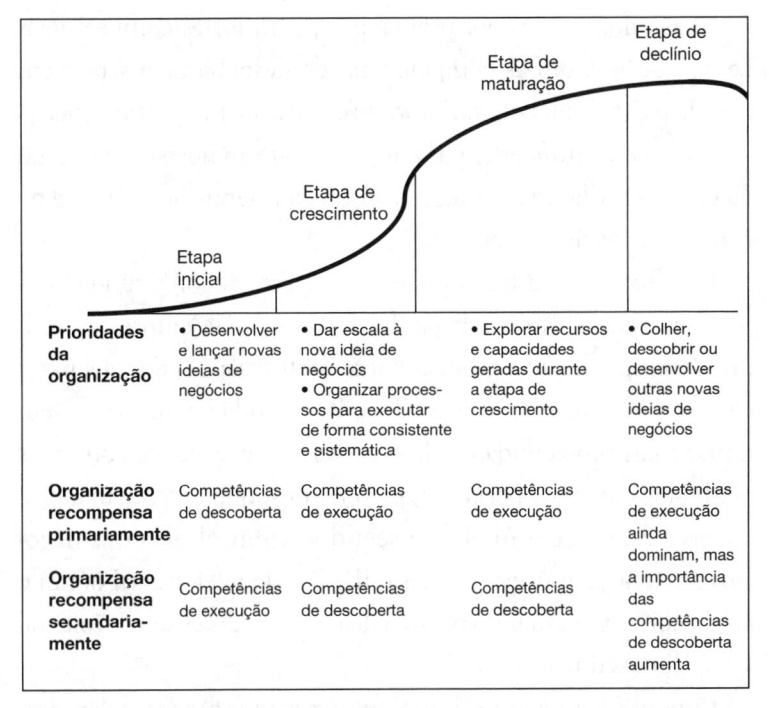

	Etapa inicial	Etapa de crescimento	Etapa de maturação	Etapa de declínio
Prioridades da organização	• Desenvolver e lançar novas ideias de negócios	• Dar escala à nova ideia de negócios • Organizar processos para executar de forma consistente e sistemática	• Explorar recursos e capacidades geradas durante a etapa de crescimento	• Colher, descobrir ou desenvolver outras novas ideias de negócios
Organização recompensa primariamente	Competências de descoberta	Competências de execução	Competências de execução	Competências de execução ainda dominam, mas a importância das competências de descoberta aumenta
Organização recompensa secundariamente	Competências de execução	Competências de descoberta	Competências de descoberta	

coberta. Quando isso acontece, a ausência de competências de descoberta no topo se torna ainda mais evidente, mas ainda não é necessariamente óbvia. (Compare essas práticas comuns com as de Bezos, fundador da Amazon, que pede sistematicamente aos novos contratados, incluindo altos executivos, para que lhe contem alguma coisa que inventaram. Bezos quer contratar pessoas que tenham uma atitude inovadora – ou, em outras palavras, pessoas como ele mesmo.)

Chega um tempo, na maioria das organizações, em que as inovações iniciais que deram início ao negócio completam seu ciclo de vida. O crescimento cessa quando a empresa atinge o ponto mais baixo da bem conhecida curva em S. Essas organizações, maduras e em declínio, são dominadas por executivos com excelentes competências de execução. Os investidores, enquanto isso, exigem novos negócios em crescimento, mas as equipes da alta direção não parecem encontrá-los, porque os níveis de direção são dominados por profissionais com fortes competências de execução. Com as competências de descoberta ausentes em grande parte da alta direção, torna-se cada vez mais difícil encontrar novas oportunidades para impulsionar um novo crescimento da empresa. Ela, mais uma vez, começa a sentir necessidade de competências de descoberta.

Em forte contraste, quando os empreendedores fundadores permanecem durante a etapa de crescimento, a empresa obtém um desempenho significativamente melhor que o de seus pares em crescimento e lucratividade[12]. Um fundador inovador tem muito mais probabilidades de cercar-se de executivos com boas qualidades de descoberta, ou, pelo menos, que entendem a descoberta. Será que a Apple conseguiria desenvolver novos negócios na área de música (iTunes e iPod) e de telefones (iPhone) e ainda continuar atuando na área de computadores sem a volta de Jobs? Temos dúvidas.

O ponto básico aqui é que empresas grandes fracassam em relação à inovação de ruptura porque a equipe de alta direção é dominada por pessoas que foram escolhidas por suas competências de execução, e não por competências de descoberta. Como consequência, a maioria dos executivos de grandes organizações não sabe como pensar de forma diferente. Não é uma coisa que eles aprenderam dentro da empresa e não é algo que lhes ensinam na escola de negócios. Escolas de negócios mostram às pessoas como executar, não como descobrir.

Por um instante, pense no histórico de sua empresa em relação a premiar e promover competências de descoberta. Sua empresa tenta descobrir de maneira ativa pessoas com fortes competências de descoberta? Sua empresa premia regularmente competências de descoberta por meio de avaliações anuais de desempenho? Se as respostas forem não, é provável que exista um sério déficit de competências de descoberta nos níveis mais altos da administração de sua empresa.

Você pode aprender a pensar diferente

Neste capítulo, tentamos convencer você de que a criatividade não é somente uma predisposição genética; é um esforço ativo. O slogan da Apple, "Pense Diferente", é inspirador, mas incompleto. Os inovadores precisam agir consistentemente de forma diferente para pensarem de forma diferente. Admitimos que a genética exerce influência importante nos inovadores, e que alguns têm capacidade natural superior para o pensamento associativo. Entretanto, *mesmo se dois indivíduos tiverem a mesma capacidade criativa genética, um deles conseguirá mais sucesso na solução de um problema criativo se usar com mais frequência as competências de descoberta que identificamos.* Se você compreender – e praticar – as cinco competências de descoberta, poderá descobrir formas de desenvolver com mais sucesso a centelha criativa dentro de você mesmo e dos outros. Continue a leitura, enquanto descrevemos como dominar as cinco competências de descoberta para se transformar em uma pessoa que pensa de forma mais inovadora.

A questão das competências de descoberta e execução: qual é o seu perfil?

Vamos dar uma olhada rápida em seu perfil de competências de descoberta e de execução. Marque um ponto se discordar totalmente da afirmação, dois se discordar um pouco, três se não discordar nem concordar, quatro se concordar em parte e cinco se concordar totalmente. Responda com base em seu comportamento habitual, não em como você acha que deveria ser.

1. Frequentemente minhas ideias e perspectivas divergem de modo radical das perspectivas de outros.

2. Tomo muito cuidado para evitar cometer erros em meu trabalho.

3. Regularmente faço perguntas que desafiam o status quo.

4. Sou bem organizado no trabalho.

5. Tenho com frequência ideias novas quando observo como as pessoas interagem com produtos e serviços.

6. Preciso ter tudo pronto de forma bem certinha ao terminar uma tarefa no trabalho.

7. Quase sempre acho soluções para problemas me inspirando em soluções ou ideias desenvolvidas em outros setores, campos ou disciplinas.

8. Nunca entro em novos projetos e empreendimentos ou ajo rapidamente sem refletir bem sobre todos os pontos em questão.

9. Frequentemente experimento criar maneiras novas de fazer as coisas.

10. Sempre prossigo até completar uma tarefa, sem me importar com os obstáculos que surgem no caminho.

11. Converso regularmente com um grupo diversificado de pessoas (de diferentes funções, organizações, setores, áreas geográficas de negócios) para descobrir e aperfeiçoar novas ideias.

12. Sou muito bom em dividir um objetivo ou plano nas microtarefas necessárias para atingi-lo.

13. Compareço a conferências (sobre minha área de especialização ou áreas não relacionadas) para encontrar pessoas novas e compreender os problemas que elas enfrentam.

14. Presto atenção em detalhes do trabalho para garantir que nada foi esquecido.

15. Busco ativamente identificar tendências emergentes por meio da leitura de livros, artigos, revistas, blogs etc.

16. Considero a mim e a outros estritamente responsáveis pela obtenção de resultados.

17. Costumo me perguntar "E se...?" para provocar a exploração de novas possibilidades e fronteiras.

18. Vou sempre em busca de soluções para todos os compromissos e termino tudo que comecei.

19. Observo regularmente as atividades de clientes, fornecedores e outras organizações para obter ideias novas.

20. Crio consistentemente planos detalhados para que o trabalho seja realizado.

Para obter o seu índice:

Some os pontos que obteve nas questões de número ímpar. Se o total for 45 ou superior, você tem uma pontuação muito alta em relação às competências de descoberta; alta se o total ficar entre 40 e 45; moderada a alta se ficar entre 35 e 40; e moderada a baixa se estiver entre 29 e 34. Se o total for 28 ou inferior, você tem um índice baixo em competências de descoberta.

Some agora os pontos obtidos nas questões de número par. Você terá um índice muito alto em competências de execução se o total for 45 ou superior; alto se ficar entre 40 e 45; de moderado a alto entre 35 e 40; moderado a baixo entre 29 e 34; e baixo se o total for 28 ou menos.

Preparamos essa rápida pesquisa a partir de uma avaliação mais sistemática, de 70 itens (ou uma avaliação pessoal, ou uma de 360 graus), que desenvolvemos para avaliar as competências de descoberta e as competências de execução de um indivíduo.

2

Competência de Descoberta #1

Associar

"Criatividade é juntar coisas."

Steve Jobs

OS INOVADORES PENSAM de forma diferente, mas, como Steve Jobs colocou, só pensam de forma diferente porque juntam o que está solto. Einstein, certa vez, chamou o pensamento criativo de "jogo de combinações", e via esse jogo como "o aspecto essencial do pensamento produtivo". Associar – ou a capacidade de fazer ligações surpreendentes entre áreas de conhecimento, setores da economia e mesmo regiões geográficas separadas – é uma competência assumida pelos inovadores que estudamos. Os inovadores buscam ativamente informações e ideias novas e diversificadas quando perguntam, observam, acionam seu *networking* e experimentam – os principais catalisadores de associações criativas. Para ilustrar como as associações produzem ideias de negócios inovadoras, pense em como Marc Benioff teve a ideia de criar a salesforce.com, hoje uma empresa de softwares de US$ 13 bilhões. A experiência de Benioff com a tecnologia e os softwares começou quando, com 15 anos, criou uma pequena empresa de informática, a Liberty Software, desenhando jogos para computadores (como "How to Juggle") em seu Commodore 64. Como estudante de Ciências da Computação e Empreendedorismo, Benioff trabalhou nas férias na Apple durante a criação e o lançamento do primeiro Mac, aprendendo em primeira mão o que significava produzir em um mundo que pensava diferente.

Depois de formado, Benioff foi trabalhar na Oracle, então uma pequena empresa iniciante. Com 25 anos, chefiava a divisão de marketing direto da Oracle, e começou a ver diversas correntes de oportunidades emergindo na internet. "A natureza do sucesso com softwares é sempre ter que olhar para a próxima etapa", Benioff nos disse. "Você precisa condicionar o cérebro a pensar daquele jeito. Vi muitas mudanças tecnológicas nos últimos 25 anos. Estava sentado em minha mesa na Oracle no fim da década de 1990, observando o surgimento da Amazon.com e da eBay... e senti que havia alguma coisa significativa no horizonte." Benioff decidiu que era hora de pensar mais profundamente sobre o panorama em mutação da tecnologia – e em sua própria carreira. Pediu uma licença, que começou com uma viagem à Índia, onde conheceu várias pessoas com experiências bem diversificadas, entre elas a líder espiritual e humanitária Mata Amritanandamayi (que ajudou a fortalecer seu compromisso de fazer bem e fazer o bem nos negócios). A parada seguinte da jornada de Benioff pelo mundo foi o Havaí, onde discutiu ideias para novos negócios com um amplo conjunto de empreendedores e amigos.

A mensagem fundamental da Salesforce.com surgiu quando Berioff nadava entre golfinhos no Oceano Pacífico. Ele pensou: "Perguntei a mim mesmo por que todas as aplicações de softwares para empresas não são construídas de forma semelhante à Amazon e à eBay. Por que ainda carregamos programas e fazemos upgrade de softwares da mesma maneira, esse tempo todo, quando temos a internet? Fazer essas perguntas, para mim, foi a abertura fundamental. E foi assim que nasceu a Salesforce. *Ela é basicamente o encontro do software empresarial com a Amazon*".

A síntese de Benioff para um dado ou uma associação nova – "o encontro do software empresarial com a Amazon" – desafiou a tradição do setor de comercializar programas em CD-ROM, o que obrigava as empresas a efetuar processos de instalação longos e personalizados (e caros). O foco passou a ser o fornecimento de software como um serviço, e usando a internet. Dessa forma, o software ficaria disponível 24 horas por dia, sete dias por semana, e as empresas evitariam todos os custos e as interrupções associados a instalações e upgrades em larga escala, feitos por um sistema de tecnologia da informação. Com sua grande experiência em vendas e marketing na Oracle, Benioff sentiu que a oferta de serviços de software para o gerenciamento da força de vendas e das relações com clientes teria enorme potencial para negócios médios e pequenos, que não podiam pagar por softwares empresariais personalizados. Assim, nasceu a Salesforce.

A visão de Benioff surgiu a partir de anos de experiência significativa no setor de programas de computador, combinados com muitas perguntas, observações, explorações e conversas, que no fim o ajudaram a juntar coisas que nunca tinham sido unidas antes. Ele tomou emprestados elementos do modelo de negócios da Amazon e construiu um diferente, baseado em um sistema de softwares pelos quais as empresas pagariam *quando* os usassem, em vez de pagar por todos os sistemas de softwares *antes* de seu uso (como exigia a maioria dos fornecedores de programas). Foi uma decisão revolucionária, porque lançou uma era de "computação em nuvem", que agora parece óbvia, mas estava longe de sê-lo na época.

Sempre com a cabeça voltada para "um jogo de combinações" (ou para jogar com associações novas), Benioff e sua equipe da Salesforce.com continuaram sua jornada de inovações. Ele explicou que, antes da Salesforce.com, sua pergunta básica era: por que as empresas de software não seguem o modelo da Amazon? Mas, depois da Salesforce.com, uma pergunta diferente tomou seu lugar: por que todo software empresarial (incluindo os da Salesforce.com) não são como o Facebook? Benioff e seu grupo foram atrás da resposta e inventaram o Chatter, uma nova aplicação de software social que já foi chamado de "Facebook para empresas". O Chatter pega o melhor do Facebook e do Twitter e o aplica na colaboração entre empresas (pense no Facebook e no Twitter tomando o lugar da Amazon na ideia que deu origem à Salesforce.com).

O Chatter usa maneiras novas de partilhar informações, como inserções e grupos, de forma que, sem nenhum esforço, as pessoas podem verificar em que indivíduos e equipes estão pondo seus focos, como os projetos estão progredindo e quais transações estão sendo fechadas. O Chatter muda a forma como as empresas colaboram para o desenvolvimento de produtos, a captação de clientes e a criação de conteúdo, deixando que todos vejam facilmente o que os outros estão fazendo. Nas empresas que usam o Chatter, o recebimento de e-mails diminuiu drasticamente (em 43% na Salesforce.com), porque a maior parte das comunicações passou a ser feita por atualizações e introduções no Chatter. "Os funcionários podem acompanhar as contas, e as atualizações são transmitidas para eles em tempo real por intermédio do Chatter", Benioff nos disse. "Essa é a verdadeira força do Chatter – trazer à luz pessoas e ideias mais importantes que fazem nossas empresas ir para a frente. Chamo isso de inteligência social. Ela está dando a todos acesso às pessoas, ao conhecimento e aos *insights* que precisam para fazer a diferença."

Associação: o que é

O grande empreendedor inovador Walt Disney descreveu, certa vez, sua função na empresa que fundou como catalisador criativo. Disney estava querendo dizer que não era ele pessoalmente quem desenhava as figuras de seus maravilhosos desenhos animados, ou quem construía a enorme réplica do Matterhorn para a Disneylândia. Mas era ele quem juntava as ideias de forma a provocar as faíscas que davam início a percepções criativas em toda a empresa. Certa vez, um garoto sentiu curiosidade em relação ao trabalho de Disney. Ele lembra a cena em cores vivas: "Um dia, fiquei aturdido quando um menininho me perguntou: 'O senhor desenha o Mickey Mouse?' Tive que admitir, não era mais eu quem fazia o desenho. 'Então, é o senhor que pensa todas as piadas e tem as ideias?' Respondi que não, não era eu. Finalmente, ele olhou para mim e disse: 'Senhor Disney, afinal o que o senhor faz?' Bem, eu disse, penso em mim mesmo como uma abelhinha. Vou de uma parte do estúdio a outra, recolho o pólen e passo entusiasmo para todo mundo. Acho que é esse o trabalho que eu faço"[1]. Disney estimulava as ideias dos outros e dava origem às suas próprias, ao se colocar no ponto de encontro das experiências de outras pessoas. Com o passar do tempo, as percepções associativas de Disney – inclusive uma série de iniciativas pioneiras em seu setor, como a de produzir desenhos com a duração de um longa-metragem e criar setores temáticos em parques de diversões – mudaram a face do entretenimento.

Líderes inovadores de empresas conhecidas, como Apple, Amazon e Virgin, fazem exatamente a mesma coisa. Eles submetem as ideias a uma polinização cruzada em seu próprio cérebro e no de outros. Ligam ideias, objetos, serviços, tecnologias e disciplinas muito diferentes para produzir inovações em que ninguém pensara antes e que fogem do convencional. Como Steve Jobs disse uma vez, criatividade é juntar ideias. Ele acrescentou: "Quando se pergunta a pessoas criativas como fizeram alguma coisa, elas se sentem um pouco culpadas porque não foram elas que o fizeram, apenas perceberam algo, tiveram a capacidade de combinar experiências e sintetizar coisas novas"[2]. É assim que os inovadores pensam diferente, o que chamamos de associação[3], uma competência cognitiva que é a base do DNA do inovador. Neste capítulo, vamos observar mais profundamente como funciona o pensamento associativo e apresentar algumas técnicas para desenvolver essa capacidade cognitiva.

Associação: quando ocorre

Ideias inovadoras florescem quando experiências diversificadas, próprias ou de outros, se encontram. Durante toda a história, grandes ideias surgiram dos pontos de contato de culturas e experiências. De maneira bem semelhante à das doze ruas de tráfego intenso que convergem para a via circular sujeita a acidentes que cerca o Arco do Triunfo, em Paris, quanto mais diversificados forem seus pontos de encontro de experiências, mais fácil será o aparecimento de uma síntese surpreendente. Colocando em termos simples, os inovadores manobram intencionalmente a si mesmos para as interseções, em que experiências diversificadas florescem e levam à descoberta de novas percepções. Como mencionamos no capítulo 1, Frans Johansson criou o termo "efeito Médici"[4] para descrever a centelha que ocorre em um espaço geográfico, ou segmento de mercado, quando uma combinação de novas ideias conduz a coisas surpreendentes.

O efeito Médici aconteceu diversas vezes durante a história, antiga e contemporânea. Os historiadores, muitas vezes, chamam o período que vai dos séculos 8 a 13 no mundo islâmico de "o renascimento islâmico", ou "a era de ouro". Séculos antes do renascimento italiano, Bagdá atraiu os melhores estudiosos do mundo muçulmano. Cairo, Damasco, Túnis e Córdoba também foram influentes centros intelectuais. Exploradores islâmicos viajaram até as fronteiras do mundo conhecido e foram além. Meca era o centro religioso e também um importantíssimo ponto de encontro de comerciantes de muitas nações, que vinham de lugares compreendidos entre as mais distantes regiões do Mediterrâneo ocidental e os extremos orientais da Índia. O renascimento islâmico produziu inovações significativas, muitas delas ainda importantes, incluindo os princípios e ingredientes do batom, da loção de bronzear, do termômetro, do etanol, do desodorante, da limpeza dos dentes, dos torpedos, das roupas à prova de fogo e dos fundos financeiros com fins beneficentes[5].

O efeito Médici ocorreu nos renascimentos islâmico e italiano, e esteve presente na era moderna e em muitos lugares ao redor do mundo. O Vale do Silício, por exemplo, era tudo menos de silício na década de 1960. Mas as inovações tecnológicas floresceram ali durante as décadas de renascimento de 1970, 1980 e 1990. Nas outras partes do mundo, países e comunidades tentam ativamente criar suas próprias interseções de pessoas com conhecimentos em diversos campos, para dar início a novas ideias criativas. A China apostou recursos substanciais no futuro da inovação, a tal ponto que, para o restante do mundo, está a caminho de se tornar o país mais inovador do globo por volta de 2020. Em nosso trabalho com os setores econômicos criativos e de inovação social na China (como em muitos outros setores), constatamos que os chineses espalharam pelo país incubadoras de inovação artística e social, cujas ideias estão carregadas de amplo sentido prático.

O efeito Médici dá seus frutos também nas chamadas "conferências de ideias" que se espalham pelo mundo – conferências como a reunião anual do Fórum Econômico Mundial, em Davos, na Suíça, o Festival de Ideias de Aspen e o TED (Technology Entertainment and Design), onde grupos diversificados se encontram em uma tentativa consciente de promover uma polinização cruzada de ideias e perspectivas. Vamos examinar o poderio do TED. As pessoas vão a essas conferências para conviver e trocar ideias com gente extraordinária – pessoas que são muito conhecidas e as que não são tão conhecidas assim. Se você nunca foi a uma dessas reuniões, dê uma olhada no site para ter uma ideia de como elas criam um efeito Médici ano após ano, e agora local após local (de TEDxTelAviv a TEDxRamallah e TEDxYourTown). Entre nossos participantes favoritos do TED estão sir Ken Robinson, que questiona os fundamentos dos sistemas educacionais, Kaki King, que consegue tirar sons extraordinários de uma guitarra, e David Gallo, que observa as incríveis surpresas das águas profundas (incluindo os talentos inesperados das lulas). O que há de mais bonito no TED é a diversidade internacional dos participantes e das apresentações. Essa diversidade forma as bases para que os inovadores ganhem o potencial de juntar o que está separado.

Os inovadores de nossa pesquisa não frequentavam somente lugares como essas conferências. Eles também construíam uma delas em seus próprios cérebros, por meio da profundidade intencional e da diversidade da experiência de vida, criando um efeito Médici *pessoal*. Conferências como o TED são a cobertura de um bolo que eles já prepararam ao perguntar, observar, conversar e experimentar ativamente durante a vida. Essa base incrível de profundidade e experiência diversificada foi a propulsora de um pensamento associativo que vai muito além do que existe em quem não é inovador.

Veja o exemplo da presidente do Conselho e CEO da PepsiCo, Indra Nooyi, para ter uma ideia de onde vem o TED de sua cabeça.

Ela nasceu em uma família de classe média de Madras (agora chamada de Chennai). Quando era pequena, sentava com a mãe e uma irmã para "sonhar grande", jogava críquete para meninas com muita vontade e foi guitarrista líder de uma banda de rock formada somente por garotas (ela ainda sobe no palco e toca em eventos da PepsiCo). Nooyi formou-se em um curso multidisciplinar de Química, Física e Matemática, e depois fez MBA em Calcutá. Trabalhou no setor têxtil (Tootal) e no de artigos de consumo (Johnson & Johnson) antes de obter um mestrado em administração pública e privada em Yale. As etapas seguintes foram no setor de consultoria (The Boston Consulting Group) e uma etapa estratégica na área de energia elétrica (ABB), até chegar à PepsiCo, onde foi a primeira mulher a alcançar o cargo de CEO.

A diversificada experiência profissional e pessoal de Nooyi a convenceu de que todos, especialmente os CEOs, precisam estar "dispostos a pensar de maneira disruptiva". Ela fez exatamente isso no Super Bowl, a final do campeonato nacional de futebol americano, de 2010. Em vez de gastar US$ 20 milhões em dois anúncios de 60 segundos na televisão, Nooyi optou por uma abordagem inteiramente diferente, a "Pepsi Refresh", criada a partir de uma pergunta que ela faz constantemente: "Como podemos fazer melhor fazendo melhor?". "Pepsi Refresh" convida as pessoas a contribuírem com ideias para dar um novo "frescor" às suas comunidades, transformando-as em lugares melhores para viver. A cada mês, o site da empresa aceita mil ideias sobre arte, cultura, saúde, educação. Uma votação online escolhe as ideias vencedoras, que recebem contribuições de US$ 5 mil a US$ 250 mil. Só em 2010, a PepsiCo destinou US$ 1,3 milhão por mês a projetos Refresh, com base no envio de 45 milhões de votos. Os números do Pepsi Refresh no Facebook superaram 1 milhão no fim de 2010, e a PepsiCo começa a levar adiante o programa em escala global.

Associação: como funciona

Para entender melhor como funciona a associação, e por que algumas pessoas fazem melhor uso dela que outras, é importante compreender o funcionamento do cérebro. Ele não armazena informações da mesma forma que um dicionário, alfabeticamente, com *teatro* na letra *T*. A palavra teatro pode ser associada à letra T, mas pode ser associada a *todos* os conhecimentos restantes armazenados no cérebro que estejam relacionados à palavra. Algumas associações podem parecer lógicas, como *Broadway, hora do espetáculo* ou *ato*. Mas há outras menos óbvias, como *beijo, carreira de artista* ou *nervosismo* (talvez resultante de uma atuação não muito convincente em uma peça na escola secundária). Quanto mais diversificados forem os conhecimentos acumulados no cérebro, mais associações ele pode fazer quando receber novas informações. São essas informações novas que dão origem às associações que formam novas ideias. Scott Cook, fundador e CEO da Intuit, descreve essas associações inesperadas como "suplementos poderosos e essenciais aos dados" que surgem enquanto trabalha em um problema. Essas analogias (ou associações) são instrumentos criativos importantíssimos que o auxiliam a gerar percepções estratégicas. Quando o cérebro absorve ativamente novos conhecimentos, aumentam as possibilidades de criação de ligações entre ideias (surgindo, assim, uma rede mais ampla de conexões neurais) enquanto ele se esforça para sintetizar as informações novas. Da mesma forma, o poder de associação pode ser desenvolvido por meio do uso ativo de perguntar, observar, cultivar o *networking* e experimentar.

Em nossa pesquisa, todos os inovadores de alto nível tiveram índices excelentes em associação (atingindo 70 pontos ou mais na avaliação do DNA do inovador), com os inovadores de processos mostrando competências de associação ligeiramente inferiores às de outros inovadores (mesmo assim, bem superiores às dos não inovadores; veja figura 2-1).

Por que todos os inovadores têm índices muito melhores de associação do que os não inovadores? Nossa análise determinou que a melhor maneira de prever que uma pessoa tenha excelentes competências de associação é verificar a frequência com que participa de outras atividades de descoberta – perguntar, ob-

FIGURA 2-1

Comparação das competências de associação de tipos diferentes de inovadores e não inovadores

Itens da amostragem:
1. Resolve criativamente problemas por meio de ideias ou conhecimentos diversificados
2. Encontra com frequência soluções para problemas recorrendo a soluções ou ideias desenvolvidas em outros setores, campos ou disciplinas

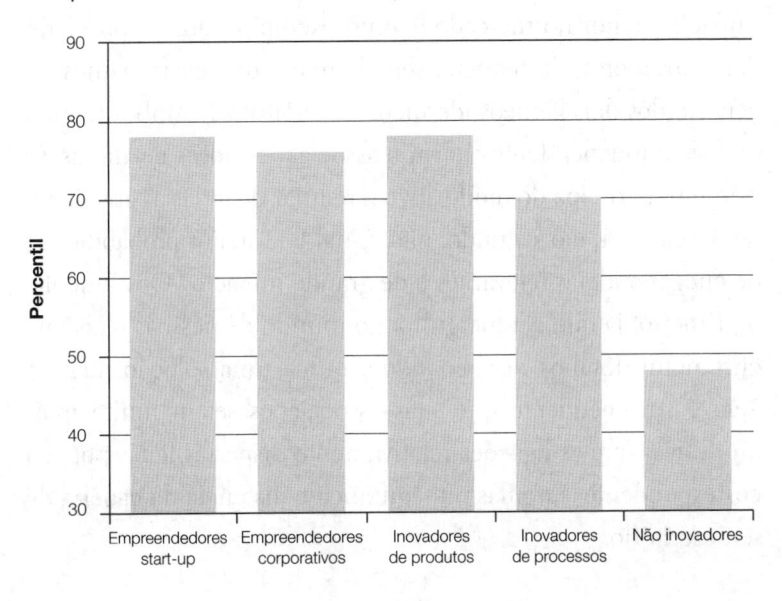

servar, usar o *networking* e experimentar. Por exemplo, Benioff tirou a ideia inicial do Chatter ao indagar por que os programas de computador para empresas não são como o Facebook e o Twitter. Lazaridis, fundador da Research in Motion, tirou a ideia do BlackBerry de uma conferência à qual assistiu, onde alguém falou sobre as tendências futuras da transferência de dados sem fio. Schultz teve a ideia da Starbucks ao observar bares de café expresso na Itália. Os inovadores de ruptura brilham mais em associação quando cruzam ativamente todos os tipos de fronteira (geográficas, de setores da economia, de empresas e profissões, entre disciplinas e assim por diante) e engajando as competências do DNA de outros inovadores.

Encontrar a pergunta certa, fazer observações consistentes, conversar com um grupo diversificado de pessoas e experimentar como o mundo produz percepções associativas produtivas e relevantes. Ao contrário, não dar valor às competências do DNA de outros inovadores *torna mais fortuita* (e frequentemente irrelevante) uma nova associação ou uma percepção, o que leva a um impacto menor no mercado. Como exemplo, vamos considerar dois inovadores, de maneira semelhante à que examinamos no cenário dos dois gêmeos idênticos do capítulo 1. Ambos tentam de forma independente chegar a associações novas e valiosas. O primeiro participa de modo ativo e regular de todas as atividades de descoberta, e o segundo, não. Qual terá maior probabilidade de chegar a ideias relevantes e de grande impacto? Obviamente, o primeiro, já que ele mergulha no mundo de pessoas reais que enfrentam desafios reais *enquanto* busca uma solução melhor. Não é surpreendente que suas associações sejam muito mais produtivas que as ligações relativamente dispersas feitas por seu correspondente, surgidas na segurança e distância da cadeira de seu escritório.

Em busca de associações novas

Em nosso trabalho com inovadores de ruptura, encontramos diversas coisas que descreveram melhor a dinâmica por trás de sua busca por novas associações. A criação de combinações estranhas, o *zoom in* e *out* e o pensamento Lego permitem que liguem os pontos por meio de experiências diversas e cheguem no fim a novas ideias disruptivas de negócios.

Criação de combinações estranhas

Neil Simon escreveu uma peça de teatro que fez muito sucesso e deu origem a uma série de TV, *The odd couple (Um estranho casal)*, cujo tema era a vida de dois amigos muito diferentes – um repórter agitado e um comentarista de esportes relaxado –, que moravam no mesmo apartamento. O atrito entre duas maneiras de viver tão diversas levava a situações muito inesperadas (e, muitas vezes, criativas). De modo semelhante, os inovadores tentam reunir ideias que à primeira vista não combinam, para chegar a combinações de surpreendente sucesso. Eles criam grupos estranhos de dois, três, quatro pessoas, perguntando consistentemente, "o que aconteceria se combinássemos isto com aquilo?" ou "isto, mais isto, mais isto com aquilo?". Eles pensam de jeito diferente quando unem, sem medo, combinações incomuns de ideias.

Lazardis conta que aprendeu a ligar ideias tiradas de diversas disciplinas relativamente cedo na vida:

> "Quando eu estava no curso médio, tínhamos um programa de matemática avançada e um programa de oficina. Havia uma divisão muito profunda entre os dois departamentos, e eu estava em ambos. Sem perceber, eu me transformei em um embaixador entre as duas disciplinas e percebi que a matemática que aprendíamos na oficina era mais avançada que parte da matemática que aprendíamos na matemática avançada. Estávamos usando trigonometria, números imaginários, álgebra, até mesmo cálculo de maneiras muito reais e tangíveis. Assim, me pediram para *fazer a ponte* e mostrar como a matemática é usada na eletrônica e como a eletrônica é usada na matemática".

Lazaridis notou que um professor chamou sua atenção para a ligação entre os computadores e a comunicação sem fio quando lhe disse: "Não se distraia demais com a tecnologia dos computadores porque a pessoa que unir os computadores com a comunicação sem fio fará surgir uma coisa especial". E, assim, surgiu o BlackBerry.

De modo parecido, Larry Page, cofundador do Google, criou uma combinação estranha ao ligar duas ideias aparentemente sem relação entre si – citações acadêmicas e busca na internet – para lançar o Google. Como doutorando em Stanford, Page sabia que as publicações acadêmicas e as editoras faziam um ranking de estudiosos com base no número de citações obtido pelo estudioso em um ano. Page compreendeu que o Google podia classificar sites da internet *da mesma maneira como os estudiosos são classificados pelo número de citações*. Os sites com mais consultas (os que eram escolhidos com maior frequência) eram os que tinham mais citações. Essa associação permitiu a Page e ao cofundador Sergey Brin lançar um dispositivo de busca capaz de obter resultados bastante superiores.

Às vezes, os líderes mais inovadores do mundo capturam o que parecem ser associações muito tênues entre ideias e conhecimentos, misturando e combinando conceitos muito diferentes. Fazendo assim, produzem ocasionalmente ideias incomuns que podem ser catalisadoras de ideias criativas de negócios. O fundador da eBay, Pierre Omidyar, nos deu um exemplo recente de como chegou a uma ideia fora do comum. Ele tinha conversado com consultores que tentavam resolver o problema de como transportar rapidamente produtos hortifrutigranjeiros entre as lavouras e os consumidores, antes que estragassem, no Havaí (os consultores explicaram que um terço dos produtos estragava antes de chegar ao consumidor). A primeira pergunta que Omidyar fez foi sobre o uso do correio. Por que não o correio? Por que não despachar um pé de alface pelo correio? Omidyar admitiu: "Era uma ideia incrivelmente estúpida, e havia uma dúzia de razões para que não funcionasse, mas era um exemplo de *como eu podia juntar duas coisas que não haviam sido somadas antes*. Entendo muito bem como funciona o correio, porque a eBay depende de empresas de encomendas para que seu modelo de negócios funcione. O correio é uma organização que vai às casas das pessoas seis vezes por semana! Você conhece outra organização que faz isso? Então, usar esses recursos de maneira nova pode ser interessante".

Nem todos pensariam em combinar verduras frescas com o correio. Esse é o tipo de pensamento que aumenta as probabilidades de que surja uma ideia inovadora de negócios.

Zoom in e zoom out

Os empreendedores inovadores mostram frequentemente a capacidade de fazer duas coisas ao mesmo tempo: penetram nos detalhes para compreender as nuances sutis da experiência particular de um cliente e voam alto para perceber como os detalhes se encaixam no quadro maior. A síntese dessas duas visões leva muitas vezes a associações surpreendentes. Niklas Zennström (cofundador do Skype) explicou o processo de *zoom in* e *zoom out* com base em sua própria experiência: "Você tem que pensar lateralmente. Você sabe enxergar e combinar certos fatos que ocorrem ao mesmo tempo e compreender como coisas que parecem não ter relação entre si estão sim inter-relacionadas. Você precisa ter a capacidade de perceber situações diferentes que acontecem simultaneamente e juntá-las. Por exemplo, posso observar um quadro maior e ao mesmo tempo apreender os detalhes. Assim, posso ir de coisas mais abrangentes a detalhes realmente pequenos. *Esse movimento muitas vezes leva a novas associações*".

Steve Jobs foi um mestre do *zoom in* e *zoom out*, e foi desse modo que desenhou produtos excelentes e que, muitas vezes, desafiaram seu setor. A certa altura, quando projetava o computador Mac original e sua equipe lutava para obter o acabamento correto no plástico, Jobs desatou o nó ao visitar uma loja de departamentos e prestar atenção aos detalhes de diversos aparelhos domésticos feitos de plástico. Descobriu um processador de alimentos Cuisinart, cujo envoltório de plástico tinha todas as propriedades corretas para produzir um excelente casco para o primeiro Mac. Em outros exemplos, Jobs visitou o estacionamento da empresa para examinar detalhes de automóveis a fim de conseguir novas percepções sobre desafios atuais ou futuros de projetos de produtos. Certa vez, uma excursão ao estacionamento revelou o detalhe do friso de um Mercedes-Benz que ajudou a resolver um dilema sobre um projeto que usava metal.

Jobs era um adepto do uso do *zoom out*, a fim de detectar interseções inesperadas entre diversos setores. Como consequência de ter comprado e dirigido a Pixar por mais de dez anos, adquiriu uma perspectiva da mídia muito diferente da que possuía quando atuava na área dos computadores. Isso produziu uma forte interseção de ideias quando ele voltou à Apple. Anos de negociações pessoais com executivos da Disney sobre os direitos de distribuição e de renda dos filmes da Pixar deram a Jobs a percepção e a experiência que mais tarde o ajudaram a criar uma solução que podia ser usada para a distribuição de músicas com base na internet – uma solução que havia escapado aos executivos de outras empresas de informática e de aparelhos de MP3. A experiência de Jobs na Pixar lhe deu a perspectiva de que, combinando diversos setores, seriam produzidas ideias capazes de virar o jogo, como iTunes, iPod, iPhone e, mais recentemente, iPad.

Pensamento Lego

Se os inovadores têm algo em comum é adorar colecionar ideias, como os garotos amam colecionar Lego. Linus Pauling, ganhador do prêmio Nobel, deixou o conselho: "A melhor maneira de ter uma boa ideia é ter uma porção de ideias". Thomas Edison encheu mais de 3.500 blocos de anotações de ideias no decorrer da vida e estabeleceu "cotas de ideias" regulares para manter a torneira aberta. O bilionário Richard Branson tem paixão por registrar ideias, o que faz onde quer que vá e com quem converse. Mesmo assim, a quantidade de ideias nem sempre se traduz em ideias altamente disruptivas. Por quê? Porque "você não pode olhar para uma direção nova olhando de maneira mais firme para a mesma direção", diz Edward de Bono, autor de *O pensamento lateral**. Em outras palavras, ter muitas ideias de muitas fontes diferentes produz o melhor dos mundos da inovação. Inovadores que participam com frequência de atividades de indagar, observar, conversar com pessoas e experimentar se tornam mais capazes de associar porque desenvolvem experiências de compreender, armazenar e recategorizar todo o novo conhecimento. Isso é importante porque os inovadores que estudamos raramente inventaram alguma coisa inteiramente nova; eles combinaram de novas maneiras ideias que haviam obtido, fato que permitiu que oferecessem coisas novas ao mercado. Questionar, observar, usar o *networking* e experimentar ajudaram os inovadores a construir arquivos maiores e mais ricos de ideias como blocos de armar no interior de seus cérebros. Quanto mais blocos de armar obtinham, mais conseguiam combinar os conhecimentos recém-adquiridos para gerar uma ideia nova.

Para ilustrar melhor, pense em uma criança brincando com um set de peças Lego. Com tipos diferentes de peças à disposição para criar uma estrutura, a criança se torna mais inventiva. Mas as estruturas mais inovadoras surgem de novas combinações de uma variedade ampla de peças já existentes, conforme a criança vai adquirindo mais kits (por exemplo, combinando um set *Bob Esponja* com um set *Guerra nas estrelas*). Assim, ela obtém ideias ainda melhores para montar estruturas novas. Da mesma forma, quando você acumula mais conhecimento, experiências e ideias, vindos de fontes diferentes, unindo-as ao seu estoque, maior será a variedade de ideias que você se tornará capaz de construir por combinar essas peças básicas de conhecimento de maneira única (veja a figura 2-2).

Pessoas com profunda especialização em um campo em particular, que podem combinar esse conhecimento com ideias e conceitos novos com os quais não estão familiarizadas, tendem

* Editora Nova Era, 2ª edição, 1995.

a ser mais criativas. É por isso que a empresa de projetos de inovação IDEO tenta contratar pessoas que demonstram ter conhecimento médio de diversos campos e conhecimentos profundos de pelo menos uma área. A IDEO diz que pessoas assim são *T-shaped* (em formato de T), porque têm profunda especialização em uma área do conhecimento, mas adquirem conhecimento de forma ampla, passando por diversas áreas. Uma pessoa com esse perfil quase sempre produz associações inovadoras de duas ma-

FIGURA 2-2

Por que aumentar seu estoque de ideias diversificadas aumenta a inovação

Conceitualmente, quando os inovadores aumentam o número de ideias que funcionam como peças de montar, fazem crescer o número de caminhos pelos quais podem combinar ideias para criar algo surpreendentemente novo. A combinação criativa disso com aquilo, e que produz combinações fora do comum, depende de quantas peças únicas de montar isso e aquilo a pessoa armazenou em seu cérebro com o passar do tempo.[a]

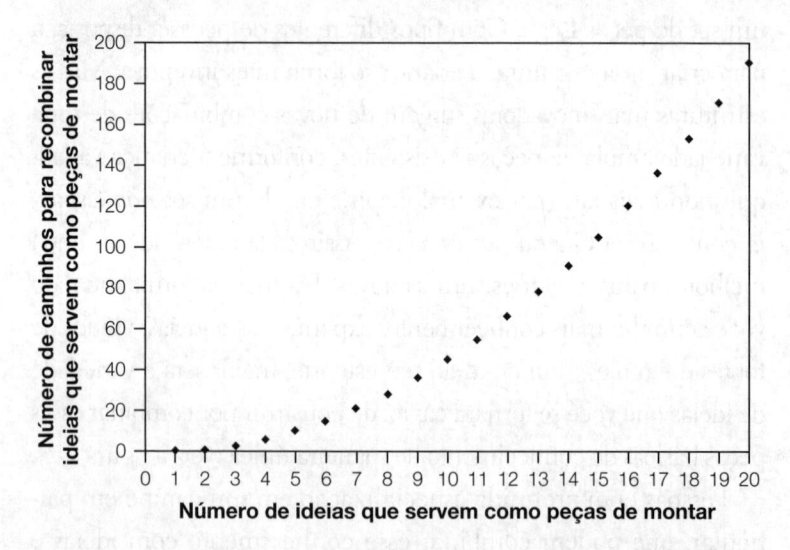

a. Matematicamente, quando o número de ideias que servem como peças de montar (N) em nossos cérebros cresce de forma linear, os modos potenciais de recombinação dessas ideias crescem de forma ainda mais rápida, ou geometricamente (por N(N-1)/2).

neiras: importando uma ideia de outro campo para a sua área de conhecimento profundo, ou exportando uma ideia de sua área de conhecimento profundo para um dos campos amplos que está explorando e sobre os quais tem menos conhecimento.

Um consultor especializado em indústrias que trabalhava para a Bain & Company, por exemplo, visitou a administração de um hospital depois de o governo dos Estados Unidos passar a pagar reembolsos fixos, de acordo com uma tabela, para reduzir os custos de assistência médica. O hospital precisava encontrar novas maneiras de reduzir as despesas, fato para o qual não havia atentado quando o governo reembolsava as despesas e pagava *mais* 10% como margem de lucro. Durante a conversa, o consultor da Bain – com profundo conhecimento do setor manufatureiro – perguntou como o hospital controlava o período de atendimento de cada paciente, para reduzir ao máximo o número de "toques" no "produto" (o paciente) e diminuir o período de sua passagem pela "fábrica" (o hospital). Essas ideias, vindas da indústria, eram estranhas ao hospital, cujos processos tinham como objetivo manter o paciente mais tempo no local, para garantir atendimento de qualidade (e continuar tendo custos e lucros altos). Essas novas ideias, vindas de um setor inteiramente diferente, deram início a uma mudança drástica nos processos hospitalares, com o intuito de tornar o mais rápida possível a passagem do paciente pelo hospital (como em uma fábrica). Cinco anos mais tarde, a Bain estava trabalhando com mais de cinquenta hospitais nos Estados Unidos, que aplicavam essas ideias para reduzir suas despesas.

Um lugar seguro para pensamentos novos

Depois de passar anos construindo um grande estoque de ideias, por meio do uso ativo de indagar, observar, fazer *networking* e experimentar, os inovadores fazem as associações mais surpreendentes. Às vezes, uma associação ou ideia surge no momento em que eles estão indagando, observando, usando o *networking* ou experimentando (como descrevemos nos capítulos 3 a 6). Com frequência semelhante, os inovadores descobrem novas ideias quando estão em uma situação de descanso, sem distrações, no instante em que não "tentam" resolver um problema (os pesquisadores descrevem esse estado como "desfocando a atenção"). Em outras palavras, raramente isso acontece em uma reunião, quando eles estão com o espírito focado e convergente, buscando a solução de um assunto em particular. Ao contrário, Diane Greene (cofundadora da VMWare) nos disse que "o chuveiro" é um ótimo lugar para relaxar e chegar a ideias novas (um local apontado por diversos inovadores que entrevistamos, como David Neeleman [fundador da JetBlue e da Azul] e Jeff Jones [fundador da Campus Pipeline e NxLight]). Os inovadores chegam a ideias novas caminhando, dirigindo, em férias ou no meio da noite (como faz Nooyi, a CEO da PepsiCo). Benioff teve a principal inspiração para a Salesforce.com quando estava "nadando com os golfinhos". Greene conseguiu algumas de suas melhores associações não só no chuveiro, mas também enquanto velejava sozinha (algo que faz desde menina). Em resumo, Greene explicou, "você ganha mais criatividade ao dar o espaço necessário para as ideias surgirem. As ideias chegam quando se tem um horizonte de tempo mais amplo sobre o assunto em que se está pensando e uma visão mais extensa de para onde a ideia pode ir". O ponto é que, às vezes, você pode gastar tempo demais atacando deliberadamente um problema, mas algumas ideias criativas vão aparecer depois que você se colocar em um estado de relaxamento, sem distrações[6]. Se tudo o mais falhar quando você estiver tentando resolver um problema, vá dormir. Sim, pesquisadores da Universidade de Harvard descobriram que o sono é um antídoto válido para a visão focada demais para um problema. Assim, quando se sentir preso numa rede de pensamentos, dê ao problema um pouco mais de tempo para amadurecer juntando um pouco de sono à mistura. Em média, o sono vai dar uma oportunidade 33% melhor de juntar o que parece separado e chegar a uma nova e excelente ideia[7]. Os melhores inovadores conhecem as horas e os locais seguros para chegar a novas ideias. Você os conhece? Caso não, busque locais de transição, ou onde possa relaxar. Algumas pessoas têm suas melhores ideias de manhã cedo, outras no fim da noite. Seja o que funcionar melhor para você, tome medidas para ter um tempo dedicado apenas a meditar e pensar.

Inovadores de ruptura forçam a si mesmos a romper limites (técnicos, funcionais, geográficos, sociais, disciplinares) quando se dedicam às outras competências de descoberta. Se fizermos a mesma coisa, colocando-nos nas interseções entre diversas ideias e experiências, surgirão associações estimulantes. As competências de descoberta – perguntar, observar, cultivar o networking e experimentar – vão dar origem a associações surpreendentes conforme as formos usando. Mesmo quando as buscamos no escritório ou em uma sala de conferências, haverá mais probabilidade de surgirem grandes associações se criarmos um lugar seguro para que aconteçam. Com o passar do tempo, sua capacidade de moldar soluções criativas para os problemas se tornará mais forte, no trabalho e além dele.

Dicas para desenvolver competências de associação

Para fortalecer sua capacidade de pensar de forma diferente e tecer ligações inesperadas para juntar ideias, considere a possibilidade de fazer os seguintes exercícios em curto e longo prazos[8]. A maioria exige muito pouco tempo, mas, se forem feitos de forma consistente, podem levar a resultados positivos para a criação de novas ideias. Descobrimos que esses exercícios podem funcionar tanto para a solução criativa de problemas estratégicos de alto nível como para desafios de produção no nível de chão de fábrica.

Dica #1: Force novas associações

Os inovadores praticam, às vezes, a "associação forçada", ou seja, combinam coisas que nunca combinaríamos. Por exemplo, podem imaginar (ou forçar) uma combinação das características de um forno de micro-ondas com as de uma lavadora de pratos. Isso poderia levar a uma ideia inovadora de um produto, como uma lavadora de pratos que usa algum tipo de tecnologia de aquecimento para limpar e esterilizar os pratos, eliminando completamente o uso de água. No caso das empresas de eletrodomésticos do mundo real, a EdgeStar produziu uma lavadora de pratos com o tamanho apropriado para ficar sobre a bancada, enquanto a KitchenAid optou por que fique junto à pia. As duas têm o tamanho de um forno de micro-ondas, usam pouca quantidade de água e limpam os pratos mais depressa que um aparelho normal.

Para produzir associações forçadas, examine primeiro o problema ou desafio que você ou sua empresa está enfrentando. A partir daí, tente os seguintes exercícios para forçar uma associação que normalmente não faria: pegue um catálogo de produtos e abra-o em uma página qualquer. O que o primeiro produto que você está vendo tem a ver com o problema em que está pensando? A forma de ele resolver um problema para um cliente tem algo relacionado com o seu problema? Que tal se você, ao folhear o catálogo, chegasse a um iPad, e seu desafio tivesse ligação com o aumento nas vendas de chás de ervas? A observação de um iPad pode levar a sínteses surpreendentes, como a criação de uma nova aplicação no iPad para capturar o interesse de consumidores em potencial (ou oferecer maneiras de levar os consumidores atuais a repetirem suas compras).

Outra possibilidade é ir à internet e escolher ao acaso uma página da Wikipedia. Pode ser que você opte pela página da palavra *bumerangue*. Talvez sua organização esteja à procura de embalagens mais atraentes. Ao trabalhar com o conceito de bumerangue, você pode chegar à sugestão de uma embalagem que o consumidor use como parte do pagamento de uma nova; ou uma embalagem que retorne ao fabricante depois de o produto ser usado.

Vamos voltar agora ao desafio que você, ou sua empresa, está enfrentando. Tente um dos exercícios de associação forçada, identifique um item ou ideia escolhidos ao acaso, sem relação direta com o assunto, e tire um tempo para refletir sobre o que isso tem a ver com seu problema. O ponto é encontrar coisas que se associam ao seu problema e fazer o melhor que puder para formar associações livres (ou mesmo irracionais), em grande quantidade (lembre-se de que muitas associações podem levar a grandes ideias). Enquanto trabalha, o quadro 2-1 pode ajudá-lo a organizar suas percepções.

QUADRO 2-1

Forçando novas associações

Problema não resolvido	Item/ideia aleatórios sem relação com o problema	Associações potenciais

Dica #2: Ponha-se no lugar de outra empresa

Siga a orientação da TBWA, que costuma organizar o que chama de "dia da disrupção" para chegar a novas ideias[9]. Depois de definir uma questão ou um desafio estratégico importante, a equipe da TBWA distribui grandes caixas cheias de chapéus, vestidos e outros itens que vieram de algumas das empresas mais inovadoras do mundo, como a Apple e a Virgin. As pessoas vestem as roupas e assumem a personalidade de alguém da outra empresa, com o objetivo de pensar no assunto de uma perspectiva diferente. Uma alternativa é fazer uma lista de empresas (de um setor relacionado ou não com o seu) em um fichário (ou escolher aleatoriamente na lista das 500 maiores empresas da Fortune ou das 100 da Inc.). Use as fichas para criar pares de sua empresa com a outra. Então, faça um *brainstorm* criativo para apresentar ideias de como as duas empresas poderiam agregar valor por meio de uma associação ou fusão. Ao combinar os pontos fortes das duas empresas, você se surpreenderá ao ver como surgem ideias para novos produtos, serviços ou processos.

Dica #3: Produza metáforas

Participe de atividades que provoquem analogias ou metáforas para os produtos ou serviços de sua empresa (procure fugir de ideias enferrujadas), pois cada analogia tem o potencial de ver as coisas de uma perspectiva fora do comum. Por exemplo, como seria assistir à TV se a experiência fosse mais parecida com ler uma revista? (Foi assim que a TiVo transformou a maneira como vemos TV, abrindo a possibilidade de começar e parar quando quisermos, pular os anúncios e assim por diante). Ou o que aconteceria se o seu produto ou serviço pudesse incorporar os benefícios de alguns dos produtos de maior sucesso hoje, como o Wii e o iPhone? Quais seriam essas novas características ou esses novos benefícios (veja o quadro 2-2)?

QUADRO 2-2

Produzindo metáforas

Lista de produtos (metáfora "e se?")	Novas características e benefícios possíveis

Dica #4: Faça sua própria caixinha de curiosidades

Comece uma coleção de coisas estranhas e interessantes (um brinquedo de mola, aeromodelo, robô etc.). Coloque-as em uma caixinha ou sacola de curiosidades (nos séculos 16 e 17, as pessoas costumavam ter armários de curiosidades para colecionar objetos vindos de todas as partes do mundo). Quando estiver diante de um problema ou oportunidade, tire um dos objetos ao acaso (se for mesmo corajoso, deixe-o à mostra, em uma prateleira de seu escritório). Quando estiver viajando (ou mesmo em sua cidade), visite lojas de artigos de segunda mão ou mercados de pulgas locais. Vai encontrar tesouros surpreendentes (de um sino de camelo do Kuwait um instrumento musical dos aborígines australianos), capazes de fazer você enfrentar um problema antigo sob um ângulo novo.

A empresa global de inovação em design IDEO usa funcionários em tempo integral para buscar artigos novos para suas "caixinhas de tecnologia", as "Tech Boxes". Os designers da IDEO recorrem a coisas que acham nessas caixas (cada uma tem centenas de itens de alta tecnologia, brinquedos inteligentes e coisas desse tipo) quando estão em busca de novas ideias, pois coisas estranhas e fora do comum, muitas vezes, dão origem a novas associações. Pode parecer algo tolo, mas fatos aparentemente bobos tendem a provocar associações aleatórias, nos forçando a sair de nossos padrões de pensamento habituais.

Dica #5: SCAMPER!

Você pode tentar o SCAMPER, a sigla criada por Alex Osborn e Bob Eberle para obter percepções: substitua; combine; adapte; minimize, torne maior, modifique; ponha em outros usos; elimine; reverta, rearranje. Use um ou todos os conceitos para repensar o problema ou a oportunidade que você está enfrentando – são particularmente úteis quando se trata de mudar o projeto de um produto, serviço ou processo. (A obra *Thinker-*

toys, de Michael Nichalko, é muito útil para se obter mais detalhes do método SCAMPER; veja o quadro 2-3).

QUADRO 2-3

O método Scamper

Desafio Scamper	Invente um tipo novo de relógio de pulso
Substituir	Usar madeira ou pedra no lugar do aço
Combinar	Criar um espaço para acesso fácil e rápido a medicamentos quando um alarme tocar
Adaptar	Usar o relógio de pulso como um espelho de sinalização se ficar perdido
Minimizar, tornar maior, modificar	Dar ao relógio tamanho suficiente para servir como porta-copos
Pensar em outros usos	Colocar uma moldura no relógio como se fosse um quadro
Eliminar	Remover as peças internas e usar como um relógio de sol
Reverter, rearranjar	Fazer os ponteiros girarem no sentido contrário
	Pôr o mostrador do relógio voltado para o pulso pelo lado de dentro, para fazer do reverso o ponto focal do design e da moda

3

Competência de Descoberta #2

Questionar

"Questione o inquestionável."

Ratan Tata

"ALGUMA PERGUNTA?"** A maioria de nós já ouviu essa frase centenas ou mesmo milhares de vezes. Ela pode surgir no fim de uma apresentação ou de um encontro e a maioria de nós a ignora, pois não a consideramos um convite real e aberto para fazer uma pergunta. Mas há ocasiões em que você tem perguntas reais – sobre por que as coisas são como são e como poderiam ser diferentes – mas não as faz. Você precisa questionar. Se houvesse inovadores de ruptura na mesma sala, eles encheriam o espaço vazio com perguntas feitas para pensar. Por quê? Porque é perguntando que eles fazem seu trabalho. A pergunta é o catalisador criativo para os outros comportamentos de descoberta: observar, fazer *networking* e experimentar. Os inovadores fazem muitas perguntas para entender melhor o que é e como poderia ser. Ignoram perguntas seguras e escolhem as que parecem ser meio malucas, as que desafiam o status quo e muitas vezes ameaçam as forças dominantes com intensidade e frequência fora do normal.

Olhe para Orit Gadiesh, a presidente do Conselho da Bain & Company, que ganhou fama por ser uma pessoa inquisitiva e inventiva. Ainda criança, em Israel, ela se sentia fascinada por muitas coisas e sempre fazia "centenas de perguntas". Seus pais a estimulavam a tomar esse tipo de atitude quando surgia uma oportunidade durante as aulas – e era dessa maneira que ela se comportava. Um professor chegou a escrever em seu livro na oitava série: "Orit, sempre faça perguntas, uma, duas, e até três ou quatro. Nunca deixe de ser curiosa". Ao ler o comentário, a menina percebeu pela primeira vez que "fazer perguntas era a maneira certa de seguir em frente". Mais tarde, ela usou a mesma abordagem para ajudar a desvendar as percepções dos clientes sobre a Bain, sabendo que "fazer muitas perguntas aos clientes é importantíssimo para produzir soluções poderosas para os problemas".

No início dos anos 1980, Gadiesh acabara de sair da faculdade e estava começando no ramo da consultoria quando recebeu o encargo de assessorar um cliente, fabricante de aço, para que ele pudesse cortar custos e, assim, manter-se competitivo. Na primeira visita que fez à usina, ouviu do CEO, um homem com mais de 60 anos, que mulheres davam azar naquele setor da economia. Ela não se abalou e pressionou o cliente, formulando pergunta após pergunta para determinar por que ele fazia as coisas do jeito que estava fazendo. Na época, havia duas maneiras de fabricar aço, o processo padrão, em lingotes, e o vazamento contínuo, então uma tecnologia nova, no qual o aço escorre continuamente e é cortado em chapas no final. Depois de estudar o processo de vazamento contínuo e sentir seu potencial, Gadiesh fez uma viagem ao Japão para observar a técnica em funcionamento. Voltou convencida de que o novo processo criaria um valor significativo para seu cliente. Mas os executivos e o pessoal de vendas argumentavam que seria impossível mudar o sistema. Eles tinham 350 produtos diferentes e não poderiam adotar o novo processo, pois seria necessário acrescentar novos materiais para atender as especificações exigidas de cada produto durante a fundição. Gadiesh nos disse que "o cliente não aceitava discutir, estava inteiramente convencido de que não podia mudar o processo".

Foi nesse momento que a competência de Gadiesh para fazer perguntas acabou por resolver o problema. Ela visitou empresas que compravam o aço de seu cliente e disparou uma série de perguntas: "Você precisa mesmo de todos os 350 produtos? Para que você precisa de 350 produtos?". A resposta inicial, trazida pela rotina, foi sim. Mas, quando ela se aprofundou no assunto, e fez mais perguntas, descobriu que as empresas não entendiam completamente as vantagens, em termos de custos, que seriam trazidas pelo vazamento contínuo, por causa de sua capacidade única de acrescentar outros materiais, mais baratos, no decorrer do processo. Ao trabalhar com o cliente e as empresas para as quais ele vendia, Gadiesh examinou cada um dos 350 produtos, e perguntou por que era fabricado e qual era sua utilidade principal. Assim, conseguiu determinar as razões de o cliente fabricar cada um desses produtos.

Com base no grande número de informações obtidas depois de fazer uma série de perguntas sobre os motivos da existência de cada produto, Gadiesh passou da compreensão do que existia para uma exploração mais profunda de como poderia ser. E foi ainda mais longe em território de ruptura ao fazer perguntas fundamentais, tais como "o que aconteceria se reduzíssemos em 90% essa linha de produtos?", ou "o que aconteceria se produzíssemos aço em vazamento contínuo e essa linha de produtos fosse drasticamente reduzida?", ou "como podemos elevar ao máximo a adição de materiais mais baratos durante a produção de aço?".

Não se passou muito tempo até que os executivos da siderúrgica compreendessem que a redução do número de produtos de 350 para 30 era possível e seria até mais lucrativa, porque lhes daria uma vantagem competitiva nos segmentos em que atuavam. A mudança permitiria que eles juntassem outros materiais, como o alumínio (reduzindo assim os custos) durante um processo de vazamento contínuo, sem deixar de atender as necessidades de seus principais compradores. O cliente de Gadiesh, então uma empresa com faturamento pouco superior a 1 bilhão de dólares por ano, construiu uma nova unidade de produção e passou rapidamente à frente de seus competidores nos Estados Unidos.

O talento de Gadiesh para gerar novas percepções se baseia em sua capacidade de fazer perguntas, de maneira a perceber o que está acontecendo de fato, e depois avançar até o limite com perguntas constantes e provocativas sobre como poderia ser. No fundo, ela acredita que "ao persistir, e formular perguntas durante a vida toda – especialmente as que carregam um desafio maior –, você atinge o ponto central de quem você é e como você lidera". Gadiesh nos contou que em uma recente reunião com chefes de Estado e CEOs, ficou curiosa ao perceber que *eles* não estavam formulando perguntas fundamentais sobre assuntos políticos importantes. Um CEO chegou a lhe dizer: "Quando você está na sala, eu não preciso fazer perguntas fundamentais, pois sei que elas vão ser feitas". O arraigado instinto de Gadiesh para lançar questões foi útil para que ela orientasse com sucesso a Bain Consulting durante quase vinte anos. Não é de admirar que um de seus principais clientes na indústria siderúrgica lhe tenha dado um capacete em que estava gravada a frase "uma luzinha que vai nos orientar", referindo-se ao seu primeiro nome, Orit, que significa "luz", e às perguntas geradoras de luz com as quais Gadiesh ajudou a transformar seu negócio.

O que é "questionar"?

As perguntas têm o potencial de cultivar percepções criativas. Einstein sabia disso havia tempos, pois sempre repetia uma frase: "Se ao menos eu tivesse a pergunta correta... Se ao menos eu tivesse a pergunta correta..."[1]. Não causa nenhum espanto, portanto, que ele tenha chegado à conclusão de que "a formulação de um problema é frequentemente mais importante que a solução" e que fazer novas perguntas para resolver um problema "requer imaginação criativa". Em *Prática da administração de empresas**, Peter Drucker percebeu o poder das perguntas provocadoras ao observar que "a tarefa mais importante e difícil nunca é encontrar as respostas corretas, é encontrar a pergunta correta. Pois há poucas coisas tão inúteis – se não perigosas – quanto a resposta correta a uma pergunta errada"[2]. Uma recente pesquisa de Mihaly Csikszentmihalyi confirmou essas convicções ao determinar que ganhadores de prêmio Nobel tinham resultados muito mais bem relacionados a descobertas quando formulavam a pergunta correta para ver o problema sob um ângulo novo[3]. Nossa pesquisa também demonstrou que os inovadores de ruptura confiam na formulação das perguntas corretas para realizar seu trabalho. Perguntar é um estilo de vida para os inovadores, não um exercício intelectual que está na moda. Nossa pesquisa determinou que os inovadores fazem mais perguntas que os não inovadores e fazem perguntas mais provocativas. (Inovadores que "concordam firmemente" com as afirmações da pesquisa, a exemplo de "faço com frequência perguntas que desafiam o status quo", produziram o dobro de novos negócios que inovadores que simplesmente responderam "concordo".) Entre os diversos tipos de inovador que estudamos, estão os inovadores de produtos, que se mostraram mais dependentes de perguntas para obter resultados, seguidos por empreendedores de start-ups e corporativos e, finalmente, por inovadores de processos (veja a figura 3-1).

* Editora Thomson Pioneira, 1ª edição, 1998.

FIGURA 3-1

Comparação das habilidades de questionamento entre diferentes tipos de inovadores e não inovadores
Itens da amostra
1. Faz perguntas do tipo "e se..." para buscar percepções que levem à exploração de novas possibilidades e fronteiras.
2. Faz com frequência perguntas que desafiam o status quo.

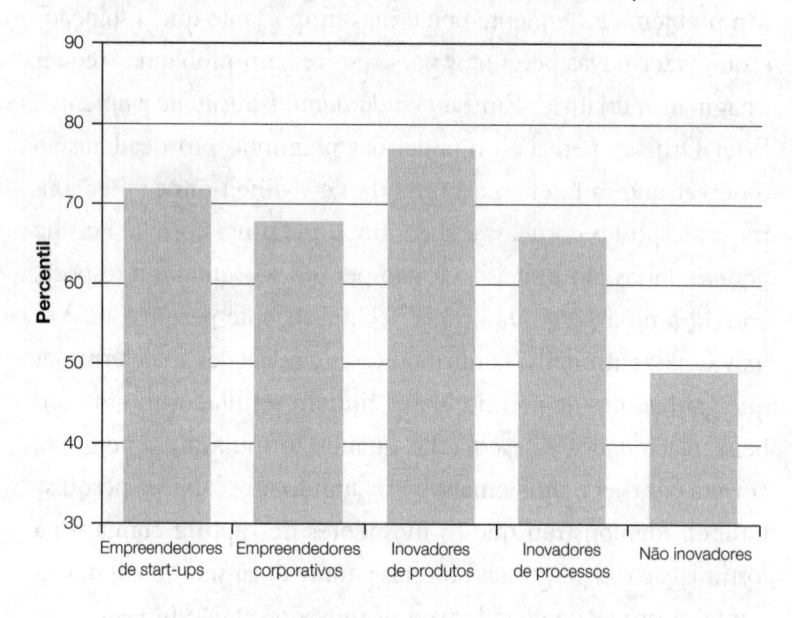

Justamente por ter feito muitas perguntas, A.G. Lafley aju-dou a virar o jogo na Procter & Gamble (P&G). Ele começava conversas ou reuniões com perguntas como estas: "Qual é a con-sumidora-alvo deste produto?"; "O que ela quer?"; "O que você sabe sobre ela?"; "Qual o tipo de experiência que ela quer de verdade?"; "O que ela acha que está faltando hoje?". Quando tra-balhava em categorias, Lafley muitas vezes perguntava: "Até que ponto você entende bem os diversos segmentos dos consumido-res – não tanto o que sabemos sobre eles demograficamente, mas *psicograficamente?*". "O que sabemos sobre seus maiores desejos que não estão sendo atendidos?" "Com o que os consumidores estão mais descontentes hoje?"

Depois de buscar um entendimento do quadro, Lafley mudava a linha do interrogatório para questões fortes do tipo "e se...", procurando chegar a inovações centradas no consumidor. Se estivesse conversando com alguém sobre ciência e tecnologia, por exemplo, ou sobre a necessidade de um produto, ele perguntava: "O que está disponível no mundo? Em que outro lugar podemos conseguir o que precisamos? Quem na P&G – pensando em nossas unidades de negócios ou fora da P&G – pode nos ajudar a conseguir o que precisamos no prazo e com os custos que queremos?". Lafley estava em busca de perguntas diferentes. Em vez de questionar como poderia auxiliar o consumidor a manter pisos e banheiros limpos, perguntava como fazer para que esse consumidor voltasse a ter as manhãs de sábado livres. Achava que essa última pergunta produzia muito mais frutos, porque trazia à superfície percepções que gerariam melhores resultados na criação de novos produtos e serviços que os consumidores estivessem dispostos a "contratar" para realizar suas tarefas em casa. Assim, Lafley se habituou a fazer todas as semanas uma pergunta a si mesmo: "Sobre o que vou ter curiosidade na segunda-feira?".[4]

Como fazer perguntas de ruptura

Os inovadores questionam constantemente o pensamento dominante. Aaron Garrity, fundador da XANGO (inovadora empresa de artigos para saúde e nutrição), colocava simplesmente: "Eu questiono, sempre questiono, com um estado de espírito revolucionário". Perguntas provocadoras feitas por inovadores alargam limites, crenças e fronteiras. Eles não deixam pedra sobre pedra quando cultivam o jardim. Durante as entrevistas com inovadores de ruptura, notamos a alta frequência de perguntas e também um padrão. Eles começavam com uma exploração parecida com uma busca em águas profundas de *como é agora* e depois se lançavam aos céus, igualmente determinados, para encontrar *o que poderia ser*. Quando punham o foco no que é, faziam muitas perguntas do tipo quem, quando, onde e como (do mesmo modo que fazem os melhores jornalistas e investigadores) para desenterrar os fatos abaixo da superfície e "conhecer pela primeira vez o terreno" (como observou o poeta T.S. Eliot). Apresentavam também uma série de perguntas sobre as causas, para detectar os motivos de as coisas ser como são. Somadas, essas perguntas ajudam a formar uma descrição do território (de forma física, intelectual e emocional) e oferecem uma rampa de lançamento para a linha de indagações seguinte. Para tirar o território do equilíbrio, os inovadores atacam o status quo com perguntas do tipo por quê?, por que não? e como seria se...?, a fim de desenterrar soluções construtivas e surpreendentes. Os inovadores usam permanentemente perguntas fortes, descritivas ou disruptivas, que os ajudam a enxergar sob a superfície das ações diárias e encontrar o que não foi descoberto antes.

Descreva o território

Os inovadores tratam o mundo como se fosse um ponto de interrogação. Raramente trabalham no piloto automático e contestam a veracidade dos mapas mentais que fazem do território (produtos, serviços, processos, áreas geográficas ou modelos de negócios). Suspensos confortavelmente entre a fé e a dúvida em seus mapas, os melhores inovadores lembram que seus pontos de vista sobre o mundo nunca são territórios reais. De forma intuitiva, dependem de uma variedade de perguntas para desenvolver uma compreensão profunda de como as coisas são de verdade, antes de testar como poderiam ser.

Tática #1: Faça perguntas do tipo "o que é?"

Inovadores de ruptura fazem diversas perguntas sobre o assunto com o objetivo de trazer à tona sutilezas que outras pessoas não percebem. O trabalho de Pierre Omidyar de arquitetar softwares (antes da fundação da eBay), por exemplo, melhorou sua habilidade de fazer perguntas por meio do foco na interface com o usuário e das tentativas de tornar os softwares menos complicados. (Sua primeira start-up foi uma aplicação de computação baseada em canetas, numa tentativa de tornar mais fácil o uso da tecnologia.) Omidyar costuma usar uma abordagem em que observa outras pessoas (clientes, consumidores, fornecedores) e, como num quadro em branco, imagina o que elas estão *realmente* tentando fazer. Parte, então, para uma série de perguntas do tipo quem, o que, quando, onde e por que, para escavar abaixo da superfície.

De maneira semelhante, o dr. William Hunter, inventor de produtos e fundador da Angiotech Pharmaceuticals, uma start-up com sede no Canadá, ficou intrigado com as formas não tradicionais de uso que poderiam ser aplicadas a drogas tradicionais. Acabou inventando o primeiro stent cirúrgico revestido por uma droga destinada a reduzir o tecido de cicatrização (cujo índice de insucesso é de apenas 20% em relação ao uso de stents não revestidos). Hunter teve a percepção desse invento ao mudar a pergunta tradicional que os fabricantes de stents faziam, "como produzir um stent melhor?", por outra questão mais produtiva, "o que o corpo faz com esses stents e por que eles falham?". Sua busca incansável por uma resposta à última dessas perguntas levou a um produto que mudou a cena do mercado no início da década de 2000.

Em sua busca incessante de como as coisas são, os inovadores querem encontrar respostas para o que está acontecendo aqui e agora, a fim de obter compreensão e empatia pela experiência de outras pessoas. A IDEO (e outras empresas de design de sucesso) emprega perguntas sobre o terreno físico, intelectual e emocional para ter uma visão em três dimensões de como operam os usuários finais. Scott Cook, da Intuit, também faz isso, e recorre a perguntas fundamentais como "qual é o problema real?", "o que a pessoa está tentando conseguir?", "o que é mais importante?" e "qual o ponto que está causando problemas?". Inovadores como Cook sabem que essas perguntas funcionam quando revelam o *que é* e criam empatia sobre como as pessoas se sentem. Essa compreensão com empatia produz a compreensão profunda que está por trás das melhores perguntas sobre qual é a causa e qual seria o resultado de uma mudança.

Tática #2: Faça perguntas do tipo "qual é a causa?"

O passo seguinte para compreender como as coisas são é fazer perguntas sobre as causas, a fim de obter percepções sobre por que as coisas são como são. Para ilustrar esse ponto, Mike Collins, fundador e CEO do Big Idea Group (BIG), empresa que detecta novas ideias de produtos por meio de uma rede de inventores e as põe no mercado, nos ofereceu um exemplo de como os inventores buscam sua verdadeira tarefa por meio de uma compreensão mais firme do que acontece no mundo. Um inventor passou a Collins e sua equipe a ideia de um jogo de 15 minutos, para possível desenvolvimento e distribuição pela BIG. Collins achou que o jogo, da maneira como foi apresentado, não teria sucesso no mercado de diversões para reuniões de família. Mas, em vez de devolver o projeto ao inventor, Collins resolveu perguntar-lhe por que havia criado aquele jogo. Respondendo a uma série de perguntas no estilo quem, o que, quando, onde e como, o inventor revelou que tinha três filhos (quem?) e pouco tempo depois do trabalho (quando?) para ficar com eles em casa (onde?). Queria divertir-se à noite com as crianças (o quê?), mas o tempo não era suficiente para jogos como Banco Imobiliário ou Risk. Ele procurou criar um jogo de 15 minutos, capaz de deixá-lo junto com os filhos por alguns momentos, rápidos mas agradáveis, no fim do dia.

A partir da pergunta sobre "qual é a causa", feita por Collins, surgiram as respostas a uma série de questões relativas ao quem, o que, quando e onde. Foi o ponto de partida para um lançamento de sucesso, os "12 Minutes Games", vendidos por meio da

Target. Esses jogos representaram o que muitas famílias queriam para um encontro no fim de um longo dia ou de uma semana de muito trabalho. A ideia de Collins desabrochou a partir de uma série de perguntas que desencadearam percepções simples, mas muito importantes, sobre como era a vida do inventor.

Sacudir o território

Depois de descrever o território bem o suficiente para ter uma compreensão completa *do que é* o tema, os inovadores começam a buscar soluções novas e potencialmente disruptivas. Mudam a marcha de questões descritivas para disruptivas, como *por quê?*, *por que não?* e *e se...?*

Tática #3: Faça perguntas do tipo "por quê?" e "por que não?"

Os inovadores usam persistentemente perguntas do tipo "por quê?" e "por que não?" para ter *insights* muito importantes. Jeff Jones, fundador da Campus Pipeline (plataforma na internet que auxilia universidades a integrar com segurança comunicações e recursos no campus) e da NxLight (um instrumento de TI para simplificar o gerenciamento de transações complexas entre empresas por meio da troca fácil e segura de documentos), apreende muito bem esse fato ao concluir: "Depois que você descobre a forma de perguntar o porquê de maneira diferente e não ficar satisfeito com a resposta, é interessante ver o que acontece. Você só precisa ir um pouco mais fundo, perguntando mais uma ou duas vezes, mas de maneira diferente". É exatamente isso que os inovadores de ruptura fazem para descobrir novas ideias de negócios.

Considere o exemplo de Edwin Land, cofundador da Polaroid[5]. Quando passava férias com a família, Land tirou uma fotografia da filha de três anos, que quis saber por que não podia ver de imediato a fotografia que o pai havia tirado. Como a maioria das crianças, repetiu a pergunta diversas vezes. Sua pergunta

Você está disposto a parecer ignorante?

Então, o que impede você de fazer perguntas? Os dois grandes fatores que inibem as perguntas são (1) ter receio de parecer ignorante e (2) não querer ser visto como uma pessoa desagradável ou que não gosta de colaborar. O primeiro problema começa quando você está na escola primária: não queremos parecer pouco inteligentes na frente de nossos amigos e do professor e achamos mais seguro ficar calados. Assim, aprendemos a não fazer perguntas disruptivas. Infelizmente, na maioria de nós, esse padrão se mantém até nos tornarmos adultos. "Acho que muitas pessoas não fazem perguntas porque não querem parecer burras", nos disse um inovador. Assim, ficam sentadas, fingindo que sabem exatamente o que está acontecendo. Vejo isso acontecer muitas vezes – as pessoas vão em frente porque não querem ser aquelas que questionam a nudez do rei (como no conto *A roupa nova do rei*).

O segundo inibidor é a preocupação de não parecer que não quer colaborar ou mesmo de faltar com o respeito. Omidyar, da eBay, admitiu que outras pessoas o consideram às vezes desrespeitoso quando questiona as ideias ou os pontos de vista delas. Como você pode superar esses fatores de inibição? Um inovador deu o seguinte conselho: "Muitas vezes, faço um prefácio às minhas perguntas, dizendo que prefiro ser o cara que faz uma porção de perguntas bobas sobre o motivo de as coisas serem do jeito que são". Ele diz que isso o ajuda a detectar se é seguro fazer perguntas básicas (que podem parecer bobas) ou questionar como as coisas são (sem parecer que não quer cooperar). O desafio é que há um elemento básico de coragem nesse ponto, como ter ousadia suficiente de ser aquele quem diz: "Espere um pouco, eu não entendi. Por que estamos fazendo a coisa assim?".

A pergunta mais forte por trás de nossa questão inicial, sobre se você está disposto a parecer bobo, é se a sua autoestima é suficiente para ser humilde na hora de fazer perguntas. Com o passar dos anos, descobrimos que os grandes indagadores têm um alto nível de autoestima e humildade suficiente para aprender com qualquer pessoa, mesmo com aquelas que supostamente sabem menos que eles. Se isso acontecer, é porque aprenderam a ouvir o sábio conselho de Neil Postman e Charles Weingartner (defensores pioneiros de viver e aprender com base em perguntar), que "depois de aprender a fazer perguntas – relevantes, apropriadas e substanciais –, você aprende a aprender, e ninguém pode impedi--lo de aprender o que você precisa saber".[a]

a. Neil Postman e Charles Weingartner, *Teaching as a Subversive Activity* (Nova York: Dell, 1969), 23.

simples levou Land, um especialista em emulsões fotográficas, a pensar sobre as possibilidades da fotografia "instantânea". Por que ela não podia ver a fotografia na hora? O que seria necessário para a fotografia instantânea transformar-se em realidade? Em algumas horas, o cientista desenvolveu as percepções básicas que iriam resultar em fotografias instantâneas, um produto que iria transformar sua empresa e abalar todo o setor. Como efeito, a pergunta inocente da menina desafiou os preceitos estabelecidos e transformou os conhecimentos técnicos de Land em um produto revolucionário – a máquina fotográfica Polaroid, que modificou a indústria e teve um impacto incrível entre 1946 e 1986, vendendo mais de 150 milhões de unidades e um volume ainda maior de caros filmes usados com as câmeras.

De maneira semelhante, David Neeleman, fundador das companhias de aviação JetBlue e Azul, diz que um de seus pontos fortes "é a capacidade de olhar para um processo ou hábito em uso há muito tempo e perguntar a mim mesmo: "Por que não fazer de outro jeito?" Às vezes, me surpreendo pensando na resposta, tão óbvia que fico imaginando porque outra pessoa não pensou naquilo antes". A primeira empresa criada por Neeleman foi uma companhia de voos fretados chamada Morris Air. Na época, passagens aéreas eram como dinheiro; perder a passagem era a mesma coisa que perder dinheiro. Isso criava problemas para os passageiros, que ficavam preocupados com a possibilidade de perda das passagens, e para as empresas, quando se tratava de enviar as passagens de maneira segura aos clientes. Certa vez, ao ouvir um funcionário queixar-se de um problema com passagens, Neeleman perguntou: por que tratamos as passagens como dinheiro vivo? Não há uma maneira melhor? Essa pergunta deu origem a uma ideia: "Por que não dar ao cliente um código, no momento da compra da passagem, que ele possa apresentar no aeroporto, junto com um documento de identidade?". A ideia levou à criação dos *e-tickets* (localizadores), uma iniciativa que acabou por se espalhar por todo o setor depois da venda da Morris Air à Southwest Airlines.

Em sua mais recente iniciativa, a Azul, Neeleman perguntou aos membros de sua equipe de direção "por que os brasileiros não aproveitam as tarifas baixas cobradas pela empresa?" As passagens da Azul custavam menos que as dos concorrentes, mas a pergunta trouxe à tona a questão real – como levar os clientes preocupados com as despesas até o aeroporto. Neeleman perguntou: "Quanto custa uma corrida de táxi para o nosso cliente típico chegar ao aeroporto?". A resposta foi "demais", potencialmente entre 40% e 50% do preço da passagem aérea. Neeleman, então, procurou alternativas mais baratas, usando ônibus ou trens, mas ou elas não existiam ou a frequência era muito baixa. Isso o levou a perguntar "Por que não criamos nosso próprio serviço de ônibus gratuito para levar o cliente ao aeroporto?" (para que ele aproveite as tarifas mais baratas da Azul). Hoje, os passageiros fazem reservas (principalmente online) para mais de três mil viagens diariamente e chegam ao aeroporto usando os ônibus da Azul, a companhia de aviação que mais cresce no Brasil.

Na Ásia, Taiichi Ohno, ex-engenheiro da Toyota conhecido como o principal arquiteto do Sistema de Produção Toyota, criou o processo dos cinco "por quês" – uma técnica de questionamento destinada a levar as pessoas a fazerem perguntas sobre a causa de alguma coisa – como núcleo de seu inovador sistema de produção. O processo dos cinco por quês determina que, quando se vê diante de um problema, a pessoa pergunte *por que* pelo menos cinco vezes para desvendar cadeias de causas e chegar a soluções inovadoras. Muitas das empresas mais inovadoras do mundo adotaram variações do processo dos cinco por quês para impelir os funcionários a questionarem as causas dos problemas, a tentar entender *o que é* e a buscar novas respostas para *o que poderia ser.*

Tática #4: Faça perguntas do tipo "e se...?"

Meg Whitman, da eBay, trabalhou com diversos empreendedores e fundadores inovadores, incluindo Omidyar (eBay), Niklas Zennström e Janus Friis (Skype e Kazaa), e Peter Thiel e Elon Musk (PayPal). Quando lhe perguntaram em que essas pessoas são diferentes dos executivos típicos, Whitman respondeu: "Eles têm compulsão de destruir o status quo. Não conseguem suportá-lo. Assim, passam um tempo enorme pensando em como mudar o mundo. E, enquanto pensam e põem a cabeça para funcionar, gostam de perguntar: se fizéssemos assim, o que aconteceria?".

Omidyar é um exemplo perfeito. Como analista de sistemas, projeta interfaces para o usuário final a partir do zero, sem ideias preconcebidas sobre como vai fazer as coisas. Para conseguir isso, Omidyar aprofunda suas pesquisas e faz uma série de perguntas a partir de uma perspectiva que parte do próprio início das coisas, como "qual é a forma mais econômica de resolver isso?". Ele vê a si mesmo como "o advogado do diabo, dizendo coisas como 'e se não funcionar dessa maneira? Ou, e se fizéssemos justamente o contrário? O que aconteceria?'".

Num forte contraste com os inovadores de ruptura, os executivos voltados para a execução tinham, em nossa pesquisa, muito menos probabilidades de fazer perguntas do tipo "e se...?", que desafiam a estratégia ou o modelo de negócios da empresa. Dados obtidos nas avaliações da pesquisa em 360 graus de executivos de todo o mundo revelaram que a maioria dos gestores não questiona *regularmente* o status quo (embora achem que o fazem). Preferem seguir a rotina a balançar o barco e aderem ao adágio de "se está funcionando, não tente consertar". Mas os inovadores buscam coisas que "não funcionam" e ativam uma série de perguntas sobre a busca de alternativas para trazer à tona novos ângulos de questionamento. Uma técnica usada pelos inovadores para imaginar o futuro é fazer perguntas do tipo "e se..." que impõem restrições ou as eliminam.

Faça perguntas "e se..." que impõem restrições. A maioria de nós impõe restrições ao pensamento somente quando somos forçados a lidar com limitações do mundo real, como cortes no orçamento ou limites tecnológicos. Os pensadores inovadores fazem o contrário. Marissa Mayer, presidente e CEO do Yahoo, diz: "A criatividade ama as restrições. As pessoas às vezes a imaginam como uma espécie de trabalho artístico – um esforço sem freios e sem orientações que leva a um efeito profundo. Se você olhar mais profundamente, no entanto, vai perceber que algumas das formas de arte mais inspiradoras – haikais, sonatas, quadros religiosos – estão cheias de restrições. São bonitas porque a criatividade triunfou sobre as regras... A criatividade, de fato, funciona melhor quando tem limites"[6].

Perguntas que impõem restrições artificialmente podem dar origem a percepções inesperadas por forçarem a pessoa a pensar contornando a restrição. Para iniciar uma discussão criativa sobre as oportunidades de crescimento de uma empresa que participou de nosso estudo, um executivo fez a seguinte pergunta: "Se eu fosse proibido por lei de vender nossos produtos atuais aos nossos clientes atuais, como poderíamos faturar no ano que vem?". Essa pergunta e sua restrição levou a uma frutífera exploração das formas como a empresa poderia descobrir e servir novos clientes.

Variações dessa mesma pergunta podem levar a ideias surpreendentes. Por exemplo, você e sua equipe podem perguntar:

1. Se a renda disponível (ou o orçamento) de seus clientes atuais fosse reduzida em 50%, quais seriam as modificações necessárias em seu produto ou serviço?
2. Se não existisse mais o transporte aéreo, como mudaríamos a forma de fazer negócios?

Formular perguntas que impõem restrições às soluções força a pessoa a pensar de modo mais amplo, pois dá origem a associações novas. Foi precisamente isso que a Apple fez para criar o iPod ("E se criássemos um leitor de MP3 que cabe no bolso de uma camisa mas tem gravadas entre 500 e 1.000 músicas?").

De forma semelhante, a Hindustan Lever (o negócio da Unilever na Índia) dedicou-se à tarefa de atingir milhões de consumidores em potencial em pequenas aldeias indianas, repletas de restrições sérias: não havia rede de distribuição para o varejo, não havia cobertura de propaganda e as estradas e meios de transporte eram ruins. Coletivamente, essas restrições desafiavam o modelo de negócios em funcionamento e produziam uma questão fundamental: "Como podemos vender produtos em pequenas aldeias *sem* ter acesso a redes de distribuição tradicionais, propaganda ou infraestrutura?". A resposta surgiu a partir de modelos de negócios especializados em venda direta (a Avon era um desses exemplos). Em parceria com organizações não governamentais, bancos e o governo, a Hindustan Lever recrutou mulheres em grupos de autoajuda espalhados pelas áreas rurais da Índia, para que vendessem diretamente ao consumidor seus sabonetes e xampus. A empresa deu às mulheres um treinamento substancial, para que se tornassem microempresárias. Em 2009, essa solução inovadora para o contexto de um país repleto de restrições havia chegado a mais de 45 mil empreendedoras, vendendo produtos da Hindustan Lever a 3 milhões de consumidores em 100 mil pequenas comunidades[7].

Faça perguntas "e se..." que eliminam restrições. Grandes perguntas eliminam as restrições que impomos desnecessariamente ao nosso pensamento, provocadas pelo foco em alocações de recursos, decisões ou limitações tecnológicas. Para contrariar essa tendência, nossos CEOs inovadores consideram essas perguntas como básicas para a eliminação de restrições indesejadas, relacionadas com despesas. "E se você ainda não tivesse contratado aquela pessoa, instalado aquele equipamento, implementado aquele processo, comprado aquele negócio ou seguido aquela estratégia? Você faria a mesma coisa hoje?" Jack Welch fez, muitas vezes, esse tipo de pergunta durante os vinte anos em que serviu como CEO da GE. Perguntas como essa jogam pela janela custos ocultos (financeiros e não financeiros) de forma rápida e eficiente.

Outra abordagem para reduzir as restrições aparece na seguinte pergunta: "E se todos os consumidores tivessem acesso à tecnologia X? Como isso iria mudar o comportamento do consumidor?". Alterando ligeiramente essa pergunta, Lazaridis, da RIM, gosta de pensar cinco anos à frente. Ele faz perguntas do tipo: quais serão as CPUs disponíveis no mercado? Qual a tecnologia de LCD? Qual o teclado? O mouse? Depois de juntar as melhores respostas para essas perguntas, ele dá início ao trabalho do projeto gráfico e industrial mais previsível para a próxima geração de produtos BlackBerry.

Depois de voltar à Apple, em meados da década de 1990, Steve Jobs relaxou as restrições ao perguntar: "O que você faria se o dinheiro não fosse o objetivo?". Assim, promoveu a criação de novos produtos e serviços.[8] Esse tipo de pergunta assume que a busca da excelência na Apple ocorre de forma independente de restrições externas, incluindo as preferências atuais dos clien-

As perguntas dos principais líderes e seus dilemas

Quando chega o momento de fazer perguntas que desafiam o status quo, os líderes (especialmente os CEOs) se veem diante de dois dilemas principais. O primeiro é que os executivos de alto nível são geralmente premiados quando geram estratégias melhores ou novos modelos de negócios, e punidos se questionam em público a própria estratégia da empresa ou o modelo de negócios em uso. Espera-se que os CEOs ofereçam *respostas*, não perguntas, para os principais interessados, externos e internos. Um CEO nos disse: "Se eu questionar abertamente nossa estratégia ou nossas principais iniciativas, posso criar uma crise de confiança na empresa. As pessoas não gostam desse tipo de incerteza". Os principais executivos sabem, como disseram os pesquisadores David Krantz e Penelope Bacon, que "questionar uma ação, crença ou eficiência envolve o risco de sacudir a atividade"[a]. Quando isso acontece, os mercados financeiros de todo o mundo são impiedosos e punem essas atitudes, pelo menos em curto prazo.

O segundo dilema à frente dos líderes é a dificuldade que as pessoas da organização têm em fazer perguntas que desafiam o status quo aos chefes de maior hierarquia. Afinal, o CEO pode ter chegado a essa posição por ter criado o status quo. Assim, mesmo quando ele está na melhor posição para fazer e responder perguntas, se vê em face de restrições importantes para fazer e responder perguntas que apresentam esse desafio. Por isso, não é fácil para o CEO criar uma cultura que estimule o tipo de questionamento capaz de produzir resultados inovadores, especialmente novos negócios e modelos de negócios.

Muitos fundadores e CEOs inovadores enfrentam o primeiro dilema cultivando um *networking* informal de pessoas a quem podem fazer perguntas e de quem podem receber questionamentos.

Por exemplo, um CEO inovador de uma empresa multinacional de grande porte nos disse que formou uma rede informal e extraoficial de confidentes. "É uma série de pessoas razoavelmente experientes, razoavelmente amadurecidas, que se sentem confortáveis apresentando ideias e depois esquecendo-se do que disseram se as suas intuições ou especulações não se mostrarem corretas", disse. "Posso fazer qualquer tipo de pergunta a esses profissionais e eles me darão uma resposta direta."

Enfrentar o segundo dilema é um pouco mais difícil, pois o desafio pode ser culturalmente delicado. Em alguns países – e em algumas empresas – não é possível questionar o chefe. Pesquisas feitas em diversas culturas sugerem que 80% dos japoneses concordam com a seguinte afirmação a respeito do papel dos líderes: "É importante para um gestor ter à mão respostas precisas para a maior parte das perguntas que seus subordinados podem fazer sobre seu trabalho"[b]. Espera-se, portanto, que os líderes japoneses deem respostas ao seu pessoal e não façam perguntas, especialmente as que desafiam o status quo. Mas a cultura de uma empresa ou país que não estimule o questionamento soa como uma marcha fúnebre para a inovação de ruptura. Seja qual for seu contexto cultural, CEOs com esperança de gerar ideias inovadoras precisam saber que a liderança exige fazer perguntas que desafiam a forma como as coisas são, mesmo que esses hábitos tenham sido estabelecidos pelo CEO em seu caminho ao topo!

a. D. L. Krantz e P. Bacon, "On being a naïve questioner", *Human Development* 20 (1977): 141-159.

b. N. J. Adler, N. Campbell, e A. Laurent, "In search of appropriate methodology: from outside the people's Republic of China looking in", *Journal of International Business Studies* 20 (1989): 61-74.

tes ou as despesas para oferecer exatamente o que eles querem. Quando se tornou membro do Conselho da Disney, Jobs levou a mesma mensagem mais adiante, exortando as pessoas a "pensar grande" no momento em que seria adotado um novo design nas lojas Disney e incluída uma área de vendas chamada WWTD: What Would Tinker Bell Do? (O Que Faria a Fada Sininho?).[9]

Fazer perguntas como um potencial turbocompressor

As perguntas são um catalisador crítico para *insights* criativos. Mesmo assim, *apenas fazer perguntas não produz inovações. Elas são necessárias, mas insuficientes.* Na ausência de observações ativas, *networking* e experimentações, os inovadores teóricos se transformam no que os comentaristas esportivos dos Estados Unidos costumam chamar de jogadores de poltrona. Fazem perguntas inteligentes a partir de fora das linhas do campo e podem ingenuamente acreditar que uma ou duas perguntas mágicas serão capazes de trazer à tona ideias disruptivas. Mas eles raramente, ou nunca, jogam o jogo do mundo real da inovação.

Descobrimos que os inovadores têm muito mais chances de lançar com sucesso produtos, serviços ou negócios inovadores quando *combinam* um instinto contínuo de formular e fazer as perguntas corretas *com* outras competências do DNA do inovador. Em outras palavras, inovadores que fazem perguntas *enquanto* observam descobrem mais do que aqueles sem esse costume. Líderes que fazem perguntas *enquanto* conversam com sua rede de *network* em busca de ideias descobrem mais do que quem não tem esse hábito. Líderes que fazem perguntas *enquanto* experimentam descobrem mais do que quem não segue esse uso. Por fim, fazer perguntas, combinando isso com outros comportamentos de descoberta, pode agir como um real turbocompressor para potencializar seus resultados na área da inovação.

Mudar nossas perguntas pode transformar o mundo. A chave é criar constantemente perguntas melhores para ver o mundo com novos olhos. Quando isso acontecer, nós nos encontraremos vivendo a profunda observação que Jonas Salk (descobridor da primeira vacina contra a paralisia infantil) fez ao dizer que "você não inventa as respostas, você revela as respostas" ao "descobrir a pergunta correta".

Esperamos que nossa estrutura para trazer à superfície as perguntas corretas o ajudem em sua jornada pela inovação. Comece tentando perguntar o que é, e então continue com perguntas "e se..." especialmente perguntas "e se..." que impõem ou eliminam restrições. Mas lembre-se de que o quadro geral não é o fim, mas o meio. É o primeiro passo para obter novas ideias que podem ter sucesso, não uma receita segura para esse sucesso. Os três capítulos seguintes tratam de maneira mais profunda de outras ações concretas que podemos tomar para ajudar a melhorar as perguntas que fazemos e, no fim, revelar soluções potencialmente disruptivas para problemas difíceis.

Dicas para desenvolver a habilidade de fazer perguntas

Os inovadores não se limitam a fazer perguntas provocativas. Trabalham para fazer perguntas ainda melhores. Michael Dell, por exemplo, diz que se tivesse uma pergunta favorita, todos ficariam esperando que ele a formulasse, e os resultados não seriam muito bons. "Em vez disso, gosto de fazer às pessoas perguntas sobre coisas que elas não acham que eu vou perguntar", ele nos disse. "Eu sinto uma espécie de satisfação em aparecer com perguntas para as quais ninguém tem uma resposta pronta." Para construir perguntas melhores, apresentamos em seguida nossas dicas favoritas:

Dica #1: Promova uma *QuestionStorming*

Há poucos anos, descobrimos uma ferramenta valiosa para fazer perguntas. Estávamos dando aulas a uma turma de graduação em uma escola de negócios e nos deparamos com um problema particular, incapazes de chegar a novos *insights* por meio de um processo típico de *brainstorming*. Um de nós sugeriu fazer uma pausa no processo e focar nossas energias em somente fazer perguntas sobre o problema, em vez de tentar chegar a outro grupo de soluções. Para nossa grande surpresa, a abordagem de fazer perguntas chegou muito mais amplamente aos elementos fundamentais do problema, e abriu os olhos de todos para uma nova compreensão do caso.

Desde esse exercício de somente perguntar, fomos trabalhando, com o passar dos anos, com executivos individualmente e com grupos de executivos, para desenvolver o processo que agora chamamos de *QuestionStorming*[10]. Todos nós conhecemos o *brainstorming*, o processo no qual você e uma equipe se unem para lançar ideias destinadas a solucionar um problema. O *QuestionStorming* é semelhante, mas em vez de focarmos em soluções, nos dedicamos a fazer perguntas sobre o problema.

Ele funciona assim: primeiro, individualmente ou em equipe, identifique o problema ou desafio pessoal da unidade de trabalho ou organizacional a ser resolvido. Então, pegue um pedaço de papel e escreva pelo menos cinquenta perguntas sobre o problema ou desafio (se estiver trabalhando com um problema de unidade de trabalho ou organizacional, é preferível gerar essas perguntas com uma equipe e escrevê-las em um quadro ou cartolina, para que todos vejam). Sugerimos mais algumas regras se estiver trabalhando em equipe. Uma delas é gerar apenas uma pergunta de cada vez. Peça a uma pessoa para escrever todas as perguntas, de maneira que todos possam ler e refletir sobre cada pergunta que está sendo feita. Ninguém pode fazer outra pergunta enquanto a atual não terminar de ser escrita. Isso ajuda o grupo a trabalhar sobre as perguntas anteriores, a fim de gerar perguntas melhores sobre o desafio. Colabore com os outros para fazer uma série completa de perguntas do tipo *o que é, qual é a causa, por que* e *por que não* durante o exercício.

É importante respeitar algumas outras regras. Quando estiver buscando as perguntas, discipline você mesmo e seu grupo a simplesmente apresentar a pergunta, sem fazer um longo preâmbulo no início. Mantenha o foco nas perguntas até ter pelo menos cinquenta delas (em outras palavras, não tolere o aparecimento de respostas, reforce a importância de somente fazer perguntas sobre o problema ou a oportunidade em questão). Depois de um possível e normal período de silêncio (enquanto a equipe luta para formular perguntas novas sobre o assunto), a maioria dos grupos participa de um inquérito cada vez mais produtivo sobre as causas reais do problema ou das dimensões da oportunidade, de maneira a ver o caso sob uma luz nova. Depois de ouvir as perguntas, estabeleça prioridades e discuta as mais importantes ou intrigantes, e busque as melhores soluções. É possível que você queira indicar uma pessoa ou grupo para tentar responder as perguntas mais importantes (por meio de observação, *networking* e experimentação) antes de levar o grupo a fazer um *brainstorming* com as soluções.

Descobrimos que pessoas que costumam participar de *QuestionStormings* sobre desafios que surgem em suas unidades de trabalho, organizações, setores, clientes e fornecedores têm mais possibilidades de serem vistas como pensadores criativos, inovadores ou estratégicos. Um executivo de uma grande indústria farmacêutica começou a escrever perguntas durante quinze a vinte minutos, todos os dias de manhã, antes de começar a trabalhar. Três meses depois, seu superior disse que ele havia se transformado no melhor pensador estratégico de sua unidade de trabalho. Seis meses depois, ele foi promovido. O costume leva à perfeição, ou pelo menos o deixa melhor, quando se trata de fazer perguntas. Assim, "se os seus músculos de formular perguntas se atrofiarem", como reconheceu Ahmet Bozer (presidente do Grupo Eurásia e África na Coca-Cola), depois de um recente workshop de *QuestionStorming* com sua equipe de direção, "está na hora de exercitá-los".

Dica #2: Cultive o pensar em termos de perguntas

Quando identificamos problemas ou desafios, geralmente os descrevemos na forma de afirmações, não interrogações. Nós pedimos, muitas vezes, a grupos de executivos que identifiquem seus três maiores desafios. Eles lutam com a tarefa de identificar esses desafios, mas quase sempre os apresentam na forma afirmativa. Então, damos ao grupo de cinco a dez minutos para que transformem seus três maiores desafios em suas três principais perguntas (a exemplo de como orientar a inovação eficientemente). Descobrimos que traduzir as afirmações em perguntas ajuda a melhorar o modo afirmativo na apresentação dos problemas e evoca maior responsabilidade pessoal em relação a esses problemas. Leva o grupo também a dar mais ativamente os passos seguintes na busca de respostas.

Dica #3: Siga seu registro P/R

Os inovadores de ruptura que entrevistamos mostraram uma alta razão P/R, na qual o número de perguntas (P) era maior que o de respostas (R) em uma interação típica, e as boas perguntas geravam valores mais altos que as boas respostas. Para checar sua razão P/R atual, observe e avalie seu padrão de perguntas e respostas em diversos contextos. Por exemplo, na mais recente reunião de trabalho de que participou ou dirigiu, qual a porcentagem de perguntas em suas intervenções? Faça um registro de seu índice P/R (com as porcentagens de intervenções que caem em cada categoria) nas reuniões de que vai participar na próxima semana. Quando passar em revista suas observações, pergunte e responda: qual é sua razão P/R? Quantas perguntas fez? Tente melhorar seu índice P/R refletindo sobre as perguntas que foram feitas e depois perguntando a si mesmo: "Quais as perguntas que não são óbvias e quais as perguntas que não foram formuladas?".

Dica #4: Mantenha uma caderneta de anotações para perguntas

Para gerar um repertório de perguntas ainda mais rico, ache um tempinho para anotá-las regularmente. Richard Branson faz isso e tem blocos de anotações "cheios de perguntas". Passe em revista periodicamente suas perguntas para descobrir quantas vem fazendo (ou não fazendo) repetidamente, e de que tipo elas são. A tabela 3-1 pode ajudá-lo a perceber os tipos de pergunta que podem ser feitos ao observar, usar seu *networking* e experimentar para produzir novas ideias.

QUADRO 3-1

O check-up das perguntas do inovador de ruptura

As competências do DNA do inovador	Descreva o território		Sacuda o território	
	O que é? Quem? O quê? Quando? Onde? Como?	Qual a causa?	Por quê? Por que não?	E se? Como poderia?
Observar				
Usar o *networking*				
Experimentar				

Enquanto mantém o caderninho, ache um instante para refletir sobre os seguintes pontos:

- Quais padrões você segue ao fazer perguntas? Quais os tipos de pergunta que você põe em foco?
- Quais perguntas levam a *insights* inesperados sobre a maneira como as coisas são como são?

• Quais perguntas forçam a discussão de certezas fundamentais e desafiam o status quo?

• Quais perguntas provocam fortes respostas emocionais? (Grande indicador de desafio à maneira como as coisas são.)

• Quais perguntas o orientam melhor dentro do território de ruptura?

4

Competência de Descoberta #3

Observar

"A observação é o grande elemento que faz o jogo virar em nossa empresa."

Scott Cook

OS INOVADORES SÃO, EM SUA MAIORIA, observadores intensos. Olham cuidadosamente o mundo que os rodeia e, enquanto veem como as coisas funcionam, se sensibilizam com aquilo que não funciona. Eles podem verificar também que pessoas em outro ambiente encontraram uma forma diferente – e muitas vezes superior – de resolver um problema. Quando se dedicam a esse tipo de observação, começam a tecer ligações entre dados não conectados, o que pode levar a ideias de negócios incomuns. Essas análises podem envolver diversos sentidos e são frequentemente provocadas por perguntas bem colocadas.

Pense, por exemplo, na forma como Ratan Tata, presidente do Conselho do Grupo Tata, da Índia, teve uma percepção que inspirou a criação do carro mais barato do mundo, o Tata Nano.

Durante a vida toda, Tata viu milhares de famílias usando motonetas na Índia. Em um dia de muita chuva em Mumbai, em 2003, um fato chamou sua atenção. Um homem de classe média baixa dirigia uma motoneta com uma criança mais velha em pé, na frente, entre os guidões. A mulher estava sentada de lado, atrás do marido, com outra criança, mais nova, no colo, e todos estavam ensopados até os ossos, tentando chegar em casa. Tata usou os olhos para ver e o coração para perceber o que ainda não havia notado. Ele perguntou a si mesmo: por que essa família não compra um carro para se proteger da chuva? Ou, em outros termos, pensou em uma tarefa a ser realizada – criar um meio de transporte seguro, ao alcance de uma família que tinha recursos para comprar uma motoneta, mas não um carro.

A análise singular de Tata deu origem a diversas questões provocativas relacionadas com a criação de um carro popular de baixo custo. "A observação do veículo de duas rodas (com a família composta de quatro pessoas empilhada na motoneta) me fez pensar que precisávamos criar um meio de transporte mais seguro", Tata recorda. "Meu primeiro impulso foi construir automóveis a partir da motoneta, de forma a dar mais segurança aos usuários no caso de uma queda. Seria possível construir um veículo de quatro rodas com peças de motoneta?" Tata reuniu um grupo pequeno de engenheiros e pediu que projetassem um veículo de quatro rodas de baixo custo. O primeiro projeto tinha duas portas moles, com janelas de vinil, teto de lona e uma barra de metal para dar mais segurança. Mas, depois de estudar os primeiros desenhos, Tata e seu grupo chegaram à conclusão de que o mercado não gostaria daquilo que era um "meio carro".

Vários anos de experimentações por parte da equipe de projeto do Nano se passaram antes do sonho de Tata se transformar em realidade, em 2009. Custando US$ 2.200, o Nano foi lançado como o carro mais barato do mundo. Nos primeiros meses depois do lançamento, recebeu 200 mil encomendas e suas numerosas inovações (que incluíram 34 pedidos de patentes) o transformaram em carro do ano na Índia em 2010. Projetado com motor traseiro, o Nano pode ser montado a partir de kits nas concessionárias, mais ou menos como se faz com motocicletas nos Estados Unidos. Essa iniciativa pode sacudir todo o sistema de distribuição de automóveis na Índia. E tudo começou em um dia de chuva em Mumbai, quando Tata observava com atenção o que acontecia no trânsito, em vez de pensar somente em seu destino.

Tata passou pelo que algumas pessoas chamam de *vuja de*. *Déjà-vu* é como se chama a sensação forte que uma pessoa tem de já ter visto ou vivido algo antes, mesmo que esse algo nunca tenha acontecido. *Vuja de* é o contrário – a sensação de ver uma coisa pela primeira vez, mesmo que ela já tenha sido vista muitas vezes antes[1]. Ao aplicar o princípio do *vuja de*, Tata conseguiu "enxergar" algo que sempre esteve ali, mas passava despercebido ou pelo menos não inspirava ninguém a agir em relação ao caso. A observação inicial de Tata – a de que muitas pessoas de média e baixa renda na Índia seriam beneficiadas se tivessem a oportunidade de comprar um carro mais barato – é apenas parte da história. Vamos examinar como Ratan Tata usou a observação do consumidor para ajudar sua empresa a vender Nanos por US$ 2.200. Como mencionamos, ele teve a ideia que deu origem ao Nano ao ver famílias indianas trafegando com motonetas na chuva. Ele sabia que as comunidades rurais na Índia representavam um grande mercado para as motonetas e quis saber qual a razão. Tata podia vender o Nano nessas comunidades para substituir as motonetas. Assim, destacou uma equipe para observar como os indianos das áreas rurais compram motonetas. A equipe fez algumas observações interessantes, que levaram a empresa a adotar uma maneira diferente de vender carros nas áreas rurais.

Primeiro, a equipe observou que as pessoas faziam suas compras maiores principalmente aos domingos, em feiras livres. Não existiam concessionárias de motonetas ou carros em locais permanentes. Os vendedores de motonetas iam aos locais em caminhões grandes, descarregavam os veículos e os colocavam em fileiras em terrenos designados para isso nas feiras. Os compradores negociavam a máquina, aprendiam como operá-la, recebiam uma licença e iam embora para casa com o veículo no mesmo dia. A equipe de Tata levou, então, 40 Nanos e os colocou em exposição numa feira. Descobriu rapidamente que os clientes não chegavam, compravam e iam embora para casa dirigindo o veículo. Para começar, tal como nas áreas urbanas, muitos precisavam de financiamento. Assim, Tata tinha que oferecer o financiamento. Mas, para que os clientes fossem embora em seus Nanos, era preciso contratar um seguro no local, o que obrigou Tata a disponibilizar o seguro. Havia, porém, uma coisa ainda mais importante: a equipe soube que a maioria dos consumidores não tinha carta de motorista e, assim, Tata teria que oferecer aulas de direção – e uma maneira de entregar imediatamente a carta – bem no local da feira. A empresa acabou por oferecer esses serviços em sequência, para que o consumidor, no prazo de duas a quatro horas, escolhesse o automóvel, providenciasse o financiamento e o seguro, aprendesse a dirigir, recebesse a carta de motorista e, finalmente, registrasse o veículo. A observação intensiva era a única maneira de Tata descobrir as necessidades reais do morador da parte rural da Índia interessado em comprar e guiar um carro.

Uma estrutura para observação: concentre-se na "tarefa" e na melhor maneira de realizá-la

Tom Kelley, da IDEO, autor de *A arte da inovação**, escreveu que "o papel do antropólogo é a maior fonte de inovação" em sua empresa.[2]

Por que ele pensa assim? Os antropólogos desenvolveram técnicas para estudar os seres humanos em seus ambientes naturais

* Editora Futura, 2ª edição, 2001.

e aprender com seus comportamentos. Agir como se você fosse um antropólogo pode ser uma ferramenta poderosa quando vê alguém, em determinada situação, tentando fazer uma "tarefa", para empregar o termo usado por Clayton Christensen em *The innovator's solution*.

Christensen argumentou que os clientes – pessoas e empresas – têm "tarefas" que surgem regularmente e que precisam ser realizadas. Quando os clientes se tornam conscientes da tarefa que precisam cumprir, olham em volta à procura de um produto ou serviço que possam "contratar". E procuram contratar alguma coisa ou alguém que realize a tarefa da forma mais eficiente, conveniente e econômica possível. Observar alguém em uma circunstância particular pode levar a percepções sobre a tarefa a ser realizada – e sobre a melhor maneira de cumpri-la.

A experiência de Tata com o Nano ilustra essa ideia. A observação inicial de Ratan Tata, de uma família na motoneta sob a chuva, o levou a compreender que aquele veículo não cumpria muito bem sua *tarefa* de transportar a família de modo seguro e sem deixá-la molhada. Ela precisava de um veículo como um automóvel. Isso levou a anos de estudos e experimentações até ele criar um automóvel de baixo custo. Mas conseguir fabricar um carro de baixo custo não era suficiente. Tata precisou oferecer uma série de serviços complementares, que eram críticos para a capacidade do consumidor de comprar um carro, financiá-lo, colocá-lo no seguro, dirigi-lo com segurança e depois levá-lo para casa. O sucesso de Tata surgiu a partir de dois tipos de observação: uma sobre a tarefa a ser cumprida (transportar famílias de forma segura em um veículo que estivesse ao alcance de suas posses) e outra sobre como colocar um indiano de classe média em um banco de motorista (ou seja, levar os carros às feiras livres nos vilarejos e oferecer os serviços necessários para que o cliente pudesse guiar o veículo no mesmo dia).

Compreendendo o trabalho a ser feito

Todas as tarefas têm dimensões funcionais, sociais e emocionais, e a importância relativa desses elementos varia de trabalho para trabalho. "Preciso sentir que faço parte de um grupo exclusivo, de elite", argumentam os consumidores que "contratam" produtos de grife de luxo, como Gucci e Versace. Nesse caso, a dimensão funcional da tarefa não é tão importante como suas dimensões social e emocional. Em contraste, as tarefas para as quais o consumidor contrataria um caminhão de entregas são dominadas por exigências funcionais.

Compreender as dimensões funcional, social e emocional de um trabalho a ser realizado pode ser bastante complexo, mas aí pode estar a chave de uma solução inovadora.

Em nossa sociedade, contratamos escolas para dar educação a nossos jovens e, muitas vezes, as criticamos por não estarem fazendo o trabalho corretamente. A questão é colocada da seguinte forma: "Por que as escolas não funcionam tão bem como deveriam?". Talvez o principal motivo de nossa insatisfação com o ensino público seja o de fazermos a pergunta errada. Se, em vez disso, perguntássemos: "Por que os alunos não aprendem?", poderíamos descobrir coisas que os outros ainda não perceberam. Um motivo básico de muitos estudantes não terem motivação na escola, e chegarem a faltar às aulas, é que aprender não se constitui em tarefa que eles estejam querendo realizar. O desejo principal deles é sentir-se uma pessoa de sucesso e se divertir com os amigos, satisfazendo importantes necessidades sociais e emocionais todos os dias. Não é de admirar que alguns alunos parem de ir às aulas para se unir a gangues ou ir passear de carro com os amigos, já que essas atividades cumprem a tarefa melhor do que a escola.

Por entender bem as necessidades particulares sociais e emocionais dos alunos do curso secundário (as tarefas que esses estudantes querem ver realizadas diariamente), a MET School, uma escola de Providence, no Estado norte-americano de Rhode Island, preparou um currículo no qual os alunos trabalham em conjunto, todos os dias, em diversos projetos (contém elementos do método Montessori, que oferece experiências de aprendizado interativas). Essa abordagem dá aos alunos a possibilidade de se divertir com os amigos e obter, ao mesmo tempo, um intenso sentimento de realização, pois podem ver como seus esforços levam um projeto até a conclusão. Eles mal percebem que estão desenvolvendo novas competências enquanto completam sua participação nos projetos. Ao atender melhor as necessidades sociais e emocionais de seus alunos, a escola os motiva a participar e aprender. Isso ilustra como a estrutura de tarefas a serem realizadas se aplica tanto a serviços como a produtos, e como é importante olhar além da tarefa funcional a ser realizada.

De maneira semelhante, Scott Cook fundou a Intuit, responsável pelos populares softwares financeiros Quicken e Quickbooks, com base em duas observações muito importantes. A primeira foi uma análise simples dentro de sua casa. Ele teve a ideia que deu origem ao Quicken ao ver sua mulher trabalhar nas finanças da família e ouvir seus comentários de que se tratava de um trabalho frustrante e demorado. "Ela tem uma cabeça boa para a matemática e é muito organizada, por isso é ela quem cuida de nossas contas", Cook comentou. "Mas ela frequentemente se queixava de que perdia muito tempo e de que a contabilidade era um trabalho complicado e difícil. Assim, foi a combinação dessa observação com o entendimento de que os computadores pessoais podem ou não fazer bem a tarefa que deu origem à Intuit."

Pedimos a Cook para explicar melhor o que quis dizer ao separar o que os computadores podiam e não podiam fazer bem.

A resposta demonstrou suas competências de observação e como ele chegou a um modo melhor de realizar a tarefa de gerenciar as finanças pessoais. Em 1981, ele começou a observar o que a Apple fazia com seu computador Lisa. "Consegui que um amigo, que trabalhava na Apple, me mostrasse o computador antes do lançamento", lembrou. "O Lisa não tentava trabalhar com softwares financeiros, mas aquela interface gráfica com o usuário (o mouse e os menus que caíam sobre a tela) era surpreendente." Depois da visita, Cook dirigiu até o restaurante mais próximo e se sentou com um bloco de papel. Então, anotou as diversas percepções que obteve ao ver o conceito da interface gráfica com o usuário.

A observação de Cook o convenceu de que o Lisa poderia realizar funções financeiras repetitivas, e a facilidade trazida pelo uso do mouse e dos menus que baixavam permitiriam que uma pessoa normal usasse o computador. Ele ficou inteiramente absorvido pelo problema de fazer os itens da tela do computador funcionarem da mesma forma que seus equivalentes no mundo real (por exemplo, um cheque eletrônico Quicken se parece com um cheque de papel). Ao apresentar um programa de software que se comportava do modo como as pessoas estavam acostumadas em seu dia a dia, a Intuit obteve uma fatia de mercado superior a 50% no ano seguinte ao de sua introdução.

Como Cook, descobrimos que observar é uma habilidade-chave de descoberta para a maioria dos inovadores, que tendem a gerar percepções de negócios a partir de um de dois tipos de observações:

1. Observar pessoas em circunstâncias diferentes ao tentarem realizar uma tarefa e obter percepções sobre qual é a tarefa que elas desejam realizar *de verdade*.

2. Observar pessoas, processos, empresas ou tecnologias e buscar uma solução que possa ser aplicada (talvez com modificações) em um contexto diferente.

Mike Collins (fundador e CEO do Big Idea Group) afirma que os inovadores de produtos de sucesso estão sempre com sua habilidade de observação em funcionamento. "A observação não ocorre apenas num dia de rompante. Inovadores veem o mundo em volta deles e fazem perguntas sem parar. É parte do que eles são. Para outras pessoas, é uma competência não explorada." Collins sabe do que está falando. Ele é o fundador do BIG, uma empresa que usa o modelo de negócios dos programas de calouros *American Idol* e *Britain's Got Talent* para selecionar as melhores ideias de inventores e colocá-las no mercado. Collins trabalhou com mais de 1.000 inventores que fazem parte da rede do BIG. Descobrimos que os inovadores de produtos concentram as melhores competências de observação entre os inovadores, seguidos de empreendedores de start-ups e corporativos e, finalmente, de inovadores de processos. Os inovadores obtêm índices de cerca de 75 em relação à observação, enquanto os não inovadores ficam em torno de 48 (veja a figura 4-1).

Como alguém pode desenvolver uma competência de observação se ela está encoberta no momento? Para descobrir o que fazem os inovadores, nós lhes perguntamoss: "O que faz de alguém um bom observador?" e "Como alguém pode melhorar sua capacidade de observar?". Descobrimos que os observadores têm mais sucesso em definir as tarefas a serem realizadas e maneiras melhores de cumpri-las quando (1) observam clientes a fim de determinar quais produtos contratam para fazer quais tarefas, (2) aprendem a procurar surpresas ou anomalias e (3) encontram oportunidades para fazer observações em um ambiente novo.

FIGURA 4-1

Comparação das competências de observação em tipos diferentes de inovadores e não inovadores

Itens da amostra:
1. Obtém novas ideias de negócios por meio da observação direta de como as pessoas interagem com produtos e serviços.
2. Observa regularmente as atividades de clientes, fornecedores e outras empresas para ter novas ideias.

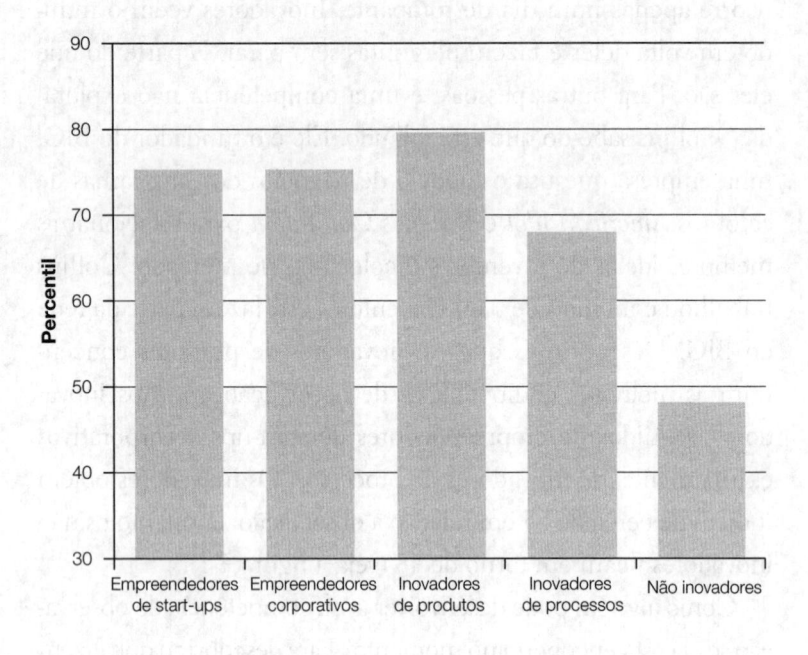

Observe os clientes – e preste atenção nos "workarounds"

Talvez a forma mais óbvia de obter percepções de negócios por meio da observação seja acompanhar pessoas quando elas adquirem produtos para realizar tarefas e, então, verificar quais percepções podem ter sobre a tarefa a ser feita. Gary Crocker, fundador da empresa de dispositivos médicos Research Medical Inc. (adquirida pela Baxter International), chegou a algumas ideias sobre mecanismos capazes de auxiliar cirurgiões a realizarem cirurgias cardíacas do tipo *bypass*, depois de observá-los realizando o que na época era um tipo de cirurgia bastante novo. Crocker observou as sondas de monitoramento cardiovascular, ligadas ao coração, para controlar a pressão sanguínea, e percebeu que elas não funcionavam muito bem no controle do fluxo de sangue. "Não existiam sondas grandes o bastante para tirar todo o sangue do corpo e levá-lo ao coração-pulmão artificial, quando o coração e os pulmões param de funcionar durante a cirurgia", lembrou Crocker. "Não havia uma linha de bombeamento bem estruturada. Assim, achei que poderia criar um produto para fazer esse trabalho. Era um nicho pequeno, mas bom."

Crocker deixou a Baxter para fundar uma empresa especializada em dispositivos para controlar o fluxo sanguíneo durante cirurgias cardíacas. Um dispositivo, o Visuflo com Fonte de Luz, enfrentou a realização de uma cirurgia em áreas com escoamento de sangue, enquanto o coração batia, com um sopro de ar filtrado e umedecido na área de sutura. Isso removia o fluxo sanguíneo indesejado que prejudicava a visão do cirurgião. O dispositivo melhorava a visibilidade por oferecer uma fonte de luz, cujo foco podia ser dirigido ao corte cirúrgico. Sem esses dispositivos, os cirurgiões precisavam achar um modo de melhorar a iluminação da cirurgia cardíaca (pedir a uma enfermeira para manter um foco de luz separado sobre o corte) ou técnicas próprias para remover o fluxo de sangue indesejado (tentando usar diversos dispositivos de sucção para retirar o sangue). As percepções que deram origem aos dispositivos inovadores de Crocker apareceram somente depois de ele observar os problemas enfrentados pelos médicos durante a realização de cirurgias cardíacas e as soluções improvisadas, ou *workarounds*, que eles desenvolveram para enfrentar essas dificuldades.

O termo *workaround* surgiu na área de tecnologia da informação, em que os programadores se viam obrigados a achar uma solução provisória, ou trabalhar em volta (*work around*) de um problema, para o sistema funcionar. O conceito se aplica igualmente bem a outras áreas. Um *workaround* é uma solução incompleta ou parcial para uma tarefa particular que precisa ser feita. Quando perceber um *workaround*, preste atenção, pois ele pode oferecer indícios sobre como criar um produto, serviço ou negócio inteiramente novo para realizar a tarefa.

A OpenTable.com representa uma solução mais completa aos *workarounds* para os quais quase sempre apelamos quando pretendemos sair para ter um excelente jantar (a tarefa a ser realizada) em um restaurante. Os elementos principais incluem descobrir um restaurante com qualidade e atmosfera desejadas, reservar uma mesa em um horário razoável sem ter necessidade de espera e obter um preço razoável pela refeição. Encontrar o restaurante correto envolve pedir referências ou ler resenhas especializadas. Depois de descobrir o restaurante correto, você tem que telefonar para fazer a reserva. Se o restaurante não aceitar reservas, ou já estiver com todas as mesas ocupadas, você voltará à estaca zero. Ou poderá simplesmente ir mais cedo ao restaurante – quem sabe pedir a alguém para ficar na fila para você – a fim de garantir que conseguirá uma mesa ou verá diminuído o tempo de espera. Se você for sensível ao preço, pode procurar descontos na internet ou cupons nos jornais para obter um preço menor. Todas essas tarefas demandam tempo e não garantem que você terá uma boa experiência.

Chuck Templeton, fundador do OpenTable.com, viu esses problemas em primeira mão em 1998, quando sua mulher passou três horas e meia tentando – sem sucesso – fazer reservas em um restaurante de Chicago por ocasião da visita de seus sogros. Assim, Templeton lançou seu serviço online, que permite aos clientes descobrir de forma fácil e rápida pela internet um restaurante que seja de seu gosto (por meio de avaliações objetivas e notas dadas pelos clientes), fazer reservas para um horário conveniente (ao permitir que o cliente verifique a disponibilidade de mesas e faça sua própria reserva) e ter acesso a refeições com descontos (dando pontos que podem ser usados para reduzir os preços das refeições). Os restaurantes pagam ao OpenTable.com US$ 199 por mês pelo serviço de reservas (basicamente, significa alugar um terminal de computador e ter conexão com a internet) e um *fee* de US$ 1 por refeição, que o restaurante comercializar por meio do sistema. Por oferecer um serviço melhor, ao ajudar seus clientes a terem uma experiência mais agradável quando comem fora, o OpenTable.com domina o processo de reservas de restaurantes na maioria das grandes cidades dos Estados Unidos e em muitas outras no exterior (com mais de 11 mil restaurantes integrados ao sistema em todo o mundo).

Observar pessoas tentando fazer uma tarefa para ter percepções destinadas a oferecer um novo produto ou serviço parece ser uma coisa simples e direta, mas a maioria dos responsáveis nas empresas gasta pouco tempo nessa abordagem objetiva e de bom senso. Quando as empresas descobrem as necessidades ocultas dos clientes por meio da observação (seja ela ao acaso, por imersão no cotidiano ou por vídeo), obtêm análises que podem ser extremamente valiosas. Kelley, da IDEO, conta que no período em que estava projetando uma nova escova de dentes infantil para a Oral-B, a IDEO foi a campo para descobrir como as crianças escovavam os dentes. Viu-se, então, que as escovas de dentes para crianças eram apenas versões menores das escovas de adultos. Isso criava problemas para elas, já que não tinham a habilidade manual dos pais para segurarem e manobrarem as escovas. Essa observação levou a um design inovador: escovas grandes, achatadas, moles, que as crianças podiam segurar e usar com muito mais facilidade. O resultado? A Oral-B teve a escova de dentes infantil mais vendida do mundo nos 18 meses seguintes.

Dez perguntas a serem feitas enquanto você observa os clientes

A seguir, dez perguntas que devem ser feitas enquanto os clientes são observados de modo a entender melhor o trabalho que eles querem ver realizado e saber como você pode oferecer um produto ou serviço que os auxiliará a com mais qualidade esse trabalho.

1. Como os clientes tomaram conhecimento da necessidade de seu produto ou serviço? Há alguma maneira de eles tomarem conhecimento de sua oferta de forma mais fácil e conveniente?

2. Para que os clientes usam seu produto ou serviço? Para qual *tarefa* o cliente está contratando seu produto ou serviço?

3. Quais são as características que o cliente considera mais importantes ao escolher um produto ou serviço final? (Se o cliente fosse distribuir 100 pontos pelas características que considera importantes, como ele o faria?)

4. Como os consumidores encomendam e compram seu produto? Há algum modo de tornar o processo mais fácil, mais conveniente ou mais econômico?

5. Como você entrega seu produto ou serviço? Você pode tornar o processo mais rápido e econômico usando uma forma completamente diferente?

6. Como os clientes pagam seu produto ou serviço? Há alguma forma de tornar o processo mais fácil ou conveniente?

7. Quais frustrações seus clientes tiveram ao tentar usar seu produto? Eles usam seu produto de algum modo que você não esperava?

8. Em que os clientes precisam de auxílio quando usam o produto?

9. Os consumidores fazem coisas que afetam a durabilidade ou a confiabilidade de seu produto ou serviço?

10. Como os clientes consertam, fazem a manutenção ou descartam seu produto? Há nessa área oportunidades de deixar o processo mais fácil ou conveniente? (Ou instruir o cliente sobre como usar o produto de modo que exija menos manutenção ou que possibilite que ele mesmo faça a manutenção?)

Procure surpresas

Na Intuit, Cook pede ao seu pessoal de marketing e aos engenheiros de softwares para observar os clientes em suas casas, quando carregam e tentam usar os softwares Quicken e QuickBooks. Enquanto eles veem os clientes durante o uso do produto, pede para que "saboreiem as surpresas" – coisas que parecem ser incomuns, ou as vezes em que as pessoas não se comportam de maneira esperada. Cook diz ao seu pessoal: "Quando virem alguma coisa inesperada, devem perguntar: 'por que o cliente fez isso? Bem, isso não faz sentido. Eu nunca esperava por algo parecido'. Os clientes frequentemente têm de encontrar *workarounds* – eles podem usar o produto de modos diferentes, para os quais não foi projetado –, e esses desvios surpreendentes dão pistas de que o produto ou serviço atual é uma solução incompleta. Cook afirma que *você precisa estar conscientemente em busca de surpresas* – o inesperado –, porque elas são quase sempre perdidas quando nossos cérebros se ajustam ao que vemos, e procuram corresponder a nossas opiniões preexistentes. Para combater essa tendência, Cook diz que "na Intuit, ensinamos nosso pessoal a fazer duas perguntas enquanto observa: O que o surpreende? O que é diferente do que você esperava? Nesse momento, começa o aprendizado e a inovação".

Prestar atenção no que normalmente não chama a atenção pede uma visão periférica, por intermédio da qual os inovadores trazem à tona novas ideias ao enxergar coisas nos limites da experiência (ou, como um funcionário da IDEO disse,

O valor das anomalias na inovação científica e também na comercial

Muitos anos atrás, Thomas Kuhn, em seu monumental livro sobre a história da ciência, *The structure of scientific revolutions*, defendeu essencialmente a tese de que as descobertas científicas acontecem – e novas e importantes teorias surgem – quando um pesquisador observa o mundo tão bem que identifica e explica uma anomalia.[a] A descoberta de uma anomalia – uma surpresa – dá aos cientistas a oportunidade de revisitar uma teoria em especial, tentando compreendê-la melhor. Isso leva a uma modificação ou a uma melhora da teoria, pela compreensão e pela explicação da anomalia. Ao pesquisar os efeitos da inovação tecnológica sobre o destino das empresas, os primeiros estudos chegaram à conclusão de que empresas estabelecidas, na média, se saem bem quando se veem diante de uma inovação incremental, mas tropeçam diante de uma mudança radical. Havia anomalias, porém, no caminho dessa conclusão geral. Algumas empresas estabelecidas aplicaram com sucesso mudanças tecnológicas radicais.

Para admitir essas surpresas, Michael Tushman e Philip Anderson (1986) apresentaram uma categorização nova e única: mudanças tecnológicas que aumentam a competência contra as que destroem a competência. Isso resolvia várias anomalias, mas pesquisadores continuavam a descobrir novas anomalias, que o esquema Tuchman-Anderson não conseguia explicar. As categorias de inovações modulares *versus* arquitetônicas de Rebecca Henderson e Kim Clark (1990), as categorias de tecnologias sustentadoras *versus* disruptivas de Clayton Christensen (1997) e as estruturas de ameaça versus oportunidade de Clark Gilbert (2005) foram surgindo e resolvendo anomalias para as quais as obras de outros estudiosos não davam explicações[b]. Compreender e explicar as anomalias levou a percepções originais dos pesquisadores.

A conclusão da obra de Kuhn: pesquisadores científicos que procuram revelar e resolver anomalias tendem a fazer avançar seus campos de forma mais produtiva do que os que tentam evitá--las. Assim, observar anomalias em empreendimentos científicos tem tanto valor como observar surpresas em empreendimentos comerciais. Identificar surpresas ou anomalias – aquilo que você não esperava – pode ser a chave que destrava a porta de sua inovação.

a. Thomas S. Kuhn, *The structure of scientific revolutions* (Chicago: University of Chicago Press, 1962).

b. Michael L. Tushman e Philip Anderson "Technological discontinuities and organizational environments", *Administrative Science Quarterly*, 31, (1986): 439-465.

Rebecca Henderson e Kim Clark, "Architectural innovation", *Administrative Science Quarterly*, vol. 35, n. 1 (1990): 9-30.

Clayton Christensen, *The innovator's dilemma* (Boston: Harvard Business School Press, 1997).

Clark Gilbert "Unbundling the structure of inertia. Resource versus routine rigidity", *Academy of Management Journal*, vol. 48, n. 5 (2005): 741-763

"procurar gente nos extremos"). Corey Wride fundou a Media Mouth Inc. – empresa que oferece programas de computador destinados a ajudar a aprender outro idioma vendo filmes –, depois de fazer o que lhe pareceu ser uma observação surpreendente durante um período que passou no Brasil. Wride dava aulas a fim de preparar brasileiros para exames de admissão para cursos universitários nos Estados Unidos, como o GMAT. Durante suas viagens, entrou em contato com muitos brasileiros ansiosos para praticar seu inglês com ele, como parte dos preparativos para o teste TOEFL, que mede a competência dos candidatos para cursar uma universidade norte-americana com aulas na língua inglesa. Quando descobria pessoas que falavam inglês especialmente bem, perguntava como haviam aprendido o idioma (ele esperava que as pessoas com inglês mais fluente fossem as que seguiam regularmente os cursos de muitas escolas existentes no Brasil. E, realmente, entre eles estavam muitos que seguiam esses cursos, mas mais tarde ele descobriu que não eram os que falavam melhor).

Uma noite, ele conheceu Julia Trentini, uma moça de pouco mais de 20 anos que falava o melhor inglês que ele já tinha ouvido. Wride perguntou como ela havia aprendido a falar inglês tão bem. Para sua surpresa, soube que ela nunca tinha feito um curso de inglês. Em vez disso, ela aprendia a língua vendo shows de televisão e filmes americanos, e praticava repetindo as frases e a pronúncia dos atores. Ela assistia a séries como *Friends* somente para se divertir e ficou surpresa ao descobrir que podia entender e conversar com um grupo de norte-americanos que conhecera na rua, em São Paulo. Julia nunca havia seguido um curso formal de inglês. Sua habilidade recém-descoberta era um feliz acidente, decorrente do entretenimento. Wride observou mais tarde que, como Trentini, muitos dos brasileiros que falavam mais fluentemente o inglês eram pessoas que passavam períodos significativos assistindo a filmes norte-americanos e imitando as falas dos atores (ele descobriu que a maior parte dos brasileiros prefere ver filmes norte-americanos em inglês, mesmo quando há uma versão disponível em português, por gostar da autenticidade das vozes dos atores). Isso levou a outra pergunta: por que o número de brasileiros que aprende inglês assistindo a filmes não é maior? A resposta foi que os atores falavam muito depressa, ou usavam expressões idiomáticas ou palavras que as pessoas não conheciam ou não entendiam.

Assim, Wride, que é formado em Engenharia de Softwares, projetou um programa engenhoso, destinado a permitir que qualquer pessoa capaz de falar português assista praticamente a qualquer filme em inglês no computador e faça quatro coisas:

deixar mais lenta a fala do personagem; selecionar palavras e ouvir sua pronúncia e definição; identificar expressões idiomáticas
e ouvir o significado em seu idioma nativo; e inserir sua própria
pronúncia na fala do ator para verificar se o som é igual ao produzido pelo ator (daí o nome do site na internet, MovieMouth.
com, ou Filme-Boca.com). A percepção que levou Wride a criar
seu negócio veio da observação de que os brasileiros que supostamente falavam o melhor inglês (os que frequentavam excelentes
programas de ensino de inglês) não eram os melhores.

Como você pode ter outras surpresas? Leon Segal (psicólogo
de inovação e ex-funcionário da IDEO) notou com propriedade
que "a inovação começa com um olho", mas não precisa terminar ali. É crítico lembrar que as observações envolvem mais que
os olhos. As pesquisas sobre o aprendizado sublinham repetidamente o poder da experiência multissensorial quando se trata de
ver uma coisa nova e tirar sentido da experiência. Quanto mais
sentidos usamos para vivenciar o mundo, mais vemos e lembra-
mos. Assim, procurar surpresas pode ser também ouvir, provar,
tocar e cheirar uma coisa surpreendente.

Você pode nunca ter ouvido falar de Trimpin, mas ele é um
destacado inovador musical que passou a vida perguntando
como é possível fugir da orquestra tradicional. Ele mantém os
ouvidos abertos em uma constante procura por novos sons. Ele
diz: "logo que vejo alguma coisa, eu a ouço"[3]. Trimpin usa os
sons de faíscas de bondes, tímpanos afetados por terremotos e outros fenômenos de audição surpreendentes para criar premiadas
inovações no mundo da música. Outros inovadores usam mais
que um sentido para descobrir novas ideias de negócios. Howard
Schultz se colocou no caminho da fundação da Starbucks quando se confrontou pela primeira vez com o inebriante cheiro dos
bares italianos de café expresso, e Joe Morton, cofundador da
XANGO, teve a ideia de uma nova bebida saudável ao provar
pela primeira vez a fruta mangostão na Malásia (voltaremos ao

assunto no capítulo 5). Em resumo, use todos os seus sentidos quando sair pelo mundo em busca de surpresas.

Mude o ambiente

Lembre a primeira vez em que fez uma viagem a outro país. Ou reflita sobre os primeiros dias em que começou a trabalhar para uma nova empresa. Lembra-se de ter prestado atenção no que era diferente do que viu ou experimentou antes? Quando entramos em um ambiente novo, somos muito mais propensos a observar com cuidado o que está acontecendo em torno de nós, porque buscamos automaticamente entender o que é novo e diferente. Pessoas que se colocam em ambientes novos e passam a observar intensamente o que está acontecendo desenterram ideias novas.

Schultz, fundador da Starbucks, usou seus órgãos dos sentidos – olhos, ouvidos, nariz e boca – quando teve a ideia de sua rede de cafés. Ao visitar Milão para uma feira comercial, observou o que acontecia dentro de diversos estabelecimentos italianos de café expresso. Podia ver que os frequentadores eram fregueses regulares e que o café "oferecia conforto, comunidade e senso de família ampliado". Quando continuou a visitar os cafés italianos, Schultz teve uma espécie de revelação. "Isso tem força", pensei. "O que temos de fazer em primeiro lugar é destravar o mistério e o romantismo do café. Foi como ouvir um sermão. Parecia tão óbvio", Schultz lembrou. "Se conseguíssemos recriar nos Estados Unidos a autêntica cultura dos cafés italianos, ela poderia ressoar em outros norte-americanos, da mesma forma que fez comigo."[4]

Schultz permaneceu cerca de uma semana em Milão. Visitava os cafés somente para observar. Depois, foi a Verona, onde, perdendo-se nas ruas da cidade, provou *café latte* pela primeira vez (observou um cliente pedir um *café latte*. Como nunca tinha ouvido falar dessa bebida, imitou o freguês para ver o que era). "Entre todos os especialistas em café que havia conhecido, nenhum ja mais mencionou essa bebida", ele lembra. *"Ninguém nos Estados Unidos conhece isso"*, pensou ele; *"tenho que levá-lo comigo."*

Quantos executivos estariam dispostos, num impulso, a tirar uma semana e perder todos os dias em uma jornada de exploração para observar alguma coisa sobre a qual se interessava e ver aonde a jornada o levaria? Sem a disposição de fazer uma observação ativa em um ambiente novo, Schultz nunca teria amadurecido a ideia que levou à inovadora experiência da rede de cafés Starbucks.

Sem nenhuma surpresa, nossa pesquisa mostrou que os inovadores têm mais probabilidade de serem vistos em ambientes novos, incluindo viagens a outros países, visitas a empresas diferentes, participações em conferências incomuns ou idas a museus ou a outros lugares interessantes. A.G. Laffey nos contou que aprendeu muito ao ocupar um cargo regional na Ásia, muito antes de se tornar CEO da P&G:

Cada vez que ia à China, visitava as lojas para observar as pessoas comprarem nossos produtos. Então, ia às casas. Fazia essas visitas à noite, pois a mulher, quase sempre, trabalha fora. Minha rotina era lojas, casas e depois escritório. Isso me dava um retrato atualizado do que estava ocorrendo. Naturalmente, não se pode generalizar a partir de uma única experiência qualitativa, mas, depois de mais de cinco anos fazendo isso regularmente, essas experiências se somam, combinando-se às leituras às quais você tem acesso, além de dados mais "concretos". Você desenvolve um instinto. Você se torna mais que um antropólogo, porque não consegue entender o idioma. Seu poder está na observação, em sua capacidade de ouvir; sua habilidade de apreender mensagens não verbais se torna muito melhor. Existem muitas coisas sutis para se ler, entender e às quais reagir em um país estrangeiro.

Depois de voltar à sede da P&G, nos Estados Unidos, Laffey disse que percebeu como era fácil "se tornar preguiçoso, porque todo mundo fala inglês – você já sabe o que eles vão dizer e fazer em seguida".

Os inovadores não precisam visitar outros países para passar pela experiência de imersão em um ambiente novo. Há muitas oportunidades de aprender explorando exposições, museus, jardins zoológicos, aquários, natureza. Na Daimler, Dieter Gürtler, um dos engenheiros mais importantes da empresa, dirigiu uma equipe cujo foco era construir um novo carro de conceito aerodinâmico. Para gerar ideias novas, levou os membros da equipe a um museu local de história natural, onde passaram um dia observando os peixes. O grupo estava à procura de percepções capazes de romper as opiniões firmadas da indústria automobilística sobre a aerodinâmica e acabou por encontrar uma solução surpreendente no peixe baiacu. Por meio da observação direta dos peixes e de conversas com os especialistas, a equipe buscou reproduzir o tamanho e a estrutura óssea do baiacu. No fim, projetou um carro compacto com diminuições inesperadas no peso e reduções significativas no atrito com o ar. Como Gürtler explicou, "olhando a natureza, você chega a ideias que nunca teria se ficasse pensando sozinho"[5].

Nem sempre é possível colocar-se em um ambiente novo. Felizmente, uma rica fonte de novas ideias está presente bem a nossa volta, no mundo familiar de pessoas e lugares que julgamos conhecer bem. O problema é que às vezes deixamos passar a mais óbvia das ideias nos mais óbvios lugares, pois consideramos as coisas como certezas e, assim, deixamos passar oportunidades de inovar. Peter Leschak, escritor de livros e redator do *New York Times*, lamentou uma vez: "Todos nós somos espectadores – da televisão, de relógios, do trânsito na avenida –, mas poucos somos observadores. Todos estão olhando, mas poucos estão vendo"[6]. Agir no piloto automático na vida cotidiana mata de fome a capacidade criativa do cérebro.

A observação tem o poder de transformar empresas e setores. Como Cook nos disse, "a observação básica é o grande elemento que faz o jogo virar em nossa empresa". A análise efetiva exige que você se coloque em novos ambientes. Envolve olhar os consumidores para ver quais produtos e serviços eles contratam para que possam cumprir suas tarefas. Envolve procurar os *workarounds* – soluções parciais ou incompletas – que os clientes usam para fazer seus trabalhos. E envolve buscar surpresas ou anomalias capazes de oferecer percepções surpreendentes. Quando os observadores identificam *workarounds* e anomalias, e cavam fundo para compreendê-los, aumentam suas chances de descobrir soluções inovadoras para os problemas que estão observando. Nós o estimulamos a desenvolver e guardar suas habilidades de observação e, agindo assim, descobrir como elas podem virar o jogo a favor de você e de sua empresa.

Dicas para desenvolver as habilidades de observação

Dica #1: Observe os clientes

Focalize e aumente suas competências de observação marcando excursões regulares para acompanhar de perto como certos clientes experimentam seu produto ou serviço. (Isso pode ser feito em etapas de entre 15 e 30 minutos). Observe o comportamento de pessoas da vida real em situações da vida real. Tente absorver o que elas gostam e o que detestam. Procure coisas que tornam a vida mais fácil ou mais difícil para elas. Qual a tarefa que estão tentando realizar? Quais são as necessidades funcionais, sociais e emocionais que seu produto ou serviço não está atendendo? O que surpreende você no comportamento delas e no que é diferente do esperado? Faça as dez perguntas que sugerimos anteriormente neste capítulo. Em resumo, transforme-se em um antropólogo e observe um cliente ou cliente em potencial para experimentar todo o ciclo de vida de um produto ou serviço.

Dica #2: Observe as empresas

Escolha uma empresa para analisar e acompanhar. Talvez uma empresa da qual você goste, como a Apple, o Google ou a Virgin. Pode ser uma start-up com um modelo de negócios inovador ou tecnologia disruptiva. Ou pode ser um concorrente especialmente difícil e inovador. Trate a empresa como faria em um caso de uma escola de negócios. Descubra tudo o que puder sobre o que a empresa faz e como faz. Se possível, ache uma maneira de marcar uma visita à empresa e examine em primeira mão seus produtos, operações e sua estratégia, em busca de oportunidades de polinização cruzada. Conforme for aprendendo coisas novas sobre ela, pergunte-se: "Existem ideias que podem ser transferidas, com um pouco de adaptação, para sua própria empresa ou setor. Qual é sua estratégia, tática ou atividade importante para meu emprego, minha empresa, minha vida? Há nela alguma ideia que possa servir para uma nova série de perguntas "quem", "o que" e "como" no meu setor?"

Dica #3: Observe qualquer coisa que lhe agrade

Reserve dez minutos por dia para simplesmente observar qualquer coisa com intensidade. Anote suas observações com cuidado. Depois, tente imaginar como aquilo que você está vendo pode levar a uma nova estratégia, ou a um novo projeto, serviço, processo de produção. Enquanto estiver fora, observando o mundo, anote suas principais percepções e seus pensamentos e passe em revista suas anotações mais tarde. Leve com você uma máquina fotográfica ou filmadora pequena e registre o que achar interessante. A câmera pode lembrá-lo de prestar atenção e anotar o que está acontecendo em sua volta. (Bezos, da Amazon, confidenciou que muitas vezes tira fotos de "inovações realmente ruins" para ter ideias de coisas que podem ser feitas de maneira melhor).

Dica #4: Observe com todos os sentidos

Enquanto estiver observando clientes, empresas ou outra coisa qualquer, use de maneira ativa mais que um sentido (visão, olfato, audição, tato, paladar). Uma forma bem estruturada de fazer isso é usar o Diálogo no Escuro (prática desenvolvida por Andreas Heinecke) e o Diálogo no Silêncio (prática desenvolvida por Heinecke e sua mulher, Oma Cohen). Nessas excursões por guias inspirados pela visão ou pela audição, os convidados experimentam ambientes escurecidos ou silenciosos (indo de exposições permanentes a restaurantes localizados em várias partes do mundo) e entram em um mundo completamente diferente, de escuridão ou de silêncio. Uma maneira menos estruturada de empregar seus sentidos é tornar-se de forma simples e intencional consciente de seus sentidos de maneira mais ampla. Por exemplo, preste atenção nos cheiros que sente na próxima vez em que visitar um cliente (como Schultz fez na Itália) ou coma seu próximo jantar em câmera lenta, saboreando devagar cada bocado e concentrando-se apenas no gosto, na textura e no perfume do alimento. Ou concentre-se em como você percebe um produto quando o toca (usando-o ou tentando entender seu funcionamento). Enquanto vai aprendendo a observar, preste muita atenção nas percepções criativas que podem ser desatadas pela experiência. Não se esqueça de anotar suas observações (visões, cheiros, sons, toques e gostos) em seu caderninho de ideias e explore até onde essas percepções podem levá-lo.

5

Competência de Descoberta #4

Networking

"O que uma pessoa faz sozinha, sem ser estimulada pelas opiniões e experiências de outros, é, mesmo na melhor das hipóteses, bastante fútil e monótono."

Albert Einstein

PENSAR FORA DA CAIXA exige, com frequência, ligar as ideias de sua área do conhecimento com as de outros que estão em ramos diferentes e fora de sua esfera. Os inovadores ganham uma perspectiva nova quando dedicam tempo e energia a descobrir e testar ideias por meio de uma rede de pessoas diversificadas. Ao contrário dos executivos típicos, que formam suas redes para obter recursos, se vendem ou vendem suas empresas e impulsionam suas carreiras, os inovadores saem da rotina para conhecer pessoas com formações e perspectivas diferentes e ampliar seu próprio conhecimento.

Pense no que aconteceu quando Michael Lazaridis, fundador de uma pequena empresa de tecnologia chamada Research In Motion (RIM), participou de uma feira comercial, em 1987, em busca de novas ideias. Na época, a empresa iniciante de Lazaridis tinha um projeto: um contrato da General Motors para fornecer a tecnologia que seria usada em grandes displays de cristal líquido a serem instalados nas linhas de montagem da GM com o intuito de transmitir mensagens e atualizações aos operários. Lazaridis sabia que sua empresa, ainda no princípio, precisava de mais que um contrato e um tipo de tecnologia para se firmar. Por isso, estava ali, em busca de ideias para descobrir e aplicar.

Durante a feira, o porta-voz de uma empresa chamada DoCoMo descreveu um sistema de transmissão de dados sem fio que havia desenvolvido para a Coca-Cola. A tecnologia era usada em máquinas de vendas avulsas de refrigerantes para enviar um sinal à empresa quando precisassem ser reabastecidas. (Isso ocorreu numa época em que os computadores pessoais estavam apenas começando e antes da entrada dos celulares no mercado, de forma que a transmissão sem fio de uma mensagem por uma máquina era o máximo em tecnologia de ponta.) Lazaridis recorda que ficou impressionado com a história. "Lembrei-me de uma coisa que meu professor havia dito no curso secundário... Não fique muito preso aos computadores, pois quem unir a tecnologia da comunicação sem fio aos computadores fará a grande diferença", afirmou.

Naquele mesmo momento, Lazaridis imaginou a criação de um transmissor de mensagens eletrônico interativo, um produto com o qual as pessoas poderiam transmitir dados e informações para outras. Assim, a RIM vendeu os direitos do display de cristal líquido à Coman Technologies e focalizou toda a sua atenção na tecnologia de transmissão sem fio necessária à criação de *pagers* interativos – o antecessor do smartphone BlackBerry, que teria enorme sucesso. Lazaridis nos disse: "Compreendi que era isso o que eu queria fazer e, desde então, foi tudo o que fizemos. Francamente, nunca olhamos para trás".

A experiência de Lazaridis ilustra o valor de conversar e interagir com pessoas diferentes, capazes de oferecer conhecimentos únicos e novas perspectivas. E se Lazaridis nunca tivesse ido à exposição e ouvido aquela pessoa? Ou se não tivesse escutado o professor que o estimulou a procurar formas de juntar os computadores à comunicação sem fio?

Pessoas que pensam fora de seus limites muitas vezes conversam com pessoas que atuam em áreas diferentes para chegar a novas ideias. Lazaridis continua a usar sua rede de contatos de ideias para projetar as versões futuras do BlackBerry, conversa com todos os tipos de pessoas para entender as tendências da tecnologia e chegar a ideias novas.

O que faz quem tem uma rede de ideias

Alguns de vocês devem pensar: "Tenho uma excelente rede de conhecimentos, mas não sou inovador". Isso pode até ser verdade. Mas provavelmente você é como a maioria dos executivos de sucesso, que chamamos de pessoas com *networking* de recursos, não *networking* de ideias. A maioria dos executivos usa suas redes de conhecimentos para vender a si mesmos e a suas empre-

FIGURA 5-1

Diferenças no *networking* entre executivos voltados para a descoberta e aqueles voltados para a execução

Executivos voltados para a descoberta	Executivos voltados para a execução
• **O que eles buscam: ideias**	• **O que eles buscam: recursos**
— Aprender coisas novas, surpreendentes — Obter novas perspectivas — Testar ideias "in process"	— Ter acesso a recursos — Vender a si mesmos ou a sua empresa — Impulsionar carreiras
• **Quem são seus alvos:**	• **Quem são seus alvos:**
— Pessoas que não são como eles — Especialistas e não especialistas com formações e perspectivas muito diferentes	— Pessoas que são como eles — Pessoas com recursos substanciais, poder, posição, influência etc.

sas, ou formar relacionamentos com pessoas que têm os recursos que deseja. Os inovadores, ao contrário, são menos propensos a criar redes para obter recursos ou progresso em suas carreiras; buscam ativamente chegar a novas ideias e *insights* conversando com pessoas que têm ideias e perspectivas diferentes (veja a figura 5-1). Nossa pesquisa sobre os inovadores revelou que empreendedores start-up e empreendedores corporativos são ligeiramente melhores em formar *networking* de ideias que inventores de produtos e bem melhores que inventores de processos e não inovadores. Se você pretende lançar um empreendimento inovador, fazer *networking* é uma competência crítica para gerar ideias novas e para mobilizar os recursos destinados a empreendimentos novos. De maneira geral, os inovadores têm índices em torno de 75, enquanto os não inovadores estão por volta de 47 (veja a figura 5-2).

O princípio básico de cultivar um *networking* de ideias – ao contrário de um *networking* de recursos – é construir uma ponte

FIGURA 5-2

Comparação das competências de *networking* de ideias para tipos diferentes de inovadores e não inovadores

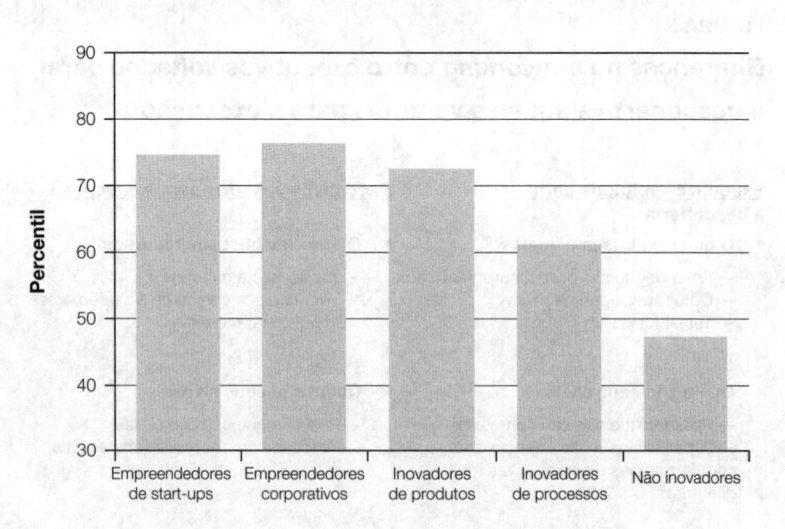

para uma área de conhecimento diferente, por meio da interação com alguém com quem você, ou pessoas de suas redes sociais primárias, não interagem normalmente. Pierre Omidyar, da eBay, nos disse que busca percepções em direções inesperadas e em pessoas que não são especialistas (e em especialistas também). "Dou valor a ideias de lugares incomuns", disse. "O clichê seria, em vez de conversar com o CEO, querer conversar com alguém do departamento de encomendas. Procuro pessoas com formações diferentes, formas diversas de pensar sobre as coisas; o que tento fazer é ficar exposto a alguns estilos de pensar diferentes. E recebo informações dessas direções de maneira bem aberta, não de maneira dirigida."

Para chegar a esse objetivo, Omidyar e outros como ele fazem um esforço consciente para conhecer pessoas com formações diferentes; que vêm de países, setores econômicos e funções empresariais distintos; que são de idades, etnias, históricos diversos. Marc Benioff (Salesforce.com) nos contou uma conversa bem interessante que teve com o Oráculo do Estado do Tibete, o médium oficial que, como Benioff disse, "foi nomeado pelo Dalai Lama e está encarregado da inovação no governo tibetano". Poucos companheiros de Benioff no setor da informática tiveram a oportunidade de obter uma perspectiva diferente do Oráculo do Estado do Tibete.

Os inovadores parecem entender intuitivamente que ideias novas surgem de conversas com pessoas que vivem em uma rede de contatos diferente. O sociólogo Ron Burt, da Universidade de Chicago, referiu-se a esse tipo de *networking* como uma ponte sobre "uma fenda estrutural" ou "intervalo" entre redes sociais diversas. Burt estudou 673 gerentes de uma grande empresa de eletrônicos dos Estados Unidos e descobriu que os gerentes com maiores redes de contatos – contatos sem ligações com outros gerentes na organização – eram considerados os que geravam ideias de maior valor.[1] "Pessoas com ligações por meio de fendas estruturais (intervalos nas redes sociais) têm acesso mais rápido a informações e interpretações diversas e mesmo contraditórias, o que lhes dá uma vantagem competitiva para descobrir e desenvolver boas ideias", Burt escreveu. "Pessoas ligadas a grupos além dos seus podem ter ideias de valor, e dão a entender que têm o dom da criatividade. Mas não é uma criatividade nascida de um gênio, é criatividade como um negócio de importação e exportação. Uma ideia sem importância em um grupo pode ser uma percepção valiosa em outro." Burt descobriu que essas "ideias altamente valorizadas" pagam grandes dividendos: gerentes com redes amplas receberam mais avaliações positivas de comportamento, tiveram aumentos salariais mais altos e ganharam promoções mais frequentemente.

Para ilustrar como a construção de pontes para redes sociais diferentes pode gerar ideias inovadoras, pense como Joe Morton, um empreendedor do setor de alimentação e nutrição, teve uma ideia de 1 bilhão de dólares durante uma viagem à Malásia (veja a figura 5-3).

A figura mostra as conexões diretas de Morton com numerosas pessoas do setor de saúde e nutrição (exibidas por linhas de ligação nos círculos). Morton passou quase um ano vivendo na Malásia, período no qual conheceu diversos produtos locais na área de saúde e nutrição, e aprendeu como usá-los com pessoas como Mahathir (Mahathir representa muitos indivíduos com quem Morton conversou). "Muitas pessoas falaram para mim sobre duas frutas locais, o durian, o rei das frutas, que tem fama de esquentar o corpo, e o mangostão, a rainha das frutas, que refresca o corpo e refaz seu equilíbrio", Morton nos contou. "Achei o cheiro do durian horrível, apesar de ele ser muito apreciado no Sudeste Asiático. Já o mangostão era delicioso. Os moradores da região diziam que a fruta apresentava muitos benefícios à saúde, incluindo a capacidade de aumentar a energia, reduzir inflamações e acalmar problemas no estômago."

FIGURA 5-3

Construindo pontes em redes sociais para obter novas ideias

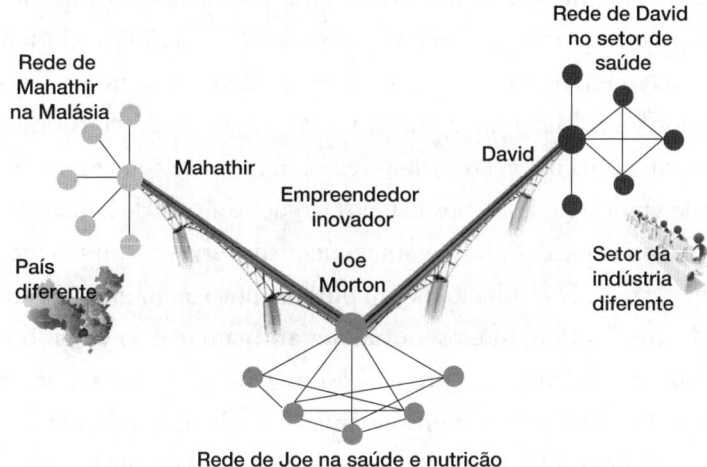

Rede de Joe na saúde e nutrição

Apesar de Morton ter bastante experiência no setor de saúde e nutrição, não tinha conhecimento de nenhum produto no mercado que usasse durian ou mangostão. Assim, entrou em contato com seu irmão David, que estava fazendo doutorado na Faculdade de Médicina da Universidade de Utah, e pediu para ele verificar se havia algum estudo científico que examinasse as possíveis vantagens das duas frutas para a saúde. David, então, buscou pesquisas que tivessem sido feitas pela indústria farmacêutica sobre os benefícios das frutas.

Não havia estudos médicos sobre o durian, mas existiam diversos que indicavam possíveis benefícios para a saúde associados às xantonas, polifenóis existentes em abundância no mangostão. Entre esses benefícios, estavam propriedades anti-inflamatórias, como Mahathir e outras pessoas haviam sugerido. Morton usou essa informação e aproveitou sua rede de contatos no setor de saúde e nutrição (incluindo os cofundadores Aaron Garrity e outro irmão, Gordon Morton) para fundar a XANGO (pronuncia-se "Çango") em 2002 e vender suco de mangostão (o "xango"). Com um produto novo e exclusivo, e uma abordagem de marketing de rede inovadora, a XANGO precisou de apenas seis anos para transformar-se em uma empresa de US$ 1 billhão. Morton nunca teria tido a ideia do suco de mangostão se não tivesse conversado com Mahathir e outros moradores da Malásia. Morton construiu uma ponte entre duas redes: sua rede de contatos no setor de saúde e nutrição nos Estados Unidos e a rede de habitantes da Malásia, que detinha o conhecimento das ervas e frutas usadas naquele país. O resultado foi um produto novo de muito sucesso.

Como Morton, muitos inovadores afirmam que ao visitar ou, de preferência, viver em um país estrangeiro, tiveram uma ideia diferente ao conversar com um morador. Quando estamos em um ambiente (país, empresa, setor da economia, grupo étnico) muito diverso do nosso, temos mais possibilidades de interagir com pessoas que pertencem a redes sociais distintas. Estar em um ambiente novo nos permite fazer perguntas tolas sobre como e por que as coisas funcionam.

Esse tipo de *networking* produz, muitas vezes, uma descoberta eventual. Em mais ou menos metade dos casos que estudamos, em que ideias novas chegaram por meio do *networking*, o feliz empreendedor praticamente tropeçou na ideia. Isso aconteceu com Chris Johnson, cofundador da Terra Nova Biosystems, uma empresa que faz uso de um tipo de bactéria cujo alimento são substâncias que contaminam o solo, e permitem, assim, que um terreno seja limpo sem agredir o meio ambiente. Ao participar de um churrasco no dia da independência dos Estados Unidos, 4 de julho, em sua vizinhança, Johnson conheceu uma pessoa que lhe falou sobre soluções microbianas para problemas de poluição. Ele entrou em contato com o microbiólogo que havia desenvolvido o processo e aprendeu mais coisas sobre o uso de bactérias que se alimentam de poluentes. Johnson e seus cofundadores acabaram por desenvolver um processo próprio, que garante a eliminação rápida, e vantajosa em termos econômicos, de um grande número de poluentes de uma maneira ecologicamente correta. O objetivo de Johnson, ao ir ao churrasco, era conversar com os vizinhos e não obter novas ideias de negócios – seguramente também não era conhecer bactérias que se alimentam de poluição! Mas, como muitos inovadores, ele aproveita todas as oportunidades que tem para conversar com pessoas novas e aprender o que puder. Esse hábito produz uma ideia diferente, aqui e ali, de forma inesperada. Mas pessoas que cultivam com eficiência *networking* de ideias também fazem planos para conseguir novas ideias de modo deliberado ao consultarem regularmente especialistas de fora de seu grupo, participarem de encontros de *networking* e formarem uma rede pessoal de confidentes criativos.

Fale com especialistas de fora

Descobrimos que o *networking* dirigido teve sucesso quando os inovadores procuraram chegar a especialistas de outra área do conhecimento. Para ilustrar, considere o caso da CPS Technologies, uma empresa de Norton, Massachusetts, e um dos mais inovadores empreendimentos na área de materiais desenvolvidos. A CPS desenvolveu compostos cerâmicos muito avançados e inovadores, uma classe de material superior aos convencionais em diversas formas, incluindo condutividade térmica melhorada, maior rigidez e peso inferior. Kent Bowen, cientista fundador da CPS, fez do *networking* uma prioridade, quando mandou pendurar o seguinte mantra em todos os escritórios de sua start-up:

> Os *insights* necessários para solucionar muitos de nossos problemas, que representam os maiores desafios, vêm de fora de nosso setor e de nosso campo científico. Precisamos incorporar ao nosso trabalho, orgulhosa e agressivamente, descobertas e avanços que não foram inventados aqui.

Uma das perguntas favoritas de Bowen, ao se defrontar com um desafio técnico, é "quem enfrentou ou resolveu um problema como este antes?". Ele procura com afinco pessoas de outros campos e disciplinas para entender o que elas fazem, o que sabem e o que pode ser relevante para os assuntos de sua empresa. Como consequência, os cientistas da CPS resolveram numerosos problemas complexos conversando com pessoas de outras áreas. Os compostos cerâmicos da CPS são feitos de materiais uniformes, medidos em submícrons (óxido de alumínio e carboneto de silício), combinados em pastas fluidas (um exemplo de pasta fluida é uma mistura de cimento e água que acaba por se transformar em concreto). Dispersar esses materiais cujo tamanho é medido em submícrons de maneira uniforme é crítico para a fabricação de produtos cerâmicos fortes e sem defeitos. Mas a química necessária para obter esse resultado já escapou a alguns dos melhores cientistas no mundo. Bowen descobriu que os fabricantes de filmes fotográficos dispersavam grandes volumes de partículas microscópicas de halogeneto de prata em filmes bem uniformes. A CPS entrou, então, em contato com um químico de polímeros de alto nível da Polaroid, fabricante de filmes fotográficos. O químico transmitiu os conhecimentos que ajudaram a CPS a resolver o problema em poucas semanas e a tornar seus compostos muito mais fortes.

A equipe da CPS resolveu outro problema de qualidade sério conversando com especialistas em congelamento de esperma. Os cientistas da empresa observaram que no momento em que as pastas cerâmicas eram injetadas nos moldes e começavam a congelar, formavam-se cristais de gelo. Esses cristais constituíam um problema, porque davam origem a rachaduras na cerâmica, como ocorre no concreto. Por meio de um relatório publicado em um jornal científico, um engenheiro da CPS descobriu que o mesmo problema surgia de modo rotineiro para os biólogos que trabalham com inseminação artificial. Mas os especialistas na tecnologia de congelamento de esperma sabiam como evitar o desenvolvimento de cristais de gelo nas células durante o processo. A CPS entrou em contato com eles, aprendeu a técnica e passou a incorporá-la em seu processo de fabricação. Somadas, essas inovações foram um enorme sucesso, permitindo à CPS produzir alguns dos compostos cerâmicos mais fortes e mais leves já fabricados até então.

O hábito de Bowen de procurar pessoas em outros setores e disciplinas vem sendo importantíssimo para a geração de ideias inovadoras.

Apesar de todos os pontos positivos do *networking* com especialistas de outras áreas, Scott Cook, da Intuit, pede cautela, porque há casos em que conversar com especialistas não é a melhor forma de gerar inovações. "Alguns problemas e novas ideias de negócios representam uma mudança de paradigma tão grande que conversar com pessoas reforça o paradigma atual", diz Cook. "Como descobri, algumas mudanças de paradigma são mais bem iniciadas pela observação de clientes ou pelo que acontece no mercado, em vez de um diálogo com especialistas." O ponto é que obter novas ideias e perspectivas de especialistas pode levar a ideias inovadoras, mas os especialistas estão doutrinados por uma perspectiva em especial, que pode estar incorreta. Assim, lembre-se de fazer perguntas contraintuitivas para desafiar os chamados especialistas. Depois, ouça cuidadosamente, mas com uma dose saudável de ceticismo.

Participe de eventos de *networking* de ideias

No capítulo 1, notamos que Frans Johansson descreveu ligações interdisciplinares, como o efeito Médici, referindo-se à explosão de criatividade que ocorreu durante o Renascimento na Itália. Richard Saul Wurman, fundador das conferências Technology, Entertainment and Design (TED), faz o mesmo papel, como um Médici moderno, criando uma forma de os especialistas de diversos ramos partilharem ideias de ponta. Em 1984, Wurman notou a convergência da tecnologia, do entretenimento e do design e criou um acelerador de ideias, em que pessoas inteligentes de formações diversas falam sobre os novos projetos nos quais estão trabalhando. Na conferência anual, oradores e audiência participam de um encontro de ideias que conduz a ideias ainda melhores. As conferências TED evoluíram para uma forma provocativa de gerar novas e poderosas ideias, quando indivíduos inteligentes com formações diversas se ligam em um estado mental comum, para mudar o mundo. Como Bill Gates disse, "a soma dos QIs dos frequentadores é incrível"[2].

Os inovadores são propensos a frequentar conferências de ideias como o TED, Davos (ou outros eventos do Fórum Econômico Mundial) e o Festival de Ideias de Aspen. Muitos inovadores que entrevistamos são figuras comuns nesses eventos (Jeff Bezos, por exemplo, participa regularmente da TED). Essas conferências reúnem empreendedores, acadêmicos, políticos, aventureiros, cientistas, artistas e pensadores de todas as partes do mundo, que apresentam suas mais recentes ideias, paixões e projetos. Participar de uma conferência projetada para a troca e o debate de ideias de diversos campos cria um choque de conceitos capaz de funcionar como um turbocompressor para a sua competência de associar.

Uma conferência ou um assunto fora de seu setor e de sua área de conhecimento específico também pode dar origem a novas ideias. Um executivo europeu do setor de transportes que entrevistamos morava perto de um centro de conferências de uma grande cidade. Embora passasse diariamente a pé pelo local a caminho do trabalho, nunca se aventurou a entrar no prédio. Um dia, prestou atenção ao aviso de uma conferência sobre um assunto completamente diferente: apicultura. Por algum motivo, o assunto chamou a sua atenção e ele entrou. Ele mesmo ficou muito surpreso ao ver que a experiência fora de enorme valor, pois aplicou uma ideia tirada da apicultura para solucionar de maneira inovadora um problema que enfrentava no trabalho. Depois disso, passou a assistir com frequência a outras conferências sobre assuntos fora de seu campo de atividades, somente para aprender coisas novas.

David Neeleman, fundador das companhias de aviação JetBlue e Azul, detectou e desenvolveu ideias muito importantes para a JetBlue, como tecnologia de TV por satélite em todas as poltronas, reservas feitas por funcionários que trabalham em casa e jato Embraer para 100 passageiros – esse novo jeito de pensar foi impulsionado por meio de *networking* e conferências. "Sempre tive um tipo de pensamento que roía a minha cabeça: o de que precisava fazer alguma coisa com as bolsas da parte de trás das poltronas dos aviões. Conversei com muitas pessoas de muitas empresas sobre diversas opções de entretenimento. Então, um dia, no princípio da JetBlue, conversei com alguém que disse: olhe o folheto de uma empresa que diz ser capaz de pôr televisão ao vivo em aviões. Percebi que era isso exatamente o que queria fazer."

Neeleman seguiu a sugestão e comprou a LiveTV, a empresa cuja tecnologia permitia oferecer TV por satélite em aviões. Ao comprar a única empresa com essa tecnologia, ele evitou que seus competidores oferecessem TV por satélite aos passageiros, e criou uma vantagem competitiva para a JetBlue. Até recentemente, qualquer competidor que quisesse oferecer TV por satélite aos seus passageiros deveria comprar o sistema da JetBlue.

Quando Neeleman participava de uma conferência de pequenas linhas aéreas, alguém chamou a sua atenção para a Embraer, uma fábrica emergente de aviões do Brasil. Neeleman marcou imediatamente uma viagem ao Brasil para visitar a fábrica e explorar oportunidades para a JetBlue. Durante a visita, Neeleman percebeu a possibilidade de servir cidades médias com um novo jato Embraer de 100 lugares, projetado especificamente para a JetBlue. Oferecendo TV por satélite e poltronas grandes e confortáveis, o avião de 100 lugares da JetBlue seria muito mais atrativo para os passageiros que os jatos regionais de 50 lugares e mais econômico que os jatos maiores da Boeing e da Airbus. Como parte do acordo, a JetBlue comprou a capacidade de fabricação do jato de 100 lugares da empresa brasileira por dois anos.

Mais tarde, a empresa assinaria um contrato com a Embraer que a impedia de vender o jato por um preço mais baixo que o pago pela JetBlue.

Além de comparecer a conferências, alguns inovadores criam oportunidades de *networking* dentro de suas empresas. Richard Branson criou um processo de *networking* de ideias quando fundou a Virgin Music. Ele comprou um castelo antigo e o transformou em centro de discussões para pessoas de diferentes setores da área do entretenimento, incluindo músicos, artistas, produtores, cineastas e outros. Branson entende que a criação de oportunidades de *networking* dentro da Virgin leva as pessoas a conversarem e ainda pode desencadear ideias inovadoras.

Forme um grupo pessoal de *networking*

Descobrimos que muitos inovadores montam uma pequena rede de pessoas. Esse grupo acaba estimulando-os a avançar em relação a descobertas ou a testar novas ideias. Os empreendedores inovadores Jeff Jones (fundador da Campus Pipeline e NxLight) e Eliot Jacobsen (RocketFuel Ventures) descreveram como gostam de promover reuniões para uma "jam session" (usando uma metáfora musical do jazz, quando vários músicos se reúnem para tocar à vontade) e obter ideias diferentes. "Gosto de reunir algumas pessoas quando preciso estimular meus fluidos criativos", Jones nos disse. "Eliot Jacobsen é um dos meus amigos com quem adoro conversar, porque trocamos energias e colaboramos com as ideias do outro". Jacobsen concordou e disse: "Jeff Jones é uma das pessoas com quem gosto de conversar regularmente, porque ambos nos ligamos de forma criativa".

Descobrimos que muitos inovadores têm um pequeno grupo de confidentes criativos com quem conversam sempre que precisam ter ideias novas – ou alguém que conteste suas ideias atuais. Normalmente, essa rede é pequena (tem menos de cinco pessoas), mas alguns inovadores optaram por criar redes maiores. Um executivo inovador nos disse que, com o passar dos anos, cultivou um gabinete oculto entre 20 e 30 pessoas de diversos setores – seus conselheiros para assuntos de inovação. Pelo menos uma vez por ano, esse executivo pega o telefone e pergunta aos membros do gabinete oculto por que ficam até mais tarde no trabalho. "A maioria deles dirige empresas ou ocupa cargo razoavelmente sênior em indústrias e têm assuntos específicos para conversar. A partir dessas conversas bem diversificadas, procuro descobrir tendências ou direções. Há momentos em que as peças se juntam e ideias novas se formam com clareza surpreendente."

Apesar de o *networking* ser muito importante, muitos executivos de alto nível se veem diante de dificuldades únicas quando tentam manter conversas sinceras com outras pessoas sobre ideias novas. Afinal, a propriedade intelectual está em jogo, e os executivos enfrentam problemas para desafiar o status quo em suas organizações, que é geralmente criado por eles mesmos. "Como CEO, há poucos lugares onde você pode falar em público sobre preocupações fundamentais", nos disse um deles. "Por isso, criei um grupo extraoficial. São pessoas razoavelmente de alto nível e experientes, que se sentem confortáveis lançando ideias e depois esquecendo-as, caso seus palpites e suas especulações não se revelem corretos. É preciso ter muito cuidado, quando se é CEO, com o que se diz em público e com quem você inclui nessas conversas. Então, ter um *networking* de ideias, pelo menos para mim, é algo extraoficial." É importante formar uma rede *confiável* de confidentes, pois os assuntos em discussão têm um valor estratégico crítico e sensível. Formar essa rede confiável e diversificada é uma das tarefas mais bem cumpridas de uma carreira, porque aprimorar o relacionamento com um grupo de pessoas muito diferentes requer tempo e experiência. Mas, se for bem feita, uma pequena rede pessoal de confidentes criativos pode render dividendos de maneira expressiva.

Praticar um *networking* de ideias efetivo ajuda os inovadores a criar novos processos, produtos, serviços e até mesmo modelos de negócios que produzem resultados positivos. Quando múltiplas discussões ocorrem em grande quantidade nessas redes, uma ideia nova emerge das percepções e dos aperfeiçoamentos obtidos. Michael Dell colocou a situação da seguinte forma: "Frequentemente, passo por momentos difíceis ao explicar como adotamos inovações na Dell, porque fazemos isso de modo bastante colaborativo. Alguém diz: 'Olha, e sobre isso, e sobre aquilo?'. Na hora em que está pronto o produto, é impossível falar sobre uma ideia isolada, pois você tem 27 jogos de impressões digitais marcados ali". A propriedade da ideia importa menos que seu desenvolvimento por meio do processo do *networking* de ideias.

Paralelo ao *networking*: como você suporta a rejeição?

Você já sabe da importância de ter um *networking*. Mas, se for como a maioria das pessoas, provavelmente ainda não tem qualquer espécie de plano para fazer isso de maneira regular. É mais fácil falar do que conhecer pessoas novas. O que está detendo você? Honestamente, pode ser a falta de confiança que o impede de se aproximar de pessoas que não conhece. Você pode ser rejeitado. E, de fato, você vai ser rejeitado, às vezes quando fizer a abordagem para uma reunião ou conversa, às vezes depois. Então, qual atitude a tomar para reduzir a probabilidade de uma rejeição quando for feita a abordagem? Diga à pessoa com quem quer falar que está interessado nas ideias dela, nas perspectivas dela. Isso se acomoda ao desejo dela de ser útil e de ser considerada uma profunda conhecedora de sua área. A maioria das pessoas se sente satisfeita quando alguém pede sua opinião ou deseja ouvir suas ideias. É importante deixar claro que você está interessado nas ideias, e não nos recursos.

Se tiver oportunidade de trocar conhecimento com alguém, e quiser manter a porta aberta para conversas futuras, tenha um objetivo: *seja interessante*. O que torna alguém interessante? Duas coisas parecem ajudar. Primeiro, o alcance da experiência ajuda, e muito. Se você viajou bastante (China, Austrália, Itália...), teve muitas experiências (shows da Broadway, mergulho...), leu muito (romances, história, assuntos diversos), ou se dá com muita gente ("Sim, eu conheço fulano. Nós nos encontramos quando...") você aumenta as chances de parecer interessante. Segundo, tome o cuidado de aperfeiçoar o discurso que vai levar a conversa para o tópico no qual você está interessado. Se você puder contar histórias interessantes sobre o problema ou a dificuldade que está tentando resolver, vai despertar a curiosidade da pessoa. Ser capaz de contar histórias curtas e atraentes sobre diversos tópicos aumenta sua capacidade de parecer cativante. Naturalmente, não faz mal ser engraçado ou espirituoso, mas isso requer um pouco de prática.

O networking *se torna mais capaz de despertar ideias inovadoras quando você começa a conversar com pessoas de diversas redes sociais. Isso significa falar com gente de diferentes posições nos negócios, empresas, setores, países, grupos étnicos, grupos socio-econômicos, etários (pessoas com 18 anos e com 80 anos), políticos e religiosos. A diversidade de redes alimenta a diversidade de ideias. Comparecer a conferências de ideias como o TED pode ser uma forma de expandir a diversidade de sua rede. Além disso, quando focalizar um problema em particular, pergunte a si mesmo quem enfrentou um problema semelhante antes e tente conversar com essas pessoas.*

Dicas para desenvolver competências de *networking* de ideias

Recomendamos as seguintes atividades para ajudar você a praticar e a fortalecer suas habilidades de *networking* de ideias:

Dica #1: Amplie a diversidade de sua rede

Liste as dez pessoas com as quais você conversaria se estivesse tentando obter ou aperfeiçoar uma ideia nova. Vá em frente. Faça a lista agora mesmo. Quantas dessas pessoas têm formação ou perspectiva que vai ser bem diferente da sua? Por exemplo, quantas são adolescentes ou quantas têm mais de 75 anos? Quantas nasceram e foram criadas em outro país? Quantas são de um grupo socioeconômico muito diferente do seu? Se sua rede de ideias atual não for muito grande ou muito diversificada, amplie seu grupo de ideias identificando e visitando pessoas que são diferentes de você, além de algumas, ou todas, as dimensões mostradas no quadro 5-1.

Dica #2: Comece um plano de *"networking* na hora das refeições"

Monte um plano para fazer uma refeição com alguém com background diferente do seu pelo menos uma vez por semana. Jacobsen, da RocketFuel Ventures, tenta marcar café da manhã, almoço ou jantar com alguém novo todas as semanas. "Frequentemente, encontro pessoas que são criativas e descobri que elas ajudam a oferecer uma perspectiva diferente", ele conta. *"Networking* é importante para o meu sucesso como apresentador de novas ideias de negócios, e a hora das refeições é própria para isso." Para ideias sobre *networking* na hora das refeições, consulte o livro *Never eat alone**, de Keith Ferrazzi.

---

* *Nunca almoce sozinho*, Actual Editora, 1ª edição, 2006, Portugal.

Dica #3: Planeje ir a, pelo menos, duas conferências no próximo ano

Escolha uma conferência sobre um tópico relacionado com sua área de especialização e uma sobre um assunto diferente. Esforce-se para conhecer pessoas e saber quais são os problemas e os assuntos que estão enfrentando; faça perguntas sobre suas ideias e perspectivas, sobre problemas e assuntos com os quais você está lidando.

Dica #4: Comece uma comunidade criativa

Identifique alguns membros fundadores que estejam abertos à discussão de ideias e que você ache que vão estimular seu pensamento criativo. Escolha um local inusitado para as reuniões, onde vocês possam trocar ideias e desenvolver algumas novas. Encontrem-se regularmente (pelo menos uma vez por mês) para discutir tendências e novas ideias.

Dica #5: Convide alguém de fora

Traga uma pessoa inteligente com formação diferente (alguém de outra função, profissão, empresa, idade, outro setor, grupo étnico, grupo socioeconômico) para almoçar com você e sua equipe uma vez por semana. Faça perguntas sobre suas dificuldades na área da inovação e ouça suas perspectivas em relação às suas ideias. Ou crie uma casa aberta para a ideia, convidando de duas a quatro pessoas com perspectivas diferentes, incluindo não especialistas, para quem a situação é nova e para que possam apresentar ideias e pontos de vista.

Dica #6: Participe de treinamentos com especialistas

Descubra especialistas em funções, setores e áreas geográficas diversas e participe de suas sessões e reuniões de treinamento para experimentar seu trabalho e seu mundo. (Gerentes de marketing do Google e da P&G, por exemplo, trocaram de fun-

QUADRO 5-1

Diversifique sua rede de ideias

Identifique e mantenha diálogos com pessoas muito diferentes de você

Nome	País de origem	Setor	Sexo	Profissão	Nível na organização	Idade (pelo menos 20 anos mais velho ou mais novo)	Posição política	Situação socioeconômica
1.								
2.								
3.								
4.								
5.								
6.								
7.								
8.								
9.								
10.								

ções durante um mês e ganharam frutíferas percepções sobre o mundo dos outros, além de novas maneiras de desafiar premissas fundamentais de outra empresa).

6

Competência de Descoberta #5

Experimentar

"Não falhei... Apenas encontrei 10 mil jeitos que não funcionam."

Thomas Edison

QUANDO A MAIORIA DAS PESSOAS ouve a palavra *experimentar*, pensa em cientistas de jaleco branco fazendo experiências em um laboratório, ou em grandes inventores como Thomas Edison. Como Edison, os inovadores de negócios testam novas ideias para criar protótipos e organizar projetos-piloto. Mas, ao contrário dos cientistas, eles não trabalham em laboratórios; o mundo é o seu laboratório. Para além de inventar protótipos, testam experiências novas e desconstroem produtos e processos em busca de novos dados que possam provocar uma ideia inovadora. Bons experimentadores entendem que, embora perguntar, observar e usar o *networking* ofereça dados sobre o passado (aquilo que foi) e o presente (aquilo que é), experimentar é um instrumento melhor para gerar dados sobre o que poderá funcionar no futuro. Em outras palavras, é a melhor maneira de responder a nossas perguntas "e se...", quando procuramos soluções novas. Muitas vezes, a *única* forma de obter os dados necessários para progredir é fazer uma experiência.

George Box, ex-presidente da Sociedade Americana de Estatísticas (ASA), reforça o poder da experimentação na formação da estrutura do futuro ao notar que "a única maneira de saber como um sistema complexo vai se comportar – depois que você o modifica – é modificá-lo e ver como se comporta". É assim que a experimentação funciona para os inovadores de ruptura: oferece dados vitais sobre como suas ideias funcionam na prática e os auxilia a formar modelos revolucionários de negócios.

Realizar experiências com novas oportunidades de negócios foi o que o fundador da Amazon.com, Jeff Bezos, fez na D.E. Shaw, empresa de investimentos de Wall Street. Em maio de 1994, Bezos estava explorando a internet, ainda imatura, em seu escritório no 39º andar de um prédio no centro de Manhattan. Percorrendo a rede, ele chegou a um site que prometia medir o aumento do uso da internet. Bezos não acreditou no que leu. De acordo com o site, a internet crescia ao ritmo de 2.300% ao ano. "Foi um choque", ele conta. "É preciso ter em mente que não somos bons na compreensão de crescimentos exponenciais. Não é coisa que vemos no nosso dia a dia." Que tipo de oportunidade de negócios essa esquisitice chamada internet representaria?

Bezos começou a fazer uma série de perguntas. O que as pessoas comprariam à distância? O que prefeririam encomendar pelo correio em vez de ir a uma loja? Depois de pesquisar os 20 produtos mais vendidos pelo correio, Bezos chegou à conclusão de que as pessoas estavam dispostas a comprar produtos comuns pela rede – desde que soubessem exatamente o que iriam receber. Bezos não viu livros na lista dos 20 produtos mais vendidos, o que o surpreendeu, pois livros pareciam atender ao padrão desses produtos. Depois de fazer algumas pesquisas, descobriu que há tantos livros impressos que é impossível incluir informações sobre todos em um catálogo. Um catálogo completo seria grande demais e sua postagem, muito cara. Bezos percebeu, então, que a internet seria o veículo ideal para oferecer um catálogo desse tipo. Ele tinha dados suficientes para fazer uma experiência que detectasse a viabilidade de vender livros com sucesso pela internet.

Em um ano, Bezos lançaria a Amazon.com, apelidando-a de "a maior livraria do mundo". Ao usar a atacadista de livros Ingram para manter em estoque e despachar os livros, a Amazon oferecia a maior escolha de livros possível sem fazer *nenhum* investimento em lojas, depósitos e estoques. Mas Bezos tinha sonhos maiores do que somente vender livros. Mesmo antes de a Amazon se tornar lucrativa, Bezos viu a oportunidade de a empresa se tornar uma varejista de descontos online, vendendo uma linha completa de produtos – de brinquedos a aparelhos de televisão. Assim, fez uma aposta incrivelmente arriscada. Decidiu construir diversos depósitos de 79 mil metros quadrados espalhados pelo país. Os depósitos, no início, tinham apenas 10% de seus espaços preenchidos. Quando foi feito o anúncio, as ações da Amazon vacilaram; os analistas não conseguiam entender os motivos de a empresa abandonar seu modelo de negócios original, que dispensava os bens imóveis.

Hoje, a Amazon ocupa posição de liderança como loja de descontos online, com múltiplas linhas de produtos e eficiente capacidade de armazenagem e cumprimento de prazos de entrega. A Amazon é agora uma empresa de distribuição e loja virtual aberta a produtos de outros comerciantes, bem longe da ideia de negócios original de Bezos. Mas Bezos não parou de fazer experiências com modelos de negócios. Em 2007, a Amazon lançou o leitor eletrônico Kindle, uma experiência que modificou novamente a empresa. Além de servir como varejista para produtos de outros fabricantes, a Amazon passou a produzir um novo aparelho eletrônico de sucesso (responsável por 90% do mercado até o lançamento do iPad, em 2010). Bezos está reinventando a Amazon com seus serviços de computação em nuvem (Amazon EC2). A Amazon arrenda armazenamento de dados e capacidade de computação a outras empresas com preços extremamente baixos, aproveitando os enormes investimentos que fez em servidores e equipamento de informática para seu negócio de varejo online. De acordo com uma estimativa, 25% das empresas pequenas e médias do Vale do Silício usam atualmente os serviços de computação em nuvem da Amazon.

De onde vem a tendência para experimentações de Bezos? Parte tem base genética. Suas atividades começaram logo cedo, quando, cansado de dormir em seu berço, tentou desmontá-lo com uma chave de fenda. Quando tinha 12 anos, Bezos queria um novo aparelho chamado *Infinity Cube*, um conjunto de espelhinhos motorizados que refletiam um ao outro, de maneira a parecer que se estava olhando para o infinito. Bezos estava fascinado pelo aparelhinho, mas ele era muito caro. Assim, comprou os espelhinhos e outras peças e, sem quaisquer instruções para orientá-lo, construiu uma versão própria do cubo. Além de sua inclinação natural para fazer experiências, Bezos dá crédito às férias que passava todos os anos na fazenda do avô, onde tinha tempo para desenvolver sua habilidade de experimentação. "Ganhei confiança em minha capacidade criativa ao ajudar meu avô a consertar coisas na fazenda", ele nos contou. "Meu avô não tinha dinheiro para consertar as coisas, então tínhamos de improvisar. Certa vez, eu o ajudei a consertar um trator Caterpillar usando uma pilha de manuais de um metro de altura, que haviam sido encomendados pelo correio. Você aprende que se não funciona de determinado modo, tem de voltar atrás e tentar de outro."

Bezos aprendeu que experimentar é um fator tão crítico para a inovação que tentou institucionalizá-lo na Amazon. "As experiências são importantíssimas para a inovação porque raramente resultam naquilo que você espera. E ainda se aprende muito com elas", ele nos disse. "Estimulo os funcionários a entrar em becos sem saída e testar. Tentamos reduzir os custos de nossas experiências para que possamos fazer ainda mais ensaios. Se você aumenta o número de experiências, de cem para mil, vê crescer drasticamente o número de inovações que produz."

Três maneiras de experimentar

Inovadores que dão início a novos negócios e aqueles que inventam novos produtos são os melhores experimentadores (veja a figura 6-1). Esse fato não surpreende, pois empreendedores start-ups e inovadores de produtos têm a tendência de lançar coisas novas no mercado a partir do zero (eles obtêm índices bem

FIGURA 6-1

Comparação das habilidades de experimentação de diversos tipos de inovadores e não inovadores

Itens da amostra:
1. Têm um histórico de desmontar coisas para observar como funcionam
2. Experimentam com frequência para criar novas maneiras de fazer as coisas

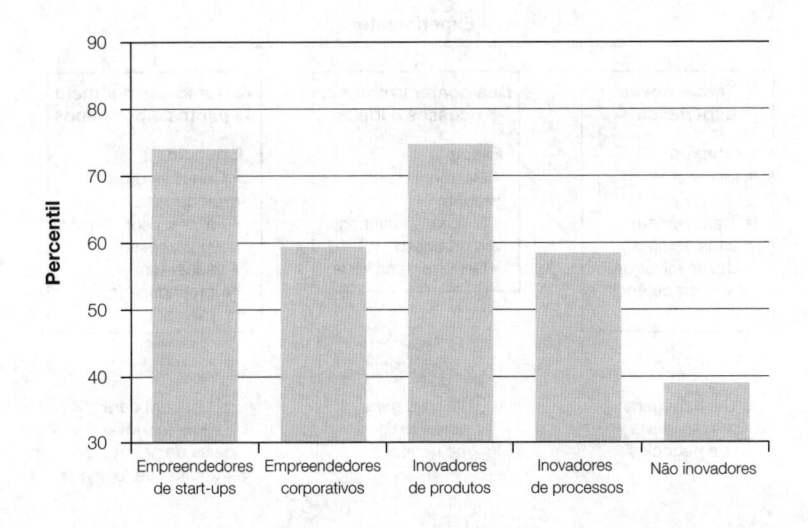

mais altos em relação à tomada de riscos). De todas as competências de descoberta, determinamos que experimentar era o melhor diferenciador entre inovadores e não inovadores, sendo que os não inovadores alcançam um índice de apenas 39 em relação à experimentação. Assim, se você quiser encontrar alguém com tendência à criatividade e à inovação, avalie suas competências de experimentação – esse é um bom ponto para começar.

A maioria dos inovadores de nosso estudo participava de, pelo menos, uma das três maneiras de experimentar (veja a figura 6-2). A primeira é tentar novas alternativas por meio da exploração, como Steve Jobs fez ao permanecer em um *ashram* na Índia, ou participar de aulas de caligrafia no Reed College. A segunda é desmontar coisas – física ou intelectualmente, como Michael Dell fez, quando, com 16 anos, separou as peças de um computador pessoal (leia mais sobre isso adiante). A terceira é testar uma ideia por meio de pilotos e protótipos, como Michael Lazaridis, o inventor do BlackBerry, fez ao tentar construir um

FIGURA 6-2

Três maneiras de experimentar dos inovadores

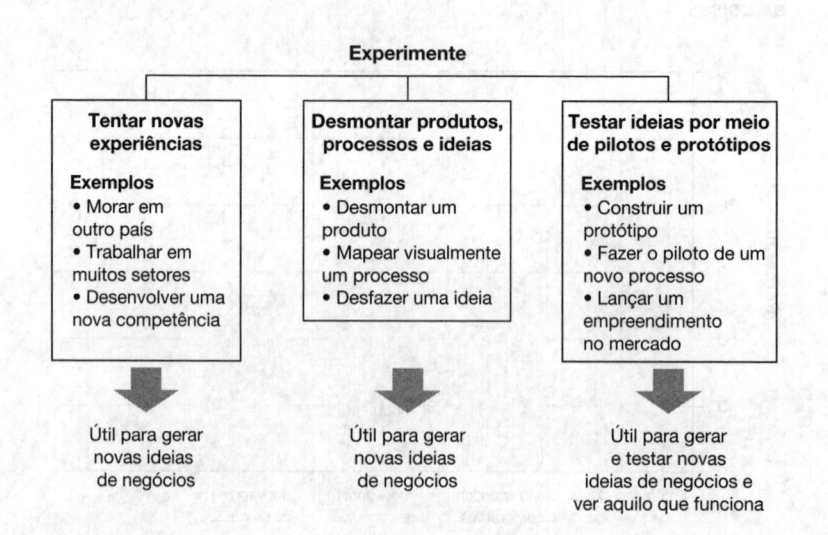

campo de força semelhante ao da *Star Trek* na escola secundária, com fios, eletricidade e produtos químicos. Determinamos que os inovadores têm suas melhores ideias quando participam de uma dessas três abordagens.

Normalmente, associamos a palavra *experimentar* à última dessas três maneiras. A abordagem clássica é testar uma ideia por meio da criação de um protótipo e verificar se funciona, como Thomas Edison fez tantas vezes. Por intermédio de sua frase famosa, ele demonstrou não ter tido fracassos, mas encontrado 10 mil maneiras de saber como as coisas não funcionavam.

Descobrimos que uma interpretação bem mais ampla da palavra experimentar reflete melhor como os inovadores cultivam novas ideias. Por exemplo, quando você está apenas tentando uma experiência nova, não tem a intenção explícita de testar uma ideia. É simplesmente uma jornada exploratória para ver o que pode aprender. A mesma coisa pode ser dita sobre desmontar coisas, de forma concreta ou figurada. Quando Dell desmontou seu primeiro computador pessoal, não estava procurando criar um novo computador ou uma nova empresa; ele queria descobrir somente como funcionava. Experimentar pode incluir o lançamento de um piloto ou protótipo e ir modificando-o conforme progride. A livraria online de Bezos não ficou onde estava depois do sucesso inicial; deu origem a um varejista de descontos online, vendendo uma linha completa de produtos, de brinquedos a eletrônicos. A Virgin começou como uma gravadora, mas Richard Branson fez experiências com muitos tipos de novos negócios, da Virgin Records e da Virgin Atlantic à Virgin Galactic, que, de olho nas estrelas, pretende levar clientes ultrarricos ao espaço. E a Apple não permaneceu apenas como uma empresa de computadores, lançando com sucesso produtos nas áreas de música (iPod), telefones (iPhone) e livros (iPad), além de outros que não tiveram sucesso, como PDAs (Newton) e câmeras digitais (Apple QuickTake). O argumento de que inovadores são experimentadores não é novo; todos sabem disso. Mas o que não está bem entendido são as maneiras diferentes com que fazem experiências para dar origem a novas ideias.

Tente experiências diferentes

Muitos executivos consideram a realização de uma nova experiência uma perda de tempo se ela não estiver diretamente ligada a um resultado consciente de aprendizado. Dirigentes voltados para a execução têm como foco resolver eficientemente um problema. Assim, se uma atividade não tiver uma ligação clara com algo atual, será vista como perda de tempo. Ao contrário, executivos voltados à descoberta se apegam à ideia de que tentar experiências novas significa participar de experiências interativas de aprendizado, que podem não ter nenhuma aplicação prática óbvia. Na verdade, *pela lógica do valor presente líquido (por exemplo, do tamanho do investimento feito descontado o horizonte de tempo), o retorno do tempo investido no uso de qualquer competência de descoberta produz um valor que está mais à frente no futuro e tem menos probabilidade de se materializar um dia*. Jobs nunca esperou que o tempo gasto nas aulas de caligrafia tivesse qualquer aplicação prática ou retorno. Mas a experiência resultou em um grande elemento diferenciador para o primeiro computador Macintosh, permitindo que ele produzisse documentos mais bonitos.

Os inovadores entendem que a diversidade de experiências permite que você pense de maneira divergente, pois tem acesso a um grupo de ideias mais amplo ao fazer associações. "Seria impossível ligar os pontos relativos ao futuro quando eu estava na faculdade", Jobs disse certa vez. "Mas estava tudo bem claro quando olhei para trás dez anos depois. Assim, você precisa ter certeza de que os pontos acabarão por se juntar de algum modo em seu futuro, e acreditar que eles se ligarão mais à frente lhe dá confiança de seguir o que seu coração diz, mesmo quando ele sai do caminho usual. E isso pode fazer toda a diferença."[1]

Tentar experiências novas pode não fazer sentido do ponto de vista financeiro, mas pode fazer toda a diferença na busca por ideias disruptivas.

Vamos considerar o exemplo de Kristen Murdock, uma empreendedora que literalmente criou uma forma de transformar esterco de vaca em dinheiro. Murdock conseguiu isso ao levar adiante um produto novo e interessante – embora um pouco desagradável –, que chamou a atenção dentro e fora dos Estados Unidos , o Cow-Pie Clocks, relógios de esterco de vaca. Não que Murdock tenha acordado um dia e declarado, "acho que vou pegar uma pilha de esterco de vaca endurecida pelo calor do deserto, vitrificá-la, colocar um relógio em cada monte e vendê-la para quem quiser um relógio realmente exclusivo". O que aconteceu foi que, ao acompanhar seus filhos em passeios de motocicleta por áreas desérticas do Sul do Utah, ela se deparou com alguns discos de esterco de vaca antigos, petrificados, que lhe pareceram interessantes. "Assim, peguei um deles e o cheirei. Não tinha cheiro ruim, estava realmente assado pelo calor", ela contou. "Comecei a coletá-los, trouxe alguns para casa e os guardei na garagem. Isso deixou meus garotos meio alterados." Ela não tinha ideia do que iria fazer com eles. Achou apenas que eram interessantes.

Depois de alguns dias, parte dos discos começou a se desintegrar. Para conservá-los inteiros, cobriu-os com um esmalte, e gostou da aparência. Pareciam pedaços de madeira brilhantes, petrificados, e ela achou que estavam muito bonitos, por causa das variações das cores e das pedrinhas interessantes que ficaram em seu interior. Até que um dia, à noite, deitada na cama, teve a ideia de colocar um relógio no disco de estrume petrificado e dá-lo como um presente, de brincadeira. Ela, então, começou a pôr os relógios nos discos e a dá-los às amigas, acompanhando--os de frases engraçadas. "Nenhuma das minhas amigas gostou", Murdock prosseguiu. "Elas odiaram os presentes, acharam que era uma coisa doentia."

A grande virada se deu quando ela presenteou um parente, amigo do astro de televisão Donny Osmond. Murdock contou que Osmond lhe telefonou pedindo um relógio. Ela preparou o objeto e o enviou a Osmond. Algumas semanas depois, o parente lhe telefonou e disse para ela ligar a televisão no *Donny and Marie*, o *talk show* diário de Osmond. Murdock viu Osmond mostrar o relógio ao público em rede nacional. Os telefonemas começaram a chegar em massa. Ela montou rapidamente uma central de vendas pela internet. Cada relógio é enviado com um pedestal e uma frase engraçada. O cliente escolhe a frase que quiser. Murdock tem uma lista de sugestões que não para de aumentar, com frases enviadas por clientes e amigos.

Ela guardou todas as frases engraçadas que recebeu e criou uma linha de cartões inspirados no esterco de vaca. Contratou um designer gráfico para produzir assinaturas com vacas e esterco de vaca e vendeu uma linha de cartões comemorativos feitos com o mesmo material para a Hallmark. O negócio é extremamente lucrativo porque ela recebe uma porcentagem pelas ideias e pela marca, mas não precisa se preocupar em imprimir os cartões.

Como na experiência de Jobs com a caligrafia, Murdock não tinha como saber se a iniciativa de coletar esterco de vaca teria uma aplicação prática. Ela começou porque sua curiosidade a levou a coletar alguns discos ressecados do material num passeio pelo deserto.

Inovadores como Bezos e Murdock parecem ser capazes de entender intuitivamente o valor que pode ser adquirido quando se tentam experiências novas em novos ambientes. Nossa pesquisa sobre os inovadores revelou que um dos experimentos mais poderosos que um inovador pode tentar é viver e trabalhar em culturas diferentes. Quanto maior o número de países em que uma pessoa mora, mais provável será que ela use essa experiência para chegar a produtos, processos ou negócios inovadores. Pessoas que vivem em outro país durante pelo menos três meses têm 35% mais possibilidade de dar início a um empreendimento inovador ou inventar um produto (cada país a mais conduz a um benefício maior, apesar de o retorno começar a diminuir depois de ela morar em dois países). Se um dirigente experimentar somente um cargo no exterior antes de se tornar CEO, suas empresas passam a apresentar resultados financeiros melhores que empresas dirigidas por CEOs sem essa experiência – cerca de 7% a mais em desempenho no mercado.[2] E parte desse desempenho vem da capacidade de inovar que o CEO adquiriu ao viver no exterior.

A.G. Lafley, da P&G, passou algum tempo, quando era estudante, aprendendo História na França. Mais tarde, dirigiu operações de varejo em bases militares dos Estados Unidos no Japão. Ele voltaria depois ao Japão, como chefe das operações da P&G na Ásia, antes de se tornar CEO. Sua experiência internacional diversificada é muito útil para sua posição de responsável por uma das mais antigas e mais inovadoras empresas do mundo. De forma semelhante, a experiência do inovador Reed Hastings como membro do Corpo da Paz na Suazilândia continua a influenciar suas liderança e estratégia inovadoras (como fundador e CEO) da bem-sucedida Netflix.

De modo semelhante, quanto maior for o número de setores ou empresas nos quais uma pessoa trabalhe, mais provável será que se transforme em um inovador. Cada setor da economia a mais representa um estímulo maior à inovação do que morar em outro país. Trabalhar em ambientes diversos de diferentes empresas a ajuda a desenvolver experiências profundas com várias pessoas, processos e produtos. Você aprende, assim, diversos modos de resolver problemas, já que cada empresa e setor tende a ter abordagens diferentes. A P&G (dirigida por Lafley) e o Google (dirigido pelos fundadores Larry Page e Sergey Brin) entendem o valor de como as coisas funcionam em empresas diversas. Tanto a P&G como o Google organizaram uma troca de funcionários por três meses para observar como a outra empresa opera de modo bastante diferente e com muito sucesso (voltaremos a esse assunto no capítulo 9). Esse tipo de experiência estimula a capacidade de a pessoa olhar um problema a partir de diversos ângulos e perspectivas.

Aproveitar a oportunidade de aprender novas competências em áreas diferentes – como Jobs fez ao estudar caligrafia – pode impulsionar a capacidade de inovar. Nate Alder (inventor da roupa Klymit) decidiu aprender mergulho durante uma viagem ao Brasil. Nas aulas, tomou conhecimento do uso de gás argônio como isolante para manter o calor nas roupas de mergulho. Alder pensou: que ideia boa, e se eu pusesse esse gás em um casaco de snowboard para me manter aquecido? (Na época, ele era instrutor de snowboard). A experiência serviu como catalisador para a criação do colete Klymit (com isolamento de gás argônio) e de diversos outros produtos com esse gás. Como descrevemos no capítulo 2, os inovadores parecem usar seus conhecimentos em forma de T, com profundo conhecimento de, pelo menos, uma área e um conhecimento mais genérico em uma variedade de outras áreas. Desenvolver novas competências em novas áreas é uma excelente maneira de construir diversidade de conhecimentos em sua cabeça.

Morar em outro país, trabalhar em setores diversos e aprender uma competência são três maneiras de tentar experiências novas e incentivar a criatividade. Os experimentadores buscam essas provas porque elas aumentam a diversidade de seus conhecimentos e sua capacidade de inovar.

Desmonte produtos, processos e ideias

Em 1980, Michael Dell esperava com muita ansiedade o dia de seu 16º aniversário. Ele estava ansioso porque seus pais tinham permitido que ele comprasse seu primeiro computador, um Apple II. No dia em que o computador chegou, ele estava com tanta vontade de pôr as mãos no aparelho que fez o pai levá-lo de carro até o escritório da UPS para pegar logo a encomenda. O que ele fez em seguida deixou os pais chocados e tristes, mas provou que seria importantíssimo para a descoberta do modelo de negócios "diretamente da Dell". Ele lembra: "Logo que o carro subiu na entrada de veículos de casa, eu saltei, levei a preciosa encomenda para o meu quarto e a primeira coisa que fiz foi desmontar o computador novo. Meus pais ficaram furiosos, pois acharam que eu o tinha destruído; um Apple custava muito caro na época. Mas eu só queria ver como ele funcionava". O desejo de Dell de compreender o que fazia o Apple II funcionar levou a diversos experimentos para que seu computador rodasse melhor e mais depressa. Ele comprou várias peças e acessórios a fim de equipar seu computador pessoal, como memória, drives, modens mais rápidos e monitores maiores. Logo aprendeu como ganhar dinheiro com seu hobby. "Eu melhorava um PC da forma como outro sujeito incrementava um carro. Depois, o vendia com lucro e repetia a operação", ele lembra. "Logo, estava indo aos distribuidores e comprando peças de PC no atacado para baixar os custos. Lembro que minha mãe se queixava de que meu quarto parecia uma oficina mecânica."

Dell ganhou tanta familiaridade com o custo de um PC que fez uma descoberta importante. Na época, um PC da IBM custava entre 2.500 e 3.000 dólares nas lojas. Mas as mesmas peças podiam ser compradas por 600 a 700 dólares, e a IBM não era proprietária da tecnologia. Dell nos contou que isso fez nascer uma pergunta importantíssima em sua mente: por que custa cinco vezes mais comprar um PC pronto na loja do que as peças separadamente? Ele entendeu que poderia comprar as peças mais recentes, montá-las na configuração desejada pelo cliente e entregar o aparelho por um preço bem menor que o pedido pela loja no varejo. Foi assim que nasceu o modelo de negócios "direto da Dell".

Como Dell, muitos inovadores têm uma ideia nova quando desmontam alguma coisa – um produto, um processo, uma empresa, uma tecnologia. Page, da Google, é um faz-tudo que gosta de desconstruir as coisas. O irmão de Page lhe deu um jogo de chaves de fenda quando ele tinha nove anos. Ele usou o jogo para desmontar todas as ferramentas elétricas que a família tinha em casa. De modo semelhante, Page mexeu com várias ideias sobre busca eficiente na internet, e chegou à do ranking de páginas que fazia as buscas de modo diferente dos existentes na época. Outro experimentador, Albert Einstein, desmontou intelectualmente a teoria do tempo e espaço de Newton, para surgir com sua inovadora teoria da relatividade. Conta-se que Einstein gerava seus *insights* "com base somente em experiências do pensamento – realizadas em sua cabeça, e não em laboratório"[3].

Em resumo, os experimentadores gostam muito de separar em partes – produtos, processos, ideias – para entender como as coisas funcionam. Durante o processo de desmonte, eles fazem perguntas relacionadas às razões de os produtos ou as ideias funcionarem do jeito que eles querem. Isso dá origem a ideias novas sobre como as coisas podem ter melhores resultados.

Teste novas ideias por meio de pilotos e protótipos

Max Levchin, cofundador da PayPal, estudou ciências da computação quando estava na faculdade. Nesse período, desenvolveu forte interesse em tecnologia de segurança e criptologia. Em 1998, Levchin mudou-se para o Vale do Silício, a fim de cumprir seu sonho de fundar uma empresa de segurança de softwares. Num dia quente de verão, decidiu comparecer a uma conferência sobre criptologia na Universidade Stanford, em busca de ideias novas para levar adiante seu projeto. Apenas seis pessoas estavam presentes na conferência. Não foi difícil, portanto, começar uma conversa com Peter Thiel, diretor de um fundo de investimentos de risco, interessado no uso da tecnologia da criptografia para realizar com segurança transações financeiras. Os dois se acertaram imediatamente e decidiram começar uma empresa cuja base era a oferta de softwares seguros para aparelhos manuais, como o Palm Pilot.

A ideia inicial era transformar o Palm Pilot em um *wallet*, dispositivo que poderia ser usado para guardar com segurança informações confidenciais, como números de cartões de crédito e senhas. Levchin e Thiel lançaram o produto com muita expectativa, mas logo descobriram que o mercado era muito pequeno, restrito a poucos usuários de Palm Pilots preocupados com a segurança de suas informações confidenciais. Assim, decidiram tentar outro ramo de negócios: oferecer um software que poderia ser utilizado com segurança por um usuário de Palm Pilot para guardar dinheiro e transferir valores de um Palm Pilot para outro quando entravam em contato.

Levchin e Thiel desenvolveram o software e colocaram a ideia no mercado. Ela chamou a atenção de diversas empresas importantes de investimentos de risco do Vale do Silício. O interesse delas levou à realização da primeira seção de financiamento do PayPal, no restaurante Buck's, que era o ponto de encontro favorito de muitos investidores de empresas iniciantes. Os investidores compareceram com um capital de 4,5 milhões de dólares armazenado em um Palm Pilot, que foi transferido para o Palm Pilot de Levchin e Thiel. Tudo indicava que a PayPal estava no caminho certo.

O crescimento inicial da PayPal foi rápido, mas o mercado logo se estabilizou, pois era limitado a cerca de três milhões de usuários de dispositivos PDA nos Estados Unidos. Não demorou muito tempo para Levchin e Thiel detectarem outro problema em seu modelo de negócios. "A ideia inicial de passar dinheiro de um Palm Pilot para outro era basicamente ruim", Thiel nos disse. "Se você precisa ficar frente a frente para transferir o dinheiro, o que era obrigatório com o Palm Pilot, você pode passar um cheque para o sujeito. Mas, no processo de construção a partir dessa ideia, fizemos mudanças que foram bem interessantes." Essas mudanças de curso foram provocadas, em parte, por clientes que queriam ligar seus Palm Pilots ao computador para mandar dinheiro através da internet a outra pessoa com um computador e um Palm Pilot. "Chegamos, então, à ideia de enviar valores como um anexo a um e-mail", Thiel lembrou. "Como tínhamos 120 milhões de usuários de e-mails nos Estados Unidos, isso significava um mercado bem maior. Não era mais necessário ficar frente a frente com alguém."

Hoje, o PayPal é o maior processador de pagamentos por e-mail do mundo, mas isso nunca teria acontecido se os fundadores não estivessem dispostos a realizar experiências constantes e a lançar versões do produto. A experiência inicial com o *wallet* seguro foi um fracasso e a experiência original com o Palm Pilot também não deu certo. Mas ambas foram muito importantes e geraram os dados necessários para que o PayPal tivesse sucesso no final.

A experiência do PayPal não é incomum entre os empreendedores inovadores. Eles entendem a importância de fazer experiências com protótipos e pilotos para seu aprendizado. Devido à tendência que têm de agir, lançam produtos e negócios da forma mais rápida possível, quase como em uma experiência, para verificar qual será a resposta do mercado. Gostam de jogar novos produtos, processos e ideias de negócios no muro, para ver o que vai ficar preso. Os experimentos do PayPal foram lançados como produtos no mercado e geraram dados importantes mesmo quando não tiveram sucesso.

Embora alguns inovadores tenham o impulso de lançar rapidamente seus protótipos no mercado, outros testam e comparam com mais cuidado protótipos concorrentes para determinar qual funciona melhor. Jennifer Hyman e Jennifer Fleiss agiram assim antes de lançar a Rent the Runway, um modelo de negócios do tipo Netflix para alugar vestidos de grife. Durante uma viagem para visitar a família em Nova York, Hyman notou que sua irmã Becky – compradora de acessórios na loja Bloomingdale's – estava com problemas para escolher o que vestir em um casamento. A irmã queria usar uma roupa que chamasse a atenção, mas, mesmo com um salário razoável, os vestidos de grife eram caros demais e estavam fora de seu orçamento. Enquanto assistia à irmã se agoniando sobre o que iria fazer, Hyman imaginou: "Se Becky não pode usar um vestido de grife neste mundo, que esperança existe para o restante de nós?". Ela imaginou que os costureiros também tinham um problema. "Se os costureiros não podem fazer suas peças chegarem às mãos de mulheres jovens e preocupadas com a moda", ela pensou, "então devem estar com dificuldade para construir suas marcas." A observação simples de Hyman, a partir de um ritual comum (achar uma roupa para uma ocasião especial) em um local familiar (a casa da família) com uma pessoa familiar (a irmã), levou a uma percepção original. Por que não modificar o modelo de negócios da Netflix e adaptá-lo ao mundo da alta-costura? Em vez de comprar vestidos de grife, as mulheres poderiam alugar a roupa pela internet para aquela ocasião especial, pagando um décimo do preço.

Então, Hyman e Fleiss organizaram alguns experimentos para testar a ideia. Compraram 100 vestidos de designers, como Diane von Furstenberg, Calvin Klein e Halston, e conduziram três experiências. A primeira foi no campus da Universidade de Harvard. Alugaram os vestidos a estudantes da universidade, deixando que as jovens experimentassem as roupas antes. O piloto foi um sucesso completo. Além de alugar as roupas, as moças as devolviam em bom estado. Esse experimento demonstrou que havia um mercado para o aluguel de vestidos e que as clientes devolviam as roupas em boas condições. Mas os vestidos seriam alugados se as clientes não pudessem experimentá-los? Para responder a essa pergunta, elas organizaram outro teste, dessa vez no campus de Yale. As clientes podiam ver as roupas antes de alugá-las, mas não experimentá-las. O número de interessadas diminuiu, mas o piloto foi um sucesso. Finalmente, elas fotografaram os vestidos e fizeram outro teste, em Nova York: as clientes alugavam os vestidos apenas por fotografias em PDF e pelas descrições sobre o caimento das peças. O teste indicaria se poderiam usar o modelo Netflix de alugar pela internet ou se seria necessário abrir lojas para que as interessadas pudessem ver e experimentar os vestidos. O último experimento mostrou que cerca de 5% das mulheres em busca de roupas para ocasiões especiais estavam dispostas a testar o serviço, o suficiente para demonstrar a viabilidade do sistema de aluguel pela internet. Foi assim que a Rent the Runway foi lançada. Mostrou ser um enorme sucesso, com mais de 600 mil membros e 50 mil clientes experimentando o serviço já no primeiro ano. A realização de diversas experiências foi vital para o projeto de um modelo de negócios bem-sucedido. Como Hyman nos disse, "nosso faturamento cresce de maneira espantosa. É um sonho que se transformou em realidade".

Ao estudarmos os inovadores e seus experimentos, nos chamou a atenção a quantidade de experimentos necessários para obter novas percepções: é quase o oposto à quantidade de perguntas, observações e *networking* prévios realizados por eles. Então, se você não fez muitas perguntas, observações e *networking* (ou não os fez direito), terá de fazer mais experimentos para obter as percepções necessárias a fim de seguir em frente. As experiências da Rent the Runway ofereceram dados corretos por causa do tempo de observação empreendido por Hyman, em particular, sobre as necessidades que mulheres jovens tinham quando frequentavam eventos especiais. (Hyman trabalhou muitos anos na rede de hotéis Starwood, onde lançou programas voltados a festas de casamento e casais em lua de mel. Ela também trabalhou no WeddingChannel.com e na IMG, uma das principais agências de modelos do mundo.) Como consequência, tinha profundo conhecimento dos desejos de mulheres jovens que gostavam de moda, de eventos especiais, costureiros e roupas de grife. Isso permitiu que Hyman e Fleiss projetassem experimentos melhores para testar suas ideias.

A *conclusão é que se você fizer perguntas relevantes, observar situações relevantes e falar com pessoas diversificadas, provavelmente se verá obrigado a fazer menos experiências.* E as experiências que você realizar serão mais bem orientadas para oferecer os dados de que precisa para dar o passo seguinte. Experimentar ao acaso ocorre apenas quando você aprende muito pouco a partir de suas perguntas, observações e conversas com seu *networking*.

Mas, no fim, mesmo que você tenha perguntado, observado e trocado ideias com eficiência, será importante passar por uma experimentação persistente para gerar percepções de ruptura. Praticamente todos os negócios disruptivos que estudamos evoluíram com o tempo – por meio de uma série de experimentos – até chegar a um modelo de negócios que modificou um setor. Alguns desses experimentos ocorreram por acidente. Herb Kelleher, da Southwest Airlines, nos contou que a empresa aérea, novata e de baixo custo, esbarrou em sua capacidade de aproveitar ao máximo seus aviões quando, por motivos econômicos, se viu obrigada a servir as rotas em três aviões, em vez dos quatro planejados inicialmente. Era preciso cortar voos ou achar uma maneira de cumprir um programa projetado para quatro aviões com somente três deles. A situação fez o comando da empresa desenvolver uma série de procedimentos para pôr um avião no ar o mais depressa possível depois do pouso, o que acabou por reduzir o tempo da operação para apenas 15 minutos. A inovação mudou a estratégia e o modelo de negócios da Southwest, além de melhorar seus resultados financeiros.

Algo semelhante ocorreu com a IKEA. A empresa nunca pretendeu oferecer móveis desmontados em kits (móveis em peças embaladas em caixas planas) como atração principal de seu modelo de vendas de móveis no varejo a custos baixos. Uma experiência ocorrida por acaso logo no início da história da empresa resultou em uma importante percepção. Depois de encerrar uma seção de fotografias para um catálogo, um diretor de marketing não estava conseguindo colocar todos os móveis no caminhão. Um fotógrafo sugeriu, então, que ele desmontasse as pernas de uma mesa para colocá-la de lado no veículo. As luzes se acenderam. A IKEA poderia produzir seus móveis em peças separadas, fazer uma boa economia no transporte e deixar para o consumidor a montagem final. Essa pequena experiência foi crítica para o modelo de negócios da IKEA como varejista de móveis em escala global.

Os inovadores se dedicam a três tipos de experimentos para produzir dados e promover o aparecimento de novos insights: *tentar novas experiências, separar as coisas em partes e testar ideias por meio de protótipos e pilotos. Embora questionar, observar e usar o* networking *seja excelente para obter dados sobre o passado e o presente, experimentar é a melhor técnica para captar informações sobre o que pode funcionar no futuro. É a melhor maneira de responder a perguntas do tipo "e se...?" Os inovadores entendem que, ao fazer perguntas relevantes, observar situações importantes e falar com as pessoas certas, você será obrigado a ter menos experiências. Isso reduz as despesas e o tempo necessários para a experimentação.*

Finalmente, os inovadores entendem – e aceitam – que a maioria de suas experiências não dá os resultados planejados (e podem mesmo resultar em uma colossal perda de tempo), mas sabem que experimentar é muitas vezes a única maneira de obter os dados necessários para chegarem, finalmente, ao sucesso.

Dicas para desenvolver competências de experimentar

Para fortalecer suas competências relacionadas à experimentação, você vai precisar abordar seu trabalho e sua vida com a mente voltada ao terreno das hipóteses. Recomendamos as seguintes atividades para praticar e fortalecer suas competências de experimentação:

Dica #1: Cruze fronteiras físicas

Visite (ou ainda melhor, more em) um país novo ou um ambiente novo, como outra área funcional de sua empresa ou outra empresa em um setor diferente. Assuma a disposição do viajante, livrando-se da rotina. Participe de outras atividades sociais e profissionais fora de sua esfera tradicional. Assista a uma conferência de alguém que tenha uma obra sobre a qual você não esteja familiarizado, ou visite uma exposição incomum em um museu. Enquanto estiver realizando essas atividades novas, faça a você mesmo perguntas que ajudem a criar novas percepções a partir dessa experiência, como "se minha equipe de trabalho estivesse aqui, o que aprenderia com essa experiência que pudesse nos levar a algo novo? Se eu fosse replicar uma coisa (produto, processo etc.) desse ambiente em meu trabalho diário, como seria?". Prepare-se para atravessar uma fronteira pelo menos uma vez por mês.

Dica #2: Cruze barreiras intelectuais

Faça uma assinatura anual de um jornal, newsletter ou revista que tenha um contexto absolutamente diferente (para ajudar a preservar as árvores, faça uma pesquisa regular na internet em busca de informações sobre um país, setor da economia ou profissão distantes da sua). Se morar nos Estados Unidos ou na França, pense em ler uma publicação da China, da Índia, da Rússia ou do Brasil. Se trabalhar em uma empresa do setor de petróleo e gás, leia uma publicação sobre a rede hoteleira. Se a sua formação for em marketing, leia uma publicação relacionada a engenharia ou a operações.

Dica #3: Desenvolva uma competência nova

Para obter novas perspectivas, crie um plano destinado a desenvolver algumas competências novas ou a obter novos conhecimentos. Procure oportunidades em sua comunidade para assistir a aulas sobre teatro ou fotografia, ou adquirir conhecimentos básicos de mecânica, eletrônica ou construção. Experimente praticar novas atividades físicas ou esportes, como ioga, ginástica, skate, mergulho ou até mesmo paraquedismo (se tiver coragem para tanto). Consulte a relação de cursos da universidade mais próxima e inscreva-se como ouvinte para assistir a aulas sobre história, química ou artes gráficas – assuntos que lhe pareçam interessantes. Ou, mais perto de casa, descubra outra função em sua empresa, como marketing, operações ou finanças, e pesquise se você pode aprender como essa função é trabalhada dentro dela.

Dica #4: Desmonte um produto

Dê uma busca em casa para descobrir alguma coisa que não esteja funcionando ou vá a um ferro-velho, ou a uma loja de artigos usados, e compre produtos que você possa desmontar com facilidade (é muito divertido fazer isso junto com os filhos). Encontre uma coisa pela qual você sempre teve interesse, mas nunca achou tempo para explorar. Separe um tempo para desmontar os objetos, peça por peça, e busque novas percepções sobre como foram projetados, planejados e produzidos. Desenhe ou escreva suas observações em uma agenda ou caderneta.

Dica #5: Construa protótipos

Identifique uma coisa que você gostaria de aperfeiçoar. Depois de modificada, ela estaria parecida com o quê? Construa um protótipo de sua nova invenção melhorada com materiais que encontrar ao acaso em casa ou no escritório, ou saia fazendo compras, adquirindo coisas que possam funcionar bem no protótipo. Massinha de modelagem para crianças é um ótimo meio para a criação de protótipos. Se você estiver se sentindo estimulado e não se incomodar em gastar mais, compre uma impressora em três dimensões, que produza objetos de acordo com as suas especificações.

Dica #6: Submeta regularmente suas ideias a projetos-piloto

Gordon Moore, cofundador da Intel, disse certa vez que "a maior parte do que aprendi como empreendedor foi por tentativa e erro". Promova testes-piloto (experimentos em pequena escala) frequentes para experimentar ideias novas e verificar o que pode aprender ao fazer alguma coisa de maneira diferente. Você também pode se tornar um experimentador quando aderir ao aprendizado por tentativa e erro, mas precisa ter coragem para errar e aprender com seus próprios fracassos. Prepare-se mentalmente para planejar e realizar o teste-piloto de uma ideia que você teve no trabalho no prazo de um mês.

Dica #7: Observe as tendências

Procure identificar de maneira ativa tendências que estão surgindo por meio da leitura de livros, artigos, revistas, links na internet, blogs e outras fontes focadas na identificação de novas tendências. Leia coisas escritas por pessoas que em sua opinião obtêm ótimos resultados na identificação de tendências e em prever o que vem em seguida. Tente ler as obras de Kevin Kelly (editor-executivo da *Wired* e autor de *New Rules for the New Economy*), Chris Anderson (editor-chefe da *Wired* e autor de *A cauda longa*[*] e *Free – Grátis – o futuro dos preços*[**]) ou de outro escritor que estiver olhando para o futuro. Então, pense sobre como essas tendências podem levar a uma experiência interessante em relação a um novo produto ou serviço. Descubra uma forma de realizar criativamente essa experiência.

[*]   Editora Campus, 1ª edição, 2006.
[**]   Editora Campus, 1ª edição, 2009.

PARTE DOIS

O DNA de Organizações e Equipes Disruptivas

7

O DNA das Empresas Mais Inovadoras do Mundo

"Empresas precisam inovar continuamente para crescer. Como os tubarões, têm que se manter em movimento para não morrer."

Marc Benioff

NOS PRIMEIROS SEIS capítulos deste livro descrevemos como pessoas inovadoras pensam e agem diferentemente a fim de gerar ideias criativas para novos produtos, serviços, processos e negócios. Agora, voltamos nossa atenção para responder a outra questão: como as empresas com muito pessoal constroem seus códigos inovadores? Sem dúvida, executivos do mundo inteiro se deparam com essa questão quando tentam construir capacidades inovadoras para gerar oportunidades de crescimento. Entretanto, antes de analisar essa questão, vamos dar uma olhada em duas outras igualmente importantes. A primeira é: quais são as empresas realmente mais inovadoras e que poderiam servir de modelos de inovação?

O DNA DE ORGANIZAÇÕES E EQUIPES DISRUPTIVAS

QUADRO 7-1

Lista da *Business Week* das empresas mais inovadoras (2005-2009)

Ranking da *Business Week**	Nome da empresa	Ranking de prêmio de inovação	Nome da empresa	Prêmio de inovação em 5 anos
1	Apple	1	Amazon	57%
2	Google	2	Apple	52%
3	Microsoft	3	Google	49%
4	Toyota	4	Procter & Gamble	35%
5	General Electric	5	Starbucks	35%
6	Procter & Gamble	6	Microsoft	29%
7	IBM	7	Nintendo	26%
8	Nokia	8	Research In Motion	20%
9	Sony	9	Cisco Systems	19%
10	3M	10	Hewlett-Packard	19%
11	Amazon	11	3M	18%
12	Samsung	12	General Electric	10%
13	BMW	13	IBM	8%
14	Honda	14	Southwest	7%
15	Research In Motion	15	eBay	7%
16	Hewlett-Packard	16	Target	7%
17	Nintendo	17	Walmart	5%
18	Starbucks	18	Intel	4%
19	Target	19	Dell	4%

20	Intel	20	Nokia	–16%
21	Dell	21	BMW	–26%
22	Cisco	22	Toyota	–26%
23	eBay	23	Honda	–27%
24	Walmart	24	Sony	–28%
25	Southwest	25	Samsung	–29%

* Ranking médio de cinco anos; exclui as empresas de capital fechado: Virgin em 16º
e Tata em 25º.

A segunda é: ter capacidade inovadora (e a reputação de contar com essa característica) turbina o valor de mercado da empresa?

Em 2005, a revista *Business Week* começou a fazer uma lista das cem empresas mais inovadoras do mundo, tendo por base uma pesquisa realizada pelo Boston Consulting Group com diversos executivos. (Veja quadro 7-1 com as 25 empresas mais inovadoras de 2005 a 2009, de acordo com a revista.) Uma rápida olhada na lista mostra a Apple em primeiro lugar e o Google em segundo. Ok, intuitivamente isso parece correto. Porém, de acordo com a metodologia aplicada, a lista representa uma grande competição baseada em performances do passado. General Electric, Sony, BMW e Toyota merecem estar hoje na lista das empresas mais inovadoras do mundo?

Para responder a essa questão, decidimos desenvolver nossa própria lista baseada em expectativas de inovações para o futuro. Achamos que a melhor maneira de fazer isso seria ver se os investidores – votando com suas carteiras – poderiam nos dar uma ideia de quais empresas eles acreditavam ser mais provável esperar novos produtos, serviços ou mercados.

Nós nos associamos com a HOLT (uma divisão do Credit Suisse que havia feito uma análise similar para *The Inovvator's Solution* – A Solução do Inovador) para desenvolver uma metodologia a fim de determinar qual porcentagem do valor de mercado de uma empresa poderia ser atribuída aos seus produtos, serviços e mercados já existentes. Se o valor de mercado da empresa for mais alto que os *cash flows* atribuídos aos seus negócios já existentes, então a companhia apresenta um prêmio de inovação. Esse prêmio é a proporção do valor de mercado de uma empresa que não pode ser atribuída aos *cash flows* resultantes de seus produtos e negócios existentes no mercado atual. Investidores dão esse prêmio porque esperam que as empresas criem novos e lucrativos produtos ou mercados (para detalhes de como calcular o prêmio, veja nota na pág. 298).[1] Esse é um prêmio que todo executivo, de qualquer empresa, gostaria de ter.

Então, qual seria a ordem em que as 25 empresas *top* da *Business Week* apareceriam se fosse usada a nossa metodologia? A análise feita por nós mostra uma ordem diferente. (Veja no quadro 7-1 nosso ranking baseado na média dos prêmios de inovação de cinco anos.)[2] Nossa pesquisa coloca a Amazon em primeiro lugar (57%), a Apple em segundo (52%) e o Google em terceiro (49%) – resultados que são razoavelmente similares à lista da *Business Week*. Mas veja as últimas cinco: Samsung (–29%), Sony (–28%), Honda (–27%), Toyota (–26%) e BMW (–26%) geraram *cash flows* com negócios já existentes que são mais altos do que seu valor de mercado corrente. Ou seja, os investidores não estão antevendo crescimento a partir de produtos ou serviços inovadores e, pior ainda, sua expectativa é que os atuais negócios dessas empresas irão encolher ou que seus lucros irão cair.

Ao analisar detalhadamente os resultados, concluímos que os investidores não se preocupam apenas com a possibilidade de essas empresas inovarem, mas também se conseguiriam gerar lucros com novos produtos e serviços. Por exemplo, a Sony (número nove na lista da *Business Week*) e a Samsung (número doze) têm historicamente produzido inovações na indústria de eletrônicos, mas ultimamente os investidores não embolsaram muitos lucros com eles e não esperam que isso ocorra no futuro. Entretanto, a competidora Nintendo (17º na lista da *Business Week*) tem um prêmio de inovação de 26%, o que significa que essa empresa não apenas trabalhou melhor para gerar lucros com as inovações passadas (como o Wii), como também aponta para a mesma direção no futuro, e por isso alcançou uma posição muito mais elevada em nossa lista. A BMW, a Toyota e a Honda foram para baixo em nosso ranking não porque não vão inovar mais adiante, mas porque enfrentarão sérios desafios para obter algum lucro com suas inovações. Além de continuar a lutar contra competidores emergentes já em atividade (como a coreana Hyundai e a chinesa Chery), essas três montadoras ainda terão que enfrentar uma porção de competidores novinhos em folha que estão chegando ao mercado, incluindo os fabricantes de carros elétricos Tesla e Coda.

Dadas as diferenças descritas, decidimos gerar nossa própria lista das companhias mais inovadoras tomando por base seus prêmios de inovação. (Veja o quadro 7-2.) Nosso foco foram as grandes empresas (mais de US$ 10 bilhões de valor de mercado), já que a lista da *Business Week* focalizou igualmente as grandes. Nosso ranking revelou que, olhando para o futuro, a Salesforce.com (a disruptiva empresa de computação em nuvem – *cloud computing* – de Benioff, citada no capítulo 2), fica como a número um, seguida pela Intuitive Surgical (fabricante do sistema Da Vinci de robôs cirúrgicos, que descreveremos mais adiante). Essas empresas estão à frente da Amazon, da Apple e do Google, respectivamente em terceiro, quinto e sexto lugares. A Salesforce.com e a Intuitive Surgical merecem estar no topo da lista? Os investidores parecem pensar assim. A Salesforce.com lidera o quadro com sua computação em nuvem e ainda introduziu a AppExchange, que a revista *Forbes* chamou de "iTunes of Business Software" e que ganhou prêmios da Software & Information Industry Association, SD Times e outras. A AppExchange oferece mais de uma centena de aplicativos para negócios da mesma

QUADRO 7-2

As empresas mais inovadoras do mundo (ranking de prêmio de inovação)

Ranking de prêmio de inovação	Nome da empresa	Indústria/ negócios-chave	Prêmio de inovação em 5 anos
1	Salesforce.com	Software de gestão comercial em nuvem (como o CRM)	73%
2	Intuitive Surgical	Sistema Da Vinci de robôs para cirurgia robótico-assistida	64%
3	Amazon.com	Vendas online com desconto, Kindle, computação em nuvem	57%
4	Celgene Corp.	Produtos farmacêuticos	55%
5	Apple	Computadores, softwares, música, telefones etc.	52%
6	Google	Software, recuperação de informação (busca)	49%
7	Hindustan Lever/ Unilever Heavy Electricals	Produtos de uso doméstico	47%
8	Reckitt Benckiser Group	Produtos de uso doméstico	44%
9	Monsanto Co.	Sementes, sementes geneticamente modificadas, defensivos agrícolas	44%
10	Bharat Heavy Electricals	Equipamentos elétricos	44%
11	Vestas Wind Systems	Equipamentos elétricos	43%
12	Alstom SA	Equipamentos elétricos	42%
13	CSL Limited	Biotecnologia	40%
14	Beiersdorf AG	Produtos de uso pessoal	38%

15	Synthes Incorporated Health	Equipamentos e suprimentos de saúde	38%
16	Activision Blizzard Inc.	Editor de jogos online ou de console	37%
17	Alcon Incorporated	Equipamentos e suprimentos de saúde	37%
18	Procter & Gamble	Produtos de consumo (ex. Downy, Gillette, Pringles, Dawn)	36%
19	NIDEC Corporation	Equipamentos, instrumentos e componentes eletrônicos	36%
20	Colgate-Palmolive	Produtos de consumo (ex. creme dental Colgate, sabonete Palmolive)	35%
21	Starbucks	Restaurante e cafeteria	35%
22	Ecolab Inc.	Produtos de higiene, segurança de alimentos e controle de pestes	34%
23	Keyence Corporation	Equipamentos, instrumentos e componentes eletrônicos	34%
24	Essilor International Societe Anonyme	Equipamentos e suprimentos de saúde	34%
25	Hershey Co.	Fabricante de chocolates e confeitos	32%

forma que o iPhone tem uma infinidade de aplicações para os consumidores. Recentemente, a Salesforce.com desenvolveu o Chatter, um novo software de aplicação social visto como um "Facebook para negócios".

O Chatter pega o melhor do Facebook e do Twitter e aplica em colaboração empresarial (como descrevemos no capítulo 2). O Intuitive Surgical (na segunda posição) é um inovador igualmente marcante, e apresentou ao mundo a cirurgia robótico-assistida. Para muitas cirurgias, como a da próstata, o sistema

Da Vinci da Intuitive acabou se tornando o *modus operandi* na maioria das salas de cirurgia.

Algum dia, a robótica terá provavelmente um papel mais notável nas unidades cirúrgicas militares. Um cirurgião em Londres poderá usá-la para operar um soldado ferido em qualquer ponto crítico do mundo. O sistema Da Vinci, de 1,5 milhão de dólares, permite que os cirurgiões trabalhem com visualização tridimensional e quatro braços-robôs com a precisão que a maioria dos cirurgiões não consegue alcançar. E isso tudo significa incisões menores, menos erros, recuperação mais rápida e redução dos custos hospitalares.

Além de continuamente inovadora em produtos de consumo, a Hindustan Lever, da Índia (sétima posição), como descrito no capítulo 3, usa igualmente uma inovadora rede de relacionamento com foco no marketing para vender seus produtos a milhares de mulheres pouco privilegiadas da zona rural em toda a Índia. Isso permitiu à empresa fazer vendas em mais de 135 mil povoados e se tornar a mais confiável marca indiana, usada por duas em cada três mulheres de lá. No Reckitt Benckiser Group (oitava posição) uma potência inovadora, as inovações lançadas nos três anos imediatamente anteriores são responsáveis por cerca de 40% da receita da empresa. Muitas ideias chegam de fora pela rede de relacionamento através do site IdeaLink, onde estão relacionados os trabalhos que precisam de soluções. A empresa está sempre à caça de "métodos para a detecção de parasitas", entre outras coisas. A dinamarquesa Vestas Wind Systems (posição número 11) ganhou recentemente a "Taça da Inovação" como a mais inovadora empresa do país. Líder mundial no fornecimento de soluções para energia eólica, a Vestas Wind gerou inúmeras inovações, incluindo fundações flutuantes para estações de energia eólica com mais de trinta metros de profundidade na água.

Acreditamos que nossa lista identifique melhor os inovadores atuais e futuros e seja consistente com o argumento de A.G.

Lafley e Ram Charan, segundo o qual "uma inovação é a conversão de uma nova ideia em receitas e lucros... Não existe correlação entre o número de patentes obtidas por uma corporação e o seu sucesso financeiro. Um produto que entusiasma mas não acrescenta nenhum valor ao consumidor, nem traz benefícios financeiros para a empresa, não é uma inovação. A inovação só é completa quando aparece nos resultados financeiros".[3]

Se você concorda com isso, provavelmente prefere nosso ranking ao da *Business Week*.

O DNA – de pessoas, processos e filosofias – de empresas inovadoras

Ao examinarmos uma amostra de companhias que lideram as duas listas, mergulhamos fundo nas práticas de algumas das mais inovadoras empresas do mundo. Nós confiamos nas duas listas como modelos de inovação e destacamos as empresas que aparecem em ambas (Amazon, Apple, Google, P&G) e as da lista do prêmio de inovação que podem não ser muito bem conhecidas globalmente como inovadoras (Salesforce.com, Intuitive Surgical, Hindustan Lever e Reckitt Benckiser).

Começamos por perguntar a fundadores inovadores de algumas dessas firmas – como Bezo, da Amazon, ou Benioff, da Salesforce.com: o que faz a sua empresa ser inovadora? O que acontece dentro da empresa que resulta em produtos, serviços, processos ou negócios inovadores? O primeiro *insight* a emergir dessas entrevistas é que o fundador inovador imprime à sua organização o seu DNA inovador. Somente para ilustrar: Bezos descreveu como, na Amazon, ele dá preferência a pessoas que são inventivas. Ele pergunta a todos os candidatos que pretendem trabalhar lá: "Fale-me de alguma coisa que você tenha inventado". E acrescenta: "As invenções podem ser de pequena escala – uma nova característica introduzida no produto, ou um novo processo que melhore a sensação do cliente, ou até mesmo um novo modo de preparar a carga de uma máquina de lavar louça. Eu quero saber somente se eles tentarão fazer coisas novas". Quando o CEO pergunta a todo candidato a emprego se já inventou alguma coisa, ele está emitindo um poderoso sinal de que inventar é algo esperado e valorizado. "Sempre procuro gente que acredita que pode mudar o mundo", contou-nos Bezos. "Se você acreditar que o mundo pode ser mudado, então não haverá o que o impeça de acreditar que pode ser parte da mudança."

Bezos contou também sobre a importância dos processos de experimentação (como descrevemos no capítulo 6). "Eu incentivo nossos funcionários a experimentar", disse ele. "Temos um grupo chamado Web Lab permanentemente incumbido de interagir com o usuário, via website, para saber como satisfazer melhor o cliente." Por fim, discutiu a importância da cultura, ao dizer que a maioria dos grandes erros das empresas são os "atos de omissão" em lugar dos atos de "missão". "Isso é o contrário de fazer algo sempre do mesmo jeito. É quando você deveria ter feito algo de forma diferente, mas fez do jeito costumeiro", ensina Bezos. Por isso, ele incentiva o pessoal da Amazon a perguntar "por que não?", quando considera o lançamento de uma novidade. "É muito divertido ter uma cultura em que as pessoas estão querendo dar esses saltos em vez de ficar no 'institucional não'. É o institucional sim. O que o pessoal da Amazon diz é: 'Vamos descobrir como fazer isso'."

Resumindo: Bezos procura gente com atitude inventiva, como ele. Para gerar ideias inovadoras, ele faz experiências pessoalmente, além de ter criado processos na Amazon para incentivar e apoiar as experiências feitas por outros. Pergunta "por que não?" e está querendo dar grandes saltos (a exemplo de quando deixou D.E. Shaw para começar a Amazon; ele não estava "ficando na sua" quando tomou essa decisão em sua carreira). Não é de surpreender que essa filosofia tenha se tornado parte da cultura da Amazon, quando se espera que outros perguntem "por que não?" e deem grandes saltos.

As observações que fizemos na Amazon e outras empresas altamente inovadoras confirmam as percepções sobre a gênese da cultura organizacional de Edgar Schein, do MIT, e seu clássico *Cultura organizacional e liderança**. Schein argumenta que a cultura organizacional aparece durante os primeiros estágios de uma organização, quando ela se depara com problemas específicos ou tem de cumprir missões que lhe competem. O desafio, por exemplo, pode ser: "Como vamos desenvolver um novo produto?", ou então "como lidar com as reclamações dos clientes?". Em cada instância, os membros da organização responsáveis por resolver o problema se reúnem e decidem qual o método a adotar para solucioná-lo. Se o método for bem-sucedido, a organização usa-o repetidamente diante de problemas similares, e ele passa a fazer parte de sua cultura (uma via garantida para a empresa resolver determinados problemas). Se não funcionar bem, os líderes da organização procuram um método diferente, e assim sucessivamente, até obter sucesso. Um método para resolver um problema passa a integrar a cultura da empresa quando usado várias vezes de forma bem-sucedida. Não é surpresa a observação de Schein de que o fundador tem influência significativa nos métodos escolhidos para enfrentar os primeiros desafios da empresa. Em última instância, se os métodos do fundador para encontrar soluções forem confiáveis e bem-sucedidos, serão tomados como um caminho garantido para o cumprimento de missões específicas da empresa. É a aplicação bem-sucedida das soluções iniciais do fundador que irá incorporá-las à cultura da organização.

Está claro que o DNA das organizações inovadoras reflete claramente o DNA do fundador. Em nossas conversas com fundadores inovadores sobre a criação de organizações e equipes inovadoras, ouvimos repetidas vezes o mesmo discurso sobre a

* Editora Atlas, 1ª edição, 2009.

importância de levar às empresas pessoas iguais a eles (ou seja, inovadoras), processos que estimulem competências inovadoras (como questionar, observar, estabelecer rede de relacionamento, testar), e filosofias (a cultura que incentiva cada um a inovar e assumir riscos inteligentes). As observações que fizemos de outras empresas de nossa lista de mais inovadoras mostraram a mesma coisa, o que nos levou a desenvolver um conjunto de hipóteses de trabalho a respeito do DNA das empresas inovadoras, que colocamos no framework 3P (veja a página 19) de organizações assim classificadas.

Pessoas

Descobrimos que as companhias inovadoras eram comandadas pelos fundadores, líderes que se empenharam em descobertas e não se intimidaram em conduzir a tarefa inovadora. De fato, os líderes-chave dessas empresas mostraram um quociente de descoberta mais elevado que líderes de empresas menos inovadoras (veja mais no capítulo 8). Descobrimos também que empresas altamente inovadoras apresentam competências de descoberta muito mais fortes em todos os níveis de gerência e em cada uma de suas áreas funcionais, e também que elas monitoraram e geriram um mix apropriado de descoberta de decisões e competências de entrega por meio de processos inovadores (da idealização à implementação). Por fim, elas criaram um cargo de nível gerencial focado em inovação. Foi isso que Lafley fez quando contratou Claudia Kotchka como vice-presidente para as áreas de design, inovação e estratégia. Posto de maneira simples, essas empresas estavam, na média, repletas de gente que se destacava nas cinco competências de descoberta descritas do capítulo 2 ao 6, e foram mais sábias que as companhias menos inovadoras no emprego de estratégias para utilizar pessoas com essas competências.

Processos

Da mesma forma que pessoas inventivas usam sistematicamente suas competências para questionar, observar, fazer *networking* e realizar experimentos a fim de levantar novas ideias, descobrimos que as organizações inovadoras desenvolvem sistematicamente processos para incentivar essas mesmas competências entre seus empregados. A maioria das empresas inovadoras constrói uma cultura que reflete a personalidade e os comportamentos de seu líder. Steve Jobs, por exemplo, gostava de perguntar "e se..." e "por quê?", e os funcionários da Apple fazem o mesmo. Lafley dedicou centenas de horas a observar clientes, como antropólogos observam tribos, e implantou processos específicos para analisar clientes na Procter & Gamble. Benioff, por exemplo, é ótimo *networker* e introduziu o Chatter e outros processos de trabalho em rede na Salesforce.com para ajudar os funcionários a se relacionar tanto dentro como fora da companhia na busca de ideias originais. Como experimentador por excelência, Bezos tentou institucionalizar processos de experimentação na Amazon que permitiam aos funcionários "andar às cegas" à procura de novos produtos e serviços. Ao criar processos organizacionais que refletissem seus comportamentos pessoais de descoberta, esses líderes construíram seu DNA de inovadores dentro de suas organizações.

Filosofias

Esses processos de descoberta organizacionais estão apoiados em quatro filosofias orientadoras que incutem nos empregados a coragem de experimentar novas ideias: 1) a inovação é tarefa de todos, 2) a inovação de ruptura é parte de nosso portfólio de inovação, 3) tenha à disposição um número elevado de pequenas equipes de projeto organizadas adequadamente e 4) corra riscos inteligentes na busca de inovação. Juntas, essas quatro filosofias refletem a coragem de inovar dos líderes. Eles acreditam na ino-

FIGURA 7-1

Pessoas, processos e filosofias das empresas mais inovadoras do mundo

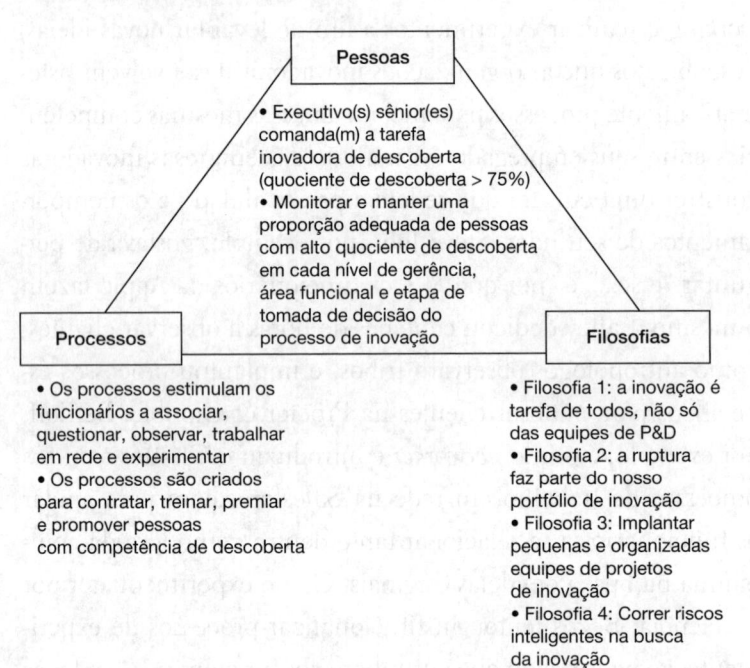

Pessoas

- Executivo(s) sênior(es) comanda(m) a tarefa inovadora de descoberta (quociente de descoberta > 75%)
- Monitorar e manter uma proporção adequada de pessoas com alto quociente de descoberta em cada nível de gerência, área funcional e etapa de tomada de decisão do processo de inovação

Processos

- Os processos estimulam os funcionários a associar, questionar, observar, trabalhar em rede e experimentar
- Os processos são criados para contratar, treinar, premiar e promover pessoas com competência de descoberta

Filosofias

- Filosofia 1: a inovação é tarefa de todos, não só das equipes de P&D
- Filosofia 2: a ruptura faz parte do nosso portfólio de inovação
- Filosofia 3: Implantar pequenas e organizadas equipes de projetos de inovação
- Filosofia 4: Correr riscos inteligentes na busca da inovação

vação em seu trabalho, por isso desafiam constantemente o status quo e não têm medo de correr riscos para que as mudanças aconteçam. Só para ilustrar, a maioria das empresas inovadoras não circunscreve P&D (pesquisa e desenvolvimento) a uma única unidade. Em vez disso, praticamente cada unidade, incluindo a do topo da cadeia de comando, deve contribuir com novas ideias, o que resulta numa democratização dos esforços inovadores. A noção de que cada um deve inovar e desafiar o status quo se apoia numa filosofia de correr risco – ou seja, "falhe logo para ter sucesso mais cedo", como ensina a IDEO. Mais que mostrar tolerância com fracassos, as mais notáveis empresas que estudamos consideram impossível evitá-los, e que fracassos são mesmo parte do processo inovador. Além disso, como acreditam que todos podem ser criativos, as empresas se empenham em manter unidades pequenas, de modo que todo funcionário se sinta com poder e responsabilidade para inovar (Bezos, da Amazon, implantou o que chama de "equipes de duas pizzas", ou seja, pequenas o suficiente – seis a dez pessoas – para que possam ser adequadamente alimentadas com duas pizzas.

Em resumo, nossos entrevistados e nossas observações revelaram que as empresas inovadoras constroem seu código para inovar diretamente com pessoas, processos e filosofias orientadoras (o framework 3P). (Veja a figura 7-1.)

Claro que o diabo mora nos detalhes na hora de tornar o framework 3P real para os funcionários. Muitas organizações dizem ter gente inovadora e estimular a inovação por meio de seus processos e suas filosofias. Mas elas podem não saber como impregnar as pessoas com a cultura da organização. Neste capítulo, identificamos algumas das mais inovadoras empresas do mundo e criamos um framework para ajudar você a ver como elas fazem isso.

Até que ponto sua organização ou equipe é inovadora?

Para obter um instantâneo do perfil de sua organização ou de suas equipes inovadoras, adote as seguintes pontuações (1 = discordo totalmente; 2 = discordo parcialmente; 3 = não concordo nem discordo; 4 = concordo parcialmente; 5 = concordo totalmente). Lembre-se de responder tendo por base pessoas, processos e filosofias que existem de fato em sua organização ou equipe, não como você gostaria que fossem.

Pessoas

1. Nossa organização ou equipe tem líderes com um conhecido histórico de geração de ideias inovadoras para novos processos, produtos, serviços ou negócios.

2. Nossa organização ou equipe avaliam cuidadosamente as competências de criatividade e inovação no processo de contratação?

3. Em nossa equipe ou organização, analisar as competências de criatividade ou de inovação de um funcionário é parte importante do processo de avaliação?

Processos

4. Nossa organização ou equipe se dedica frequentemente a *brainstormings* para gerar ideias fantásticas ou muito diferentes a partir de analogias com outros produtos, companhias ou indústrias.

5. Nossa organização ou equipe incentiva os membros da equipe a fazer perguntas que desafiam o status quo ou os meios convencionais de fazer as coisas.

6. Nossa organização ou equipe cultiva novas ideias dando às pessoas oportunidades frequentes de observar as atividades de clientes, competidores ou fornecedores.

7. Nossa organização ou equipe instituiu processos formais para trabalhar em rede fora da empresa a fim de encontrar novas ideias para processos ou produtos.

8. Nossa organização ou equipe adota processos que permitem fazer testes frequentes (ou pilotos) de novas ideias em busca de inovações.

Filosofias

9. Nossa organização ou equipe espera que cada um ofereça ideias criativas sobre como a empresa poderia mudar produtos, processos e assim por diante.

10. Em nossa organização ou equipe as pessoas não têm medo de correr riscos e falhar, porque a direção apoia e recompensa essa atitude.

Como obter o resultado do teste:
Some os pontos obtidos nas dez questões. O DNA inovador será muito alto se a soma dos pontos for 45 ou mais; moderado para alto, se ficar entre 35 e 40; moderado para baixo se for 30 a 34; baixo, se a soma ficar abaixo de 30. Esse modelo de teste rápido foi tirado de um estudo mais sistemático e amplo, preparado pelos autores para a equipe ou organização.

Como já mencionamos no começo deste capítulo, os capítulos 2 a 6 focalizaram a questão de como os inovadores fazem seu trabalho individualmente. Neste capítulo, sugerimos que o DNA do inovador tem algumas claras analogias e aplicações organizacionais. Achamos que há condições imperativas para sua aplicação no trabalho em equipe (nesse caso, os princípios são exigidos para ações individuais e organizacionais). Acreditamos nisso porque as fronteiras entre o que é uma organização e o que é uma equipe vêm se confundindo cada vez mais nesse mundo de rápidas mudanças, em que organizações como a Vodafone iniciam uma nova operação completa com equipes de doze pessoas. Isso é uma organização ou uma equipe? Para nós, é um clássico caso de ambas, já que uma organização é um conjunto de equipes e o DNA do inovador funciona bem em cada uma delas. Nos três capítulos seguintes, descrevemos em detalhe como organizações e equipes inovadoras constroem seu código de inovação com pessoas, processos e filosofias.

8

Como Colocar em Prática o DNA do Inovador

Pessoas

"A *inovação diferencia um líder de um seguidor*."

Steve Jobs

A CADA DIA, suas ações executivas podem ser o mais forte sinal para sua organização e sua equipe de que a inovação realmente importa. Nossas entrevistas com dezenas de executivos seniores de grandes organizações revelaram que, na maioria dos casos, eles não se sentiam pessoalmente responsáveis por sugerir inovações. Sentiam-se apenas responsáveis por "facilitar o processo" que possibilitasse a alguém da empresa fazer isso. Porém, nas empresas mais inovadoras do mundo, executivos seniores como Jeff Bezos (Amazon), Marc Benioff (Salesforce.com) e A.G. Lafley (Procter & Gamble) não estavam somente delegando a inovação – suas mãos mergulhavam fundo no processo inovador.

Como mostramos no capítulo 1, líderes de companhias inovadoras alcançavam um percentil de aproximadamente 88 no quesito de competências de descoberta (quociente de descoberta de 88%), mas somente 56 em competências de entrega. Quando perguntamos sobre suas baixas marcas em competência de entrega, os executivos inovadores responderam que não tinham tempo para tarefas de execução, ou não queriam perder tempo com elas. Seu foco era inovação, por isso se empenhavam em questionar, observar, trabalhar em rede e experimentar, o que produzia um grande efeito em suas organizações e equipes.

Assim como sobressaíam em matéria de DNA de competências inovadoras, eles valorizavam essas habilidades nos outros, de tal modo que as pessoas, dentro da organização, sentiram que alcançar posições no topo executivo exigia capacidade de inovação. Essa expectativa ajudou a fomentar o foco em inovação por toda a companhia.

Em contrapartida, uma amostra de executivos top *sem* um histórico pessoal em inovação mostrou um percentil, em média,

FIGURA 8-1

Matriz de competências de descoberta-entrega

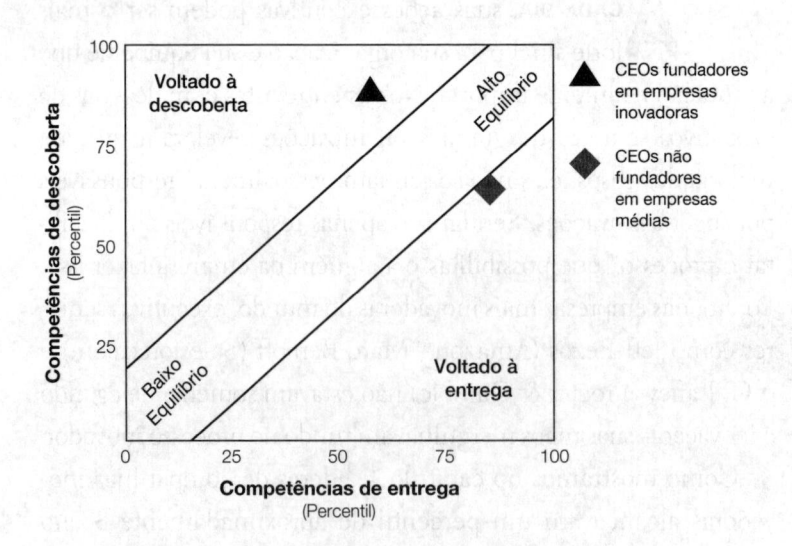

de 68 pontos em competências de descoberta, mas aproximadamente oitenta em competências de entrega. (Veja a figura 8-1). Eles estavam claramente acima da média em descoberta, mas não se caracterizavam por essa competência. Eram executivos *delivery-driven* (voltados à execução), que haviam galgado a pirâmide diretiva da empresa executando e dando resultados. Como passaram a ser modelos para subir dentro da empresa, outros que pretendiam alcançar postos mais elevados foram escolhidos por apresentarem competência similar. O efeito disso foi que as equipes diretivas de organizações menos inovadoras tinham baixo quociente de descoberta.

A performance da Apple liderada por Steve Jobs, quando comparada à gestão de outros líderes, ilustra perfeitamente esse conceito. (Veja figura 8-2.) De 1980 a 1985, período inicial de Jobs na Apple, o prêmio de inovação chegou a 37%, para depois cair para -30% em média entre 1985-1988, sem Jobs. A Apple abriu mão da inovação e os investidores perderam a confiança na capacidade de a empresa inovar e crescer. Quando Jobs voltou e

FIGURA 8-2

Prêmio de inovação na Apple Inc.

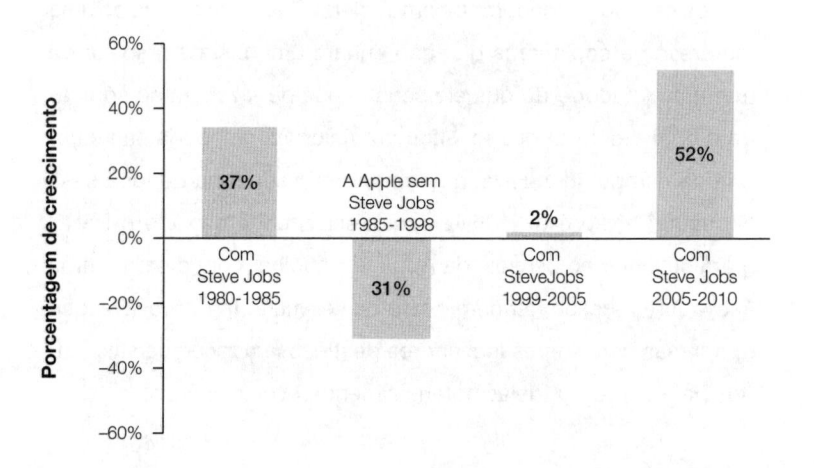

Por que líderes inovadores fazem a diferença

No capítulo 1, descrevemos como Jobs teve ideias-chave para o computador Macintosh (mouse e interface GUI) durante sua fundamental visita ao PARC da Xerox. Ele relembrou que "foi apresentado um gráfico rudimentar de interface com usuário. Não era completo, alguma coisa nem estava certa, mas o embrião da ideia estava ali. Em dez minutos, ficou óbvio que todo computador trabalharia desse modo algum dia".[a] Jobs ficou tão impressionado que levou todo o pessoal de sua equipe de programação para um tour pelo PARC e voltou à Apple determinado a desenvolver um computador pessoal que incorporasse e melhorasse as tecnologias que tinham visto ali. Para isso, reuniu um grupo de engenheiros brilhantes, deu-lhes os recursos necessários e infundiu na equipe Macintosh a visão de que, sim, era possível. Isso é o que um líder inovador faz.

Em contraste total, a equipe executiva da Xerox não teve as competências de descoberta necessárias para explorar tecnologias desenvolvidas em sua própria empresa. Como observou Larry Tesler, cientista do PARC, "depois de uma hora vendo as demonstrações, [Jobs e os programadores da Apple] entenderam nossa tecnologia e o que ela significava, mais que qualquer executivo da Xerox entendera depois de anos de demonstrações feitas para eles".[b] Jobs concordou com Tesler: "Eles eram chefes de uma empresa de copiadoras que não tinham uma pista a respeito de um computador e do que ele seria capaz de fazer, então só ficaram com a derrota que resultou na maior vitória obtida na indústria do computador. Hoje, a Xerox poderia ser dona de toda essa indústria".[c] Não é de admirar que Tesler tenha deixado o PARC para se juntar ao pessoal da Apple e trabalhar com e para outros inovadores. Pesou também o fato de ser muito mais provável que empresas com líderes inovadores destinassem recursos suficientes para perseguir ideias potencialmente revolucionárias.

a. 1994, entrevista de Steve Jobs à *Rolling Stone*, http://holykaw.alltop.
com/1994-rolling-stone-interview-of-steve-jobs

b. Robert X. Cringley, *Triumph of the Nerds*. Documentário da PBS, Nova
York, 1996.

c. Ibid

reestruturou a equipe de gerentes seniores com mais capacidade
de descoberta, a empresa começou a inovar outra vez, e precisou
de poucos anos para voltar aos trilhos, o que a levaria a saltar para
um prêmio de inovação de 52% entre 2005 e 2009.

De modo similar, a Procter & Gamble (P&G) teve um bom
desempenho como empresa inovadora antes de Lafley tornar-
-se o CEO em 2000, como mostra a média de 23% de prêmio
de inovação entre 1985 e 2000. Porém, o foco de Lafley na
inovação elevou a capacidade da empresa nessa área, condu-

FIGURA 8-3

Prêmio de inovação na Procter&Gamble

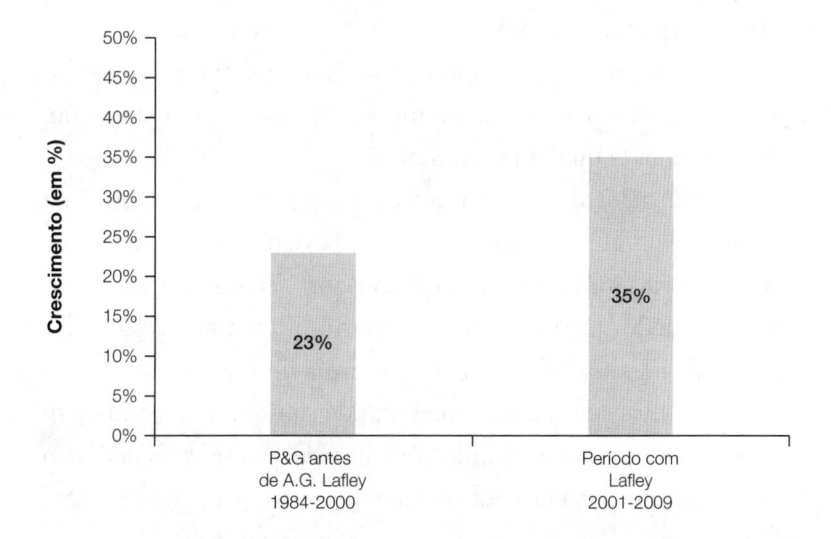

zindo-a a um prêmio de inovação de 35% em média, durante o período em que ele permaneceu na empresa, de 2001 a 2009. (Veja a figura 8-3.)

Muito conscientes, Lafley e outros líderes inovadores que estudamos deram exemplo ao imprimir comportamentos inovadores para ajudar a torná-los importantes a outras pessoas. "Lafley sempre se expôs nos mercados e queria interações com clientes", disse Gil Cloyd, membro de sua equipe de alta direção e ex-diretor de tecnologia. "Ele é genuinamente curioso sobre esse assunto, que se tornou importante porque não se trata apenas de representar um personagem a ser imitado, mas de uma curiosidade contagiante para descobrir como podemos proporcionar uma experiência cada vez mais agradável a nossos clientes e melhorar suas vidas de outra maneira." Por ver Lafley todos os dias em ação e saber quanto tempo ele gastava gerando novas ideias, sua equipe (e também a organização) acabou se concentrando em inovação. Lafley demonstrou que inovação não é um simples jogo individual, mas um poderoso esforço de equipe. "Você vai se lembrar do tempo em que ninguém sabia o que fazer e você chegava com algo que a equipe não imaginava que pudesse haver, ou de quando criava algo que as pessoas não pensavam que poderia ser criado", observou Lafley. "Quando isso acontece em sua empresa, nunca é só uma pessoa. É sempre um grupo, todos no mesmo barco, remando na mesma direção – isso é divertido. Especialmente quando você vence."

Os impactos desses prêmios de inovação sobre os CEO da Apple e da P&G refletem um ponto-chave de nossa pesquisa: se os executivos máximos quiserem inovação, eles precisarão apontar seus dedos para os outros e olhar profundamente para eles próprios. Eles têm de comandar a tarefa de inovar entendendo como a inovação funciona, melhorando suas próprias competências de descoberta e afiando suas habilidades para fomentar o desejo de inovação nos outros. Mais que isso, precisam "povoar" sua equipe e sua organização com pessoas de alto quociente de descoberta, para fazer da inovação um time vencedor.

Como montar uma equipe e uma organização com competências complementares

Embora seja importante povoar sua empresa com profissionais bons nas cinco competências de descoberta, não queremos dar a impressão de que pessoas voltadas à descoberta *(discovery-driven)* sejam tudo que importa em uma equipe ou empresa. O caminho mais rápido para uma organização morrer é parar de executar. Líderes com competência de descoberta precisam de gente voltada à entrega *(delivery-driven)* com grande capacidade de execução. Líderes de equipes inovadoras compreendem sua constelação de competências de descoberta e de entrega e compensam suas *fraquezas* com a força de outras pessoas.

Exemplo: durante sua muito bem-sucedida passagem pela Dell Computer, entre 1990 e 2005, Michael Dell engajou-se em um constante cabo de guerra entre descoberta e entrega com o presidente da empresa na época, Kevin Rollins. Dell relembra:

> Eu dei um Curious George* de pelúcia para Kevin fazer perguntas a ele, para ser um pouco mais inquisitivo. Kevin retribuiu dando-me um brinquedo, um pequeno trator dirigido por uma garotinha com um largo sorriso no rosto. Às vezes, eu ficava entusiasmado com uma ideia e começava a trabalhar nela. Kevin pôs o trator em minha mesa, o que era uma deixa para eu dizer: "Espere um momento, preciso empurrar isso mais para a frente, pensar em resolver outros problemas e ir um pouco mais devagar nessa grande ideia em que estou trabalhando". Não usamos, geralmente, esse tipo de artifício, eram somente brincadeirinhas sutis entre nós.

---

* N. da T.: personagem de filme de animação muito popular entre as crianças nos Estados Unidos

Competências de descoberta complementares podem impulsionar a inovação

Descobrimos, acidentalmente, algo a respeito da composição de equipes inovadoras depois que Ross Smith, diretor da Windows Core Security, na Microsoft, e Dan Bean, membro da equipe da Microsoft Defect Prevention (DP), nos chamaram para falar sobre equipe de inovação. Smith havia comandado cerca de setenta equipes, com quatro a oito pessoas, trabalhando em várias questões relacionadas com a segurança do Windows, e observou que uma daquelas equipes, a de seis pessoas do DP, vinha sendo a mais inovadora nos últimos cinco anos. A equipe havia sido pioneira em várias inovações, mas talvez a mais valiosa delas tenham sido os engenhosos "jogos de produtividade" para estimular os usuários a dar *feedback* sobre os produtos-chave da Microsoft.

Os membros da equipe da DP haviam criado jogos fantásticos para apresentar cada um dos diálogos da Microsoft em uma linguagem diferente a pessoas de diferentes idiomas. Para obter *feedback*, mandaram o jogo para milhares de funcionários da Microsoft que falavam outros idiomas que não o inglês, como o chinês e o eslovaco. Quando jogavam, os usuários recebiam uma caneta colorida eletrônica para marcar os erros de linguagem e arrastá-los para um punhado de "não bons" (e ganhavam pontos extras por isso). Podiam digitar também comentários quando faziam essa operação de arrastar os erros. "Esses 'jogos de produtividade' causaram grande impacto", contou-nos Smith. "Economizamos milhões de dólares e melhoramos a qualidade a um nível que jamais havíamos visto antes."

Smith queria entender melhor por que essa equipe mostrava maiores resultados em inovação do que outras com engenheiros de software igualmente talentosos. Uma resposta, acreditava Smith, poderia estar no fato de a equipe da DP ter desenvolvido um alto nível de confiança mútua, graças ao esforço ativo e focado. Outro importante ingrediente – notado primeiramente por Bean, membro da equipe – era que os integrantes da equipe pareciam ter competências complementares de descoberta. Então, testamos e confirmamos a hipótese de Bean com nosso método de avaliação 360 graus do DNA do inovador.

Descobrimos que cada membro da equipe era acima da média em uma diferente competência de descoberta. Smith era expert em associar, Bob Musson, em questionar, Bean, em questionar e observar, Joshua Williams, em trabalhar em rede e Harry Emil, em experimentar. Em consequência, a equipe apresentava uma aptidão extremamente alta para a descoberta coletiva, graças aos membros com competências de descoberta complementares. Resumindo, a equipe alcançava as mais elevadas sinergias em descobertas porque seus membros ofereciam novos inputs por meio de diferentes competências de descoberta. "Tudo que sabemos", diz Bean, "é que as discussões que tivemos na equipe são as mais criativas e estimulantes de que participo na Microsoft. E isso faz com que seja divertido trabalhar nessa equipe." Colabora, também, saber que o líder de equipe, Smith, de acordo com os que participam dela, seja alguém que "confia em sua gente", "incentiva as pessoas a vir com novas ideias e a correr riscos", "valoriza pensadores independentes", "incentiva e inspira novas ideias", "evangeliza o trabalho dos outros e tem a tendência de minimizar sua própria contribuição". Smith tem feito exatamente o que um bom líder faz visando criar um espaço seguro para que outros inovem (veja mais sobre isso no capítulo 9).

Além da Microsoft, notamos padrões similares em outras equipes altamente inovadoras. Quando existem competências de descoberta complementares, a riqueza da diversidade de competências aumenta a capacidade de inovar. Como consequência, a capacidade de a equipe gerar novas ideias ultrapassa a habilidade de qualquer um de seus membros, individualmente, ou de outra equipe, quando seus integrantes sobressaem na mesma competência de descoberta (por exemplo, quando o trabalho em rede é a fonte primária de novas ideias para todos os membros da equipe). Quando diferentes membros da equipe brilham em diferentes competências de descoberta, podem aprender mais um com o outro, criando sinergias inovadoras adicionais.

Rollins agradeceu o fato de ele e Dell terem desempenhado papéis diferentes, dizendo para nós: "Michael tem mais essência empresarial. Tem uma ideia por dia, por hora. Em uma grande empresa, você não pode trabalhar em uma ideia por dia. E sou eu que governo o motor da inovação".

De modo similar, Pierre Omidyar, da eBay, estava consciente de que ele era forte em descoberta, mas fraco em execução. Sabendo que precisava de gente forte em competências de execução em sua equipe, convidou Jeff Skoll, MBA pela Stanford, para juntar-se a ele. "Jeff e eu tínhamos muitas competências complementares", contou-nos Omidyar. "Eu fazia mais trabalho criativo

FIGURA 8-4

**Como equilibrar competências de descoberta
e de entrega em uma equipe ou organização**

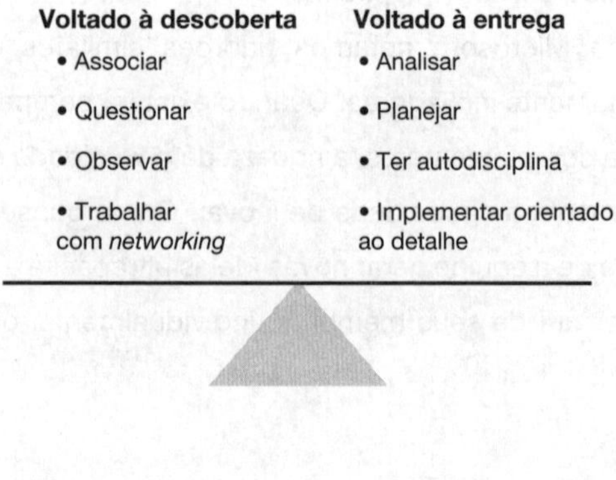

Voltado à descoberta	Voltado à entrega
• Associar	• Analisar
• Questionar	• Planejar
• Observar	• Ter autodisciplina
• Trabalhar com *networking*	• Implementar orientado ao detalhe

FIGURA 8-5

Composição das competências desejadas em diferentes tipos de equipes

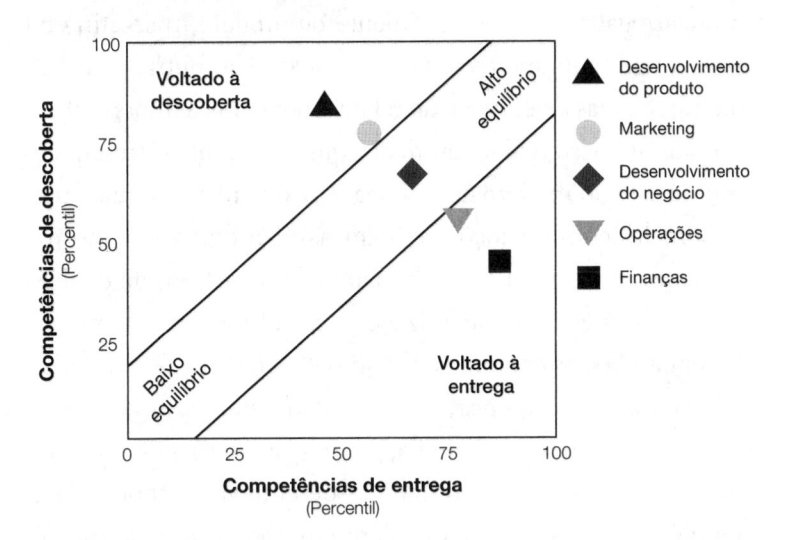

desenvolvendo o produto e resolvendo problemas relacionados a ele, enquanto Jeff se dedicava ao lado mais analítico e prático das coisas. Ele era o único que ouviria uma ideia minha e diria: 'Ok, vamos resolver como fazer isso'." Omidyar compreendeu o poder das competências complementares quando montou uma equipe de gerenciamento de alto nível na eBay.

A conclusão dessas histórias é que a inovação bem-sucedida requer habilidade para gerar novas ideias e habilidade para executá-las com a equipe. Os dois conjuntos de competências são necessários. Líderes inteligentes sabem disso e pensam com apuro na composição da equipe, garantindo que ele seja suficientemente equilibrado em termos de competências de descoberta e de entrega. A figura 8-4 mostra competências de descoberta e de entrega "em equilíbrio" em uma equipe. Mas é bom lembrar que o equilíbrio perfeito não é, necessariamente, a solução perfeita.

Às vezes, as competências de descoberta devem pesar mais fortemente em uma equipe, ou na organização inteira (durante o estágio de fundação de uma organização, ou se a equipe estiver encarregada do desenvolvimento de produto, marketing ou outras tarefas para incrementar o negócio). Em outras ocasiões, as competências de entrega são relativamente mais importantes e poderiam ter peso maior dentro da equipe (durante o crescimento ou no estágio maduro de um negócio, ou em áreas funcionais relacionadas com operações e finanças). Na figura 8-5, mostramos a *média* desejável do perfil para diferentes tipos de equipes de alto rendimento em organizações (cada time têm, em média, 70% em ambos os conjuntos de competências).

As pessoas das equipes de desenvolvimento de produto e de marketing devem ter, em média, pontuações mais altas em competências de descoberta do que nas de entrega (embora contar com alguns membros que excedam em execução pode funcionar melhor). Em contraposição, o pessoal das equipes de finanças e operações precisa pontuar, em média, mais alto em competências de entrega do que nas de descoberta (não é má ideia ter um pouco de gente forte em descoberta nesse mix). O segredo é conhecer primeiro o tipo de competência de cada membro da equipe, e depois resolver como combinar forças complementares em uma equipe para gerar ideias impactantes.

A importância relativa de competências de descoberta e de entrega em uma determinada equipe varia de acordo com o papel que ela desempenha no funil de inovação (ou ciclo de inovação). Por exemplo, na BIG, companhia que utiliza o modelo de negócio do show de TV *American Idol* para encontrar inventores e colocar seus produtos no mercado, o CEO Mike Collins quer um mix diferente de competências de descoberta e de entrega em cada etapa do funil de inovação.

A primeira etapa na BIG é de "geração de ideias", quando a organização busca ideias inovadoras de inventores em todo o mundo. A empresa se empenha em "caçar grandes ideias" por meio de *road shows* em diferentes cidades, solicitações por internet e *newsletter*, além de conexões com grupos de inventores profissionais. Ao longo do tempo, a BIG desenvolveu uma rede de relações de inventores profissionais que toca seus próprios produtos e também os de seus clientes. A BIG ganha dinheiro pegando as ideias dos inventores para negociar no mercado, usando seu *network* para propor novas ideias de produtos para clientes específicos que desejam produtos diferentes vindos de fora de suas empresas. As empresas terceirizam o desenvolvimento de novos produtos contratando a BIG para esse serviço, da mesma forma que terceirizam os desenhos de produtos inovadores contratando a IDEO.

Na segunda etapa, chamada de "winnowing"*, Collins convida (e paga) pessoas com fortes competências de descoberta para participar de um painel com a finalidade de ouvir as ideias dos inventores e avaliar quais podem se converter em produtos com potencial mercadológico. Por um longo tempo, ele aprendeu que o painel funciona melhor quando inclui pessoas com fortes competências de descoberta, porque elas enxergam para além da ideia inicial, na busca de meios para melhorá-las. "Em uma ocasião, estávamos avaliando ideias para novos brinquedos e convidamos um executivo sênior de *merchandising* de uma grande empresa de varejo para participar", contou-nos Collins. "Mas foi inútil, porque tudo que ele podia fazer era analisar por que uma ideia não iria funcionar." Ele era um executor, e, nessa etapa da avaliação, você precisa de pessoas que possam encontrar formas criativas de fazer uma ideia funcionar." A experiência de Collins sugere que as duas primeiras etapas do funil de inovação precisam de pessoas muito fortes em descoberta, mas essas competências tornam-se menos críticas nas etapas três e quatro.

A terceira etapa é a do "refinamento", quando a ideia é testada para saber se poderá funcionar no mercado. Designers e enge-

---

* N. da T.: Em tradução livre, significa "separando o joio do trigo".

nheiros colaboram para ajudar a projetar e construir protótipos do produto. Os profissionais de marketing pesquisam para saber se existe um mercado considerável para o produto. Especialistas em manufatura (geralmente da China) analisam os custos de fabricação de acordo com diferentes volumes. Essas tarefas exigem competências estelares em execução, mas, mesmo nessa etapa, Collins e outros com fortes competências de descoberta desempenham um papel crítico na busca de adaptações inovadoras para o produto, tornando-o cada vez mais desejável aos consumidores.

A quarta etapa é "capturar valor", quando o produto é lançado no mercado. Embora essa etapa ainda se concentre em fabricar, fazer o marketing, distribuir e vender o produto, as competências para a descoberta podem gerar valor enquanto a BIG procura meios inovadores de fabricação, marketing (marca), distribuição e venda (preço) do produto. "Você pode encontrar meios inovadores em qualquer etapa do processo de inovação", diz Collins. De fato, a BIG é inovadora nessa etapa do funil de inovação, usando, para sua linha de produtos de inventores, uma variedade de canais de distribuição maior que a de uma empresa típica.

No início, as buscas da BIG por ideias de novos produtos se concentraram em brinquedos. Assim que passou pelas três primeiras etapas de procura e desenvolvimento de uma nova ideia, ela se deparou com a seguinte questão: qual é a melhor forma de capturar valor com esse produto (na manufatura, no marketing, na venda)? Alguns novos brinquedos foram bem com a Toys "R" Us, o varejista em quem você pensaria como o melhor canal para esses produtos. Nesses casos, a BIG mandava fabricar na China e deixava que a Toys "R" Us trouxesse os brinquedos de lá. Porém, melhor do que contar apenas com a Toys "R" Us, ou o Walmart (o hipermercado que mais vende brinquedos nos EUA), a BIG considerou que algumas novas ideias de brinquedos eram mais apropriadas para a Learning Company, a Basic Fun, o catálogo da *National Geographic*, a QVC, a Brookstone (brinquedos para adultos) e vários outros canais. Licenciou ideias de brinquedos para a Hasbro, a Mattel e outros fabricantes mais bem posicionados para colocar determinados produtos no mercado, por causa de seus processos e recursos peculiares. Em resumo, a BIG era muito mais inovadora, na etapa final do funil de inovação, do que empresas de brinquedos como a Mattel, que basicamente entrega todos os seus produtos para gigantes do varejo como Toys "R" Us e Walmart.

A questão é que, embora precise de mais competências de descoberta nas etapas iniciais dos processos de inovação, você terá de abastecer (ou pelos menos salpicar) cada equipe da organização – a cada etapa do funil de inovação – com gente que tenha fortes competências de descoberta.

O valor da complementaridade humana, da técnica e da *expertise* empresarial

É importante garantir que as equipes tenham competências complementares de descoberta e de entrega, mas montar equipes multidisciplinares – compostas de pessoas com profunda *expertise* em diferentes disciplinas – também conta muito para a inovação da empresa. Para ilustrar, considere que a IDEO, a mais "quente" empresa de projetos inovadores do mundo (ganhou duas vezes mais o Industrial Design Excellence Awards que qualquer outra), monta equipes de design inovadoras, encarregadas de criar projetos de produtos inovadores ou novos conceitos de serviço.

Em geral, a IDEO monta equipes multidisciplinares de pessoas que são *T-shaped* em termos de *expertise*: profundo em uma área de *expertise* e raso em múltiplas áreas de conhecimento (como está descrito no capítulo 2). Claro que, em se tratando de uma empresa de design, todas as equipes da IDEO têm membros com significativa *expertise* nessa área. Entretanto, as equipes da IDEO também procuram pessoas com *expertise* em um dos três domínios: "fatores humanos" (para determinar a *conveniência* de

A falta de inovação empresarial pode asfixiar a inovação tecnológica

Há poucos anos, Clayton Christensen recebeu a visita de um pequeno grupo de executivos da área de tecnologia da 3M que se mostrava frustrado porque as inovações não chegavam ao mercado em razão da falta de inovação das empresas. A 3M era considerada há tempos como uma empresa inovadora, e Christensen a conhecia bem, já que a havia visitado inúmeras vezes para entender como a inovação funcionava lá. Ele acabou por descobrir que a área de pesquisa e desenvolvimento da 3M aplicara os princípios da inovação descritos neste livro. Isso a levou a contratar pessoas com *expertise* variada e profunda, conectadas com outras com *expertise* em tecnologia, e a adotar filosofias de estímulo para o comportamento inovador.

Então, qual o problema que levou a equipe da 3M a procurar Christensen? Eles lhe mostraram uma sacola para presente, diferente de tudo que ele já havia visto. Olhando direitamente para ela, a cor era púrpura, mas, vista de outro ângulo, era cor-de-rosa. O interior era de um branco brilhante. Por usar tecnologias que permitiam aos polímeros absorver ou repelir comprimentos de onda, a equipe criou uma sacola de presentes que podia literalmente mudar de cor. Parecia uma coisa notável, mas a equipe não estava nada animada com isso. "A corporação não quer colocar esse produto no mercado", disseram eles. "Não tem mercado grande o suficiente."

Para Christensen, era uma sacola incrível. O mercado para esse tipo de produto poderia ser amplo. O mercado mundial para sacolas e caixas para presente soma bilhões de dólares, mas as margens de lucro nesse segmento são de apenas 30%, contou ele.

A margem de lucro usual da 3M é 55%, e a tesouraria não financiava o lançamento de produtos com margens menores, o que levava à questão: em quanto a equipe precisaria aumentar o preço das sacolas para alcançar a margem de 55%? A resposta era que se o preço aumentasse, o mercado ficaria resumido a um pequeno nicho que não interessaria à 3M. O desafio era encontrar uma forma proveitosa de colocar esse produto inovador no mercado, embora a empresa não buscasse inovação na área comercial como fazia na da tecnologia. Ela havia criado regras sobre o lançamento de produtos, mas não previa inovações no lado da comercialização e como financiar ou não o lançamento de um novo produto.

Observamos esse desafio em outros lugares. Empresas relegavam a inovação ao departamento de P&D (pesquisa e desenvolvimento), em que as pessoas podiam inovar, enquanto os que cuidavam do lado da comercialização podiam somente executar e ignorar o desafio da inovação. O resultado (na 3M e em outras empresas) é que a falta de inovação comercial pode sufocar a inovação tecnológica. Não é surpresa que isso possa esvaziar a área de P&D do negócio. Mais ainda, a empresa pode perder oportunidades de ruptura que não perderia se fosse apenas um pouco mais inovadora na fabricação, na distribuição, no marketing e nos preços, ou se destinasse recursos a um produto.

uma ideia inovadora), "fatores técnicos" (para avaliar a *praticalidade* de uma ideia inovadora) e "fatores comerciais" (para avaliar a *viabilidade* e a lucratividade da ideia).

Primeiramente, a IDEO inclui um especialista em fatores humanos na equipe, alguém com um *background* em uma das ciências comportamentais, como a antropologia ou a psicologia cognitiva. Essa pessoa contribui com percepções (*insights*), da perspectiva do usuário, sobre a conveniência de um novo produto ou serviço. Esse especialista organiza as observações de clientes para compreender o trabalho a ser feito e obter a empatia do usuário. Quando, por exemplo, o trabalho é projetar uma cadeira de rodas ou um serviço para uma pessoa com deficiência, esse especialista em fatores humanos pode fazer o pessoal da equipe gastar um dia experimentando como é o mundo de um cadeirante. Para ganhar percepções e empatia a partir da vivência do usuário, o especialista em fatores humanos traz percepções sobre a *conveniência* de um novo design inovador. Essa perspectiva é importante nas etapas iniciais do design de um novo produto ou serviço.

Os especialistas em fatores técnicos trazem uma profunda experiência em várias tecnologias, que a equipe pode empregar no projeto de um novo produto ou serviço. Eles, provavelmente, têm um *background* científico ou de engenharia, importante para que a equipe possa lançar mão das tecnologias *exequíveis* para o projeto de um novo produto ou serviço em particular. Esses especialistas são fundamentais depois que a equipe já identificou as necessidades dos usuários (ou seja, o trabalho a ser feito) e, então, vai buscar as tecnologias e decidir quais utilizar para obter a melhor solução.

As pessoas com fatores comerciais trazem a experiência necessária para decidir se o projeto de um novo produto ou serviço inovador se provará *viável* no mercado. Elas têm *background* comercial, com um Master in Business Administration (MBA) e experiência em operações, marketing ou finanças. Naturalmente, essa *expertise* torna-se mais relevante nas últimas etapas do processo de inovação, quando a equipe precisa determinar a melhor forma de fabricar, distribuir, promover e precificar o produto para obter lucro.

Ao enriquecer as equipes com experiência complementar, a IDEO pode observar melhor o problema, de vários ângulos, para descobrir um novo produto ou serviço que seja *desejável*, *praticável* e *viável*. Não surpreende que ela gere tantas inovações bem-sucedidas.

Como a IDEO, a Apple esbanja inovação enchendo seus postos de trabalho com pessoas que apresentam diferentes tipos de experiência. "Parte do que tornou o Macintosh tão bom é que os profissionais que trabalharam nele eram músicos, poetas, artistas, zoólogos e historiadores, além de serem os melhores cientistas de computação", disse, certa vez, Jobs. "A Apple é capaz de criar produtos como o iPad, porque sempre buscamos juntar tecnologia e artes liberais, de maneira a obter o melhor de ambas."[1] O essencial é que as empresas inovadoras selecionem um mix de pessoas que tenham competências complementares de descoberta e de entrega, e também *expertise* variada e diversidade de *background* para ver os problemas sob diferentes prismas.

* * *

Em resumo, as empresas mais inovadoras no mundo têm líderes que compreendem a inovação pessoalmente. Eles se encarregam da inovação com um alto quociente de descoberta e contribuem regularmente com ideias para a empresa. Como se queixou para nós um chefe voltado à entrega, "você não pode ser inteiramente executivo e esperar que as pessoas sejam inovadoras. Desse jeito não funciona". Empresas inovadoras encontram maneiras de contratar pessoas voltadas à descoberta, que têm um histórico de inovação e um forte desejo de mudar o mundo. Quando se tem um grande número de pessoas voltadas à descoberta, e criam-se as bases para fortes sinergias inovadoras, como as voltadas à descoberta e à entrega, as pessoas interagem bem o suficiente para aprender e se apoiar mutuamente. Equipes inovadoras (e empresas) funcionam melhor quando os descobridores apreciam o papel fundamental das pessoas que têm fortes competências de execução (e vice-versa), especialmente em equipes supridas com pessoas dotadas de competências complementares. Por fim, empresas inovadoras que contratam e suprem as equipes com pessoas de diferentes tipos de *expertise*, de preferência com um perfil do tipo T (*T-shaped*), perceberão que seu pessoal pode observar e resolver problemas a partir de inúmeros ângulos.

9

Como Colocar em Prática o DNA do Inovador

Processos

"Pouco importa se você nos dá uma escova de dentes, um trator, uma nave espacial ou uma cadeira; nós queremos descobrir como inovar com a aplicação de nossos processos."

David Kelley

NOSSA PESQUISA COM AS MAIS inovadoras empresas do mundo revela que o DNA de organizações dessa categoria refletem o DNA de indivíduos inovadores. Assim como pessoas inventivas se põem a questionar, observar, trabalhar em rede e experimentar para provocar novas ideias, as organizações inovadoras desenvolvem processos para estimular essas mesmas competências em seus empregados. Elas contam ainda com processos sistemáticos para encontrar pessoas com fortes competências de descoberta, capazes de florescer em ambientes que adotam essas competências. Como descrevemos no capítulo 7, os processos organizacionais refletem uma resposta a tarefas recorrentes que, ao serem usadas com frequência, transformam-se em receitas garantidas para resolver determinados problemas.

Porém, processos para ajudar as organizações a gerar inovação (como novos processos, produtos, serviços ou ideias de comercialização) precisam ser amplamente entendidos e empregados por toda a organização (não apenas por um fundador inovador ou por um pequeno grupo de pessoas inovadoras). Neste capítulo, discutimos como as organizações inovadoras encontram pessoas com nível de excelência para a descoberta, e depois examinamos os processos que estimulam – e até exigem – empregados que perguntam, observam, se relacionam em rede e experimentam.

Como organizações inovadoras encontram pessoas voltadas à descoberta

Líderes de organizações altamente inovadoras sabem quão crítica é a necessidade de atrair pessoas criativas se a empresa esperar para compor um quadro de inovadores de alto nível. Como declarou Steve Jobs certa vez, "na maior parte das coisas da vida, a faixa dinâmica entre média qualidade e a melhor qualidade é, em geral, bitonal. Mas, no campo em que estou interessado – originalmente projeto de hardware –, notei que a faixa dinâmica entre o que uma pessoa média e a melhor pessoa poderiam realizar era de 50 ou 100 por 1. Sendo assim, entenda que você deve ir atrás do melhor do melhor. É isso que fazemos. Uma equipe de jogadores A+ pode ganhar de goleada de uma equipe de jogadores B e C. É isso que tento fazer." Então, como as empresas altamente inovadoras encontram empregados na faixa A+ para a inovação? Elas procuram especificamente profissionais que:

1. Apresentem um histórico de fortes competências de descoberta (que tenha, por exemplo, inventado alguma coisa).

2. Tenham profunda *expertise* em, pelo menos, uma área de conhecimento e mostrem certa amplitude em algumas outras (como o perfil de conhecimento de inovadores tipo T (*T-shaped*) como vimos no capítulo 2).

3. Mostram um profundo desejo de mudar o mundo e de fazer a diferença.

Se empresas quiserem ideias inovadoras de seus funcionários, precisam buscar obsessivamente o potencial de inovação do candidato no processo de contratação. A maioria das empresas não faz isso, mas as altamente inovadoras, sim. De maneira explícita, buscam candidatos com competências criativas e inovadoras. Richard Branson, da Virgin (número 16 na lista da *Business Week*[*]), inovou em uma das seis características importantes que a empresa avalia quando seleciona novos empregados.

Para ser contratado pela Virgin, o candidato precisa demonstrar "paixão por novas ideias", tem de "exibir claramente sua criatividade" e mostrar "um histórico de quem pensa diferente". A Virgin descreve seu pessoal como fácil de reconhecer. "Eles agem de maneira incomum, único modo de fazer alguma coisa. Mas não é nada forçado – é natural. São honestos, atrevidos, questionadores, divertidos, disruptivos, inteligentes e inquietos." Ao procurar profissionais com todas essas características – e que pensam de maneira diferente –, a Virgin aumenta a probabilidade de ter um time de inovadores em todos os níveis.

O Google (número dois na lista da *Business Week* e oito em nossa lista) desenvolveu várias técnicas inovadoras para encontrar candidatos ao mesmo tempo brilhantes e curiosos. A empresa propôs um teste (o Google Labs Aptitude Test – GLAT) com 21 questões, um modo um tanto engraçado de selecionar novos empregados. Algumas questões tinham o propósito de avaliar a habilidade quantitativa (uma delas: "De quantos modos diferentes você pode colorir um icosaedro com três cores em cada face?" Dica: a resposta é 58.130.055). Outros testes são preparados para medir a criatividade e o senso de humor: "Em sua opinião, qual é a mais bela equação matemática jamais derivada?". Outra diz:

---

[*] N. da E.: Essa posição refere-se ao momento em que o livro estava sendo escrito.

"Espaço deixado em branco intencionalmente. Por favor, preencha-o com alguma coisa que aumente o vazio". As pessoas que não têm paciência com essas frivolidades ficam irritadas ao ler isso. As que entendem a questão e acham que ela é engraçada e desafiadora são exatamente as que o Google quer contratar.

Outra técnica inovadora para encontrar candidatos é o Google Code Jam. Lançada em 2003, a técnica é uma espécie de concurso de resolver problemas em determinado tempo, em que todos os participantes competem online para resolver o mesmo problema num mesmo tempo. O vencedor leva um prêmio de US$10 mil e uma oferta de emprego. No Code Jam do Google de 2006, o prêmio foi a oferta de trabalho para os melhores 20 finalistas. Claro que ser um dos 20 primeiros não é pouca coisa, considerando-se que 21 mil candidatos do mundo todo participaram da competição. Com esse concurso, o Google selecionou 21 mil pessoas em busca de trabalho em questão de dias, usando um método quase totalmente automatizado. O fato de haver vencedores do Code Jam da Rússia, da Polônia, da China mostra que o Google consegue atrair talentos globais (candidatos de 125 países participaram do Code Jam de 2010). Enquanto as primeiras rodadas classificatórias testavam exaustivamente a velocidade com que uma pessoa resolvia problemas de programação de computador, a fase final, feita com uma centena de finalistas na sede do Google, desafiava os participantes a demonstrar mais pensamentos inovadores. Cada participante tentava quebrar o código de programação dos demais, num processo muito bem-sucedido, que permitiu ao Google encontrar programadores talentosos, apaixonados por programação e desejosos de trabalhar para a empresa.

Um tema comum à maioria das empresas mais inovadoras era "caçar" pessoas que haviam inventado alguma coisa, adquirido profunda *expertise* em alguma área específica do conhecimento e demonstrado paixão pela ideia de mudar o mundo por meio de excelentes produtos e serviços. A Amazon enviou um poderoso sinal a todo candidato com potencial de ser contratado de que ela esperava e valorizava a invenção ao perguntar-lhes se haviam inventado alguma coisa. A IDEO (frequentemente na lista da *Business Week* das 25 empresas mais inovadoras, mas não em nossa lista, por ser uma empresa de capital fechado) procura pessoas com conhecimento profundo, seja em psicologia, antropologia, design, engenharia ou qualquer outra área, em parte porque isso revela que são apaixonadas por alguma coisa. A Apple busca talentos A+ quando vai atrás de pessoas com um reconhecido histórico de excelência. "Nós queremos empreendedores, colaboradores de alta energia que definiram seu papel com o que já deram de contribuição e não com o que seus títulos possam representar", disse Sharon Aby, antigo recrutador da Apple. "A principal qualidade: expectativa de excelência. Como recrutadores, não baixamos a guarda. Lutei contra alguns dirigentes que queriam preencher rapidamente uma função para dar andamento a um projeto, mas se tivesse de levar seis meses para encontrar o melhor, eles teriam de esperar. Procurávamos gente com vontade de criar coisas novas. Nosso lema era: 'Surpreenda-me'."[1]

Processos que refletem as competências de descoberta de inovadores de ruptura

Empresas altamente inovadoras têm uma cultura que reflete a personalidade e o comportamento dos líderes, ou seja, líderes inovadores marcam seus comportamentos pessoais como processos no interior da empresa. Veja a seguir alguns exemplos de como tais líderes institucionalizam processos para estimular o questionamento, a observação, o relacionamento em rede e a experimentação em suas organizações.

Processo de descoberta #1: Questionar

Quem trabalha em atividade industrial já deve ter ouvido falar de produção enxuta ou Sistema Toyota de Produção (STP),

Processos podem transformar players B em players A (e vice-versa)

Jobs havia dito que a Apple sempre buscava players A+. Foi um ótimo conselho, mas será que todas as empresas procuram fazer isso? E se você não puder atrair gente desse nível? E, ainda que consiga, qual a garantia de que terão desempenho de A+? Um estudo intrigante de Boris Groysberg, Ashish Nanda e Nitin Nohria, de Harvard, fornece algumas respostas interessantes para essas questões.[a] Durante um bom tempo, eles estudaram o desempenho de analistas de bolsa, particularmente as "estrelas" do ramo que saíram para uma empresa diferente. Esses analistas foram identificados por *rankings* feitos pelo *Institutional Investors* e baseados em critérios como estimativas de ganhos, escolha de ações e relatórios escritos. Analistas com as mais elevadas posições nos *rankings* entregavam previsões mais acuradas sobre o mercado de ações e seus relatórios produziam mais impacto sobre as cotações da bolsa. Os mesmos analistas de alto nível que se transferiram para uma empresa com processos e recursos menos efetivos experimentavam um declínio imediato em seu desempenho, que durava pelo menos cinco anos. As estrelas da profissão que se movimentavam entre empresas com processos e recursos *equivalentes* também tinham uma queda de rendimento, mas apenas durante dois anos. Então, os recursos e processos de uma empresa têm um papel importante no desempenho desses profissionais. Os pesquisadores concluíram que algumas empresas, como a Stanford Bernstein, eram muito mais bem-sucedidas no crescimento de estrelas do ramo, por causa de processos-chave que estabeleceram para treinar, qualificar e dar apoio a analistas. As conclusões dos pesquisadores eram consistentes com um estudo de 2.086 dirigentes de fundos mútuos, segundo o qual 30% do resultado desses fundos podiam ser atribuídos à atuação individual, enquanto 70% eram devidos à instituição.

> A maioria de nós tem uma fé instintiva em talento e genialidade, mas não são apenas pessoas que fazem a organização ter bom desempenho. A própria organização – seus processos e filosofias – podem fazer também as pessoas ter melhor desempenho. Empresas podem transformar pessoas B em pessoas A – ou, no sentido contrário e ruim, A em B – dependendo de seus processos e recursos de inovação.
>
> a. Boris Groysberg, Ashish Nanda e Nitin Nohria, "The Risky Business of Hiring Stars", *Harvard Business Review* (maio de 2004).

como é conhecido na indústria automobilística. O agora famoso sistema foi uma inovação para queimar etapas nas técnicas de produção em massa criadas por Henry Ford. Embora a Toyota (número quatro* na lista da *Business Week*) tenha sabidamente tropeçado em termos de qualidade em 2009, sua inovação original elevou-a à posição de líder mundial do setor automotivo, durante décadas, tanto em receitas como em lucros. Taiichi Ohno, antigo engenheiro da montadora, conhecido como o arquiteto do STP, estabeleceu um processo de cinco perguntas no coração de seu inovador sistema de produção, adotado, com variações, por muitas das empresas mais inovadoras do mundo.

O método das cinco perguntas sugere que, diante de um problema, você se pergunte *por quê?* pelo menos cinco vezes para desvendar as causas e iluminar a mente com ideias de soluções inovadoras. Em 2004, por exemplo, Bezos visitava um centro de distribuição da Amazon quando ficou sabendo de um incidente de segurança: um colaborador teve um dedo seriamente ferido pela esteira transportadora. Bezos foi imediatamente ao local do ocorrido e fez as perguntas dos cinco porquês para chegar à raiz da causa do problema:

---

* N. da E.: essa posição refere-se ao momento em que o livro estava sendo escrito.

Pergunta 1: Por que o colaborador feriu o dedo?

Resposta: Porque seu polegar foi pego pela esteira.

Pergunta 2: Por que seu polegar foi pego pela esteira?

Resposta: Porque ele estava apanhando sua bolsa na esteira transportadora em movimento.

Pergunta 3: Por que a bolsa estava na esteira e por que ele estava correndo para pegá-la?

Resposta: Porque ele colocou a bolsa na esteira e, surpreso, virou-se rapidamente.

Pergunta 4: Por que a bolsa estava na esteira?

Resposta: Porque ele a usou como se fosse uma mesa.

Pergunta 5: Por que ele usou a esteira transportadora como mesa para sua bolsa?

Resposta: Porque não havia nenhum lugar perto de seu posto de trabalho para colocar a bolsa ou outros itens de uso pessoal.

Bezos e seu pessoal determinaram que a raiz do acidente que lesionou o polegar do colaborador era a falta de um lugar para colocar sua bolsa, e, não tendo uma por perto, ele usou a esteira como mesa. Para eliminar futuros incidentes, a equipe providenciou mesas portáteis, leves, para os postos de trabalho, e treinamento para alertar os funcionários sobre os perigos das esteiras transportadoras. Embora se tratasse de uma inovação menor, um membro da Amazon, Pete Abilla, disse que foi uma experiência transformadora "que eu trago comigo desde aquele dia". Abilla desfiou, então, uma série de coisas que aprendeu:

1. "Bezos preocupou-se com o colaborador horista e com sua família a ponto de despender tempo discutindo a sua situação.

2. Ele aplicou com propriedade o exercício dos cinco porquês para chegar à raiz da causa: não culpou nenhuma pessoa ou grupos (não permitiu dedos acusadores).

3. Ele envolveu um grande grupo de interessados e chegou à raiz da causa (a solução).
4. Ele é fundador e CEO, mas se colocou na situação de seus empregados".

"Naquela simples ocasião, ele ensinou todos nós a ter foco na raiz das causas", diz Abilla. "Ele demonstrou de modo exemplar a importância de perguntar."[2] Se Bezos fosse o único a usar os cinco porquês, o método não poderia contribuir para inovações de forma consistente. O caso é que a Amazon ensinava esse método nos programas de treinamento, e os funcionários contavam com ele quando precisavam resolver problemas.

Nossas observações na Apple (número um na lista da *Business Week* e cinco em nossa lista) sugerem que enquanto você não formalizar o método em sua empresa, pode dizer que ela usa um processo de cinco "e se..." em seus *brainstorms* para ter sucesso com os clientes. É possível que o iPad jamais tivesse sido criado se Jobs e sua equipe de comando não tivessem efetivamente feito as perguntas "e se...". Se eles tivessem feito a pergunta "como podemos construir um leitor de livros melhor para o iPhone?", o inovador iPad poderia não ter sido criado. Em vez dessa pergunta, Jobs perguntou: "Por que não existe um tipo intermediário de aparelho, entre um laptop e um smartphone? E se construíssemos um?"[3] A pergunta "e se ..." foi a centelha para uma discussão a respeito de uma categoria intermediária que teria de ser muito melhor que o smartphone ou o laptop em desempenhar tarefas--chave, como navegar na internet para apreciar ou compartilhar fotos e ler livros. Fazer perguntas "e se...", consistentemente, é uma parte crucial da cultura das empresas altamente inovadoras.

Processo de descoberta #2: Observar

Uma empresa que transformou em ouro suas aguçadas observações é a fabricante de robôs Intuitive Surgical (número dois em nossa lista). Fred Moll, um médico que se tornou empreendedor, usou suas observações como cirurgião para desenvolver robôs que podem fazer cirurgias. Mool obteve algumas licenças de tecnologia da SRI, uma empresa que havia trabalhado em um projeto do Pentágono para levar o centro cirúrgico ao campo de batalha sem colocar em risco os cirurgiões. A chave foi garantir que robôs pudessem fazer com precisão o que os cirurgiões queriam que eles fizessem.

Para aperfeiçoar o protótipo do robô Da Vinci, Moll e Robert Younge (um engenheiro elétrico e fundador da Acuson, fabricante de aparelhos de ultrassonografia) montaram quarenta sensores ao longo das juntas dos joysticks "master" flexíveis. Os sensores registraram os movimentos das mãos do cirurgião, transmitidos como informação digitalizada para um computador e recalculadas como posições de punho, ombro e cotovelo 1.300 vezes por segundo. Os movimentos eram, então, transmitidos eletromecanicamente para os braços dos robôs e daí para as pinças "escravas", que manipulavam os instrumentos cirúrgicos. O objetivo de Moll era que os robôs fossem precisos, mas ele sabia que aos cirurgiões faltava o controle perfeito da mão. Então, os filtros do computador eliminavam os tremores da mão, fazendo com que o robô Da Vinci fosse extremamente preciso. Mais importante ainda, os desenvolvedores dos projetos da Intuitive Surgical continuaram a observar os cirurgiões para criar novos sistemas Da Vinci de ferramentas que permitissem mais e diferentes tipos de cirurgias assistidas por robôs.

A Keyence Corporation (número 23 em nossa lista), uma empresa japonesa especializada em aparelhos para automação industrial, como sensores eletrônicos, fez o necessário para garantir que 25% dos aparelhos que vende anualmente fossem produtos novos e mais avançados que os de seus concorrentes. As ideias para novos produtos surgem, em sua maioria, das observações que os sete mil vendedores fazem nas fábricas de cerca de

50 mil clientes. Os vendedores têm ordens de gastar horas observando as linhas de produção dos clientes para ter percepção de seus problemas. Ao observar as linhas de produção de fabricantes de noodles instantâneos, a Keyence descobriu que a qualidade dos produtos estava comprometida, porque eram fabricados com diferentes espessuras. A Keyence desenvolveu, então, sensores a laser, que podiam medir noodles até 1/100 de um milímetro. A partir de então, os fabricantes dependem desses sensores para manter padrões consistentes de espessura dos noodles. A cada ano, milhares de observações como essa, feitas por vendedores, resultam em centenas de novos equipamentos de automação para os clientes.

Além da observação dos clientes, nossos inovadores encontram meios de observar práticas de outras empresas para fazer eclodir novas ideias. Em 2008, por exemplo, o Google e a P&G (número seis* na lista da *Business Week* e dezoito na nossa lista) fizeram uma troca de empregados para estimular a inovação, apesar do fato (ou talvez *por causa* dele) de as empresas serem bem diferentes (a P&G é uma gigante de produtos de consumo que gasta US$ 9 bilhões por ano em publicidade, mas usa muito pouco a internet, enquanto o Google é um gigante na busca pela internet que obtém a maior parte de suas receitas de publicidade online). Especialistas em RH e marketing da P&G passaram algumas semanas em programas de treinamento e reuniões de discussão de planos de negócios do Google, e vice-versa. A iniciativa permitiu uma observação bem próxima das práticas de cada empresa, com alguns resultados interessantes.

Quando os observadores do Google viram a P&G lançar uma ambiciosa nova promoção da linha Pampers (usando a atriz Salma Hayek), ficaram estupefatos ao ver que a Pampers não havia convidado *mommy bloggers* – mulheres que comandam websites sobre educação dos filhos – para a entrevista coletiva. "Onde

* N. da E.: Esta posição refere-se ao momento em que o livro estava sendo escrito.

estão as blogueiras?", perguntou, incrédulo, o pessoal do Google. Em resposta, a Pampers convidou mais de uma dezena de *mommy bloggers* para visitar a divisão infantil da P&G, ocasião em que elas puderam ver produtos, encontrar executivos da área de fraldas e ganhar um manual sobre design de fraldas. As blogueiras garantiram que o número de visitantes em seus websites passou de cem mil para 6 milhões.

Outro resultado da troca foi uma campanha online convidando as pessoas a fazer vídeos parodiando a publicidade de TV "Talking Stain"* da P&G e postá-los no You Tube. O anúncio original para o tira-manchas Tide to Go, que foi ao ar durante um Super Bowl**, mostra um candidato a emprego cuja voz é abafada por uma mancha na camisa, que balbucia palavras sem sentido a cada vez que ele tenta falar durante a entrevista. Esse tipo de vídeo sem controle do anunciante oferece riscos, porque as pessoas podem postar algo desagradável a respeito do produto. Mas, com orientação do Google, a P&G forneceu aos parodiadores um kit de logos oficiais. Ao final, 227 anúncios surgiram, alguns deles bons o bastante para irem ao ar na TV. A campanha fez tanto sucesso que a Tide planeja usar no futuro mais conteúdo gerado por consumidores. David Kelley, da IDEO, foi quem melhor sintetizou a importância dos processos de observação: "Fazer perguntas para pessoas que estavam lá, nem sempre é bom o suficiente. Não importa quão inteligentes elas sejam, se conhecem bem o produto ou a oportunidade. Não importa também quão astuciosa seja a pergunta. Se você não estiver na floresta, não irá conhecer o tigre".

Processo de descoberta #3: o network por ideias

Não surpreende que empresas, e também pessoas inovadoras, sejam ótimos networkers em busca de ideias. Eles desenvolvem

---

* N. da E.: A mancha que fala, em tradução livre.

** N. da E.: Final do campeonato de futebol americano.

processos formais e informais de rede de relacionamento (*net-working*) para facilitar as trocas de conhecimento fora e dentro da empresa.

Networking interno

A maioria das empresas tem processos para o compartilhamento de ideias entre seus empregados, mas as empresas inovadoras tratam disso em outro nível. Um processo de *networking* interno bem conhecido nas empresas inovadoras vem do modelo *American Idol* (programa de calouros) para encontrar novas ideias. Esse processo envolve empregados desafiados a gerar e submeter ideias inovadoras a um painel de juízes. O Google, por exemplo, promove um *Innovator's Challenge* (Desafio do Inovador) quatro vezes por ano. Nessa competição, os empregados submetem ideias ao exame da diretoria. As ideias vencedoras recebem os recursos necessários para manter a dinâmica. O Google também tem um processo interno de compartilhamento de ideias que facilita o *networking*. Marissa Mayer, ex-vice presidente de produtos de consumo e campeã em inovação no Google, conduzia *brainstorms* regulares, durante os quais engenheiros tinham dez minutos para lançar novas ideias, discutidas por Mayer e por um grupo de outras cem pessoas. Nessas sessões, tentava-se construir, a partir da ideia inicial, pelo menos uma nova ideia complementar por minuto.[4] Com base em procedimentos já estabelecidos, eles decidiam quais projetos estavam suficientemente aprimorados para serem apresentados aos fundadores da companhia (sem revelar, entretanto, o processo). A inovação no Google é muito democrática; a empresa deixa as forças do mercado determinarem quais ideias devem ir adiante e quais não devem. Assim que são postas em circulação em uma planilha eletrônica, pessoas da empresa toda fazem suas avaliações e dão *feedback*. Os funcionários também podem optar por dedicar 20% de seu tempo de trabalho a projetos de sua própria escolha. Os executivos do

Google acreditam que as forças do mercado dentro da companhia são fortes o suficiente para premiar as boas ideias e rejeitar as más, tanto quanto ocorreria no mercado "real" se as ideias fossem efetivamente desenvolvidas e lançadas. A companhia facilita o *networking* interno ao oferecer comida gratuitamente. O Google Café fornece aos empregados saborosos e nutritivos almoços e jantares (preparados por Charlie Ayers, antigo chef da Grateful Dead). Gagan Saksena, antigo engenheiro de software do Google, contou-nos que a comida gratuita tem uma função muito relevante, além de colocar à disposição dos empregados uma alimentação boa e saudável. "É totalmente possível que você se sente à mesa com alguém que trabalha em uma área que não lhe interessa. Mas, de repente, uma conversa com essa pessoa pode fazer brotar novas ideias em ambos."

Networking externo

Há poucos anos, as empresas vêm olhando cada vez mais para fora de suas próprias paredes em busca de novas ideias. A expressão *open market innovation* (inovação de mercado aberto) é usada para descrever esse fenômeno. Quando se tornou CEO em 2000, Lafley estabeleceu a meta de aumentar as ideias de novos produtos originárias de fontes externas de 10% para 50% do total. Em 2005, as fontes externas já participavam com 45% das ideias novas, e a P&G havia reduzido o custo de seu departamento de P&D de 4,8% para 3,4% das vendas, enquanto lançava centenas de produtos baseados em ideias vindas de fora da empresa. A Procter & Gamble fundamentou esse crescimento na geração externa de ideias com uma iniciativa denominada Conectar + Desenvolver (C&D). Para gerar ideias, os processos dessa iniciativa permitem às equipes da P&G trabalhar com pesquisadores independentes, outras empresas e, às vezes, até mesmo com competidores. A empresa emprega diferentes processos para recolher ideias dessas fontes. Um deles, por exemplo, é usar as *matchma-*

kers (organizações que promovem aproximações) NineSigma e a InnoCentive para colocá-la em contato com tecnologia de fora. Essas *matchmakers* ajudam a P&G a preparar relatórios técnicos sobre problemas que está tentando resolver e depois os remetem, anonimamente, a milhares de pesquisadores em todo o mundo. Esse procedimento põe a P&G em contato com pessoas que podem solucionar o problema mediante um contrato. O processo C&D ajudou a P&G a desenvolver muitos produtos, como Swiffer WetJet, Olay Daily Facials, Crest Whitestrips, Iams Dental Defense, Mr. Clean AutoDry e Max Factor Lipfinity.

A gigante de produtos de consumo Reckitt Benckiser (RB) – número oito em nossa lista – obteve resultados similares usando seu site IdealLink, no qual exibe uma lista dos trabalhos (classificados como "mais importantes") que precisam ser feitos e pede soluções para os problemas que enfrenta. O Finish Quantum, um novo detergente para lava-louças lançado pela RB, que "limpa e dá brilho", tem como ponto forte três produtos químicos normalmente incompatíveis. O desafio era combiná-los em um único produto, mas manipulá-los à parte. Ao trabalhar com especialistas de fora, a RB desenvolveu um sistema inovador de polímero e um processo técnico para criar um cartucho com três divisões que separam os agentes químicos até o momento de serem usados.

Além de manter *network* para solucionar problemas técnicos específicos, a RB também opera com empreendedores para lançar produtos usando suas marcas. Por esse sistema, a empresa licencia suas marcas para empreendedores ou empresas com acesso a canais de venda, ou com produtos que a RB acredita poder agregar valor. Se um empreendedor tiver a ideia de um bom produto, a RB se comprometerá a completar o processo de avaliação e decidirá em três meses se concede licença de uso de sua marca. Por meio de procedimentos como esse, o canal de informações sobre inovação da RB fica tão cheio que a empresa lança um novo produto ou muda a fórmula a cada oito horas. É por isso que a CNBC concedeu ao CEO Bart Becht o título de líder empresarial da Europa de 2009.

Processo de descoberta #4: Experimentar

Empresas com alto prêmio de inovação institucionalizam a experimentação. O prêmio de inovação da Monsanto (número nove em nossa lista) resultou da criação de sementes geneticamente modificadas, processo que as torna resistentes à estiagem e imunes a herbicidas e insetos. A empresa está trabalhando para obter uma alface crocante como a iceberg e com os nutrientes da romana, e uma soja saudável, com ômega-3. Suas culturas biotecnológicas surgem da mesma revolução da engenharia genética que resultou em empresas como a Genentech e a Amgen.

Como a Monsanto faz isso? Um segredo é o software inovador que permitiu a experimentação digital com sementes genéticas. A empresa usa um software, que ela chama de "plataforma de reprodução molecular", para acelerar a produção da planta e obter maior rendimento, além da resistência ao herbicida. Esse software especial – com o auxílio das capacidades da robótica e da visualização de dados – capta terabytes de informações a respeito de plantas, até os genótipos das sementes individualmente. Em vez de consumir anos com planejamento de tentativa e erro, a Monsanto pode usar esses experimentos com plantio digital para prever boas e más colheitas e rapidamente passar a informação aos pesquisadores. A experimentação tem sido a chave para produzir sementes inovadoras que já dominam, nos EUA, 90% dos plantios de soja e 80% dos de algodão e de milho.

Assim como a Monsanto, o Beiersdorf Group (número catorze em nossa lista), fabricante do Eucerin e de grande quantidade de outros produtos para a pele, investe recursos consideráveis em novos produtos, o que faz desde 1911, quando lançou o creme facial Nivea. A Beiersdorf desenvolve muitos produtos em seu centro de pesquisas de Hamburgo, o maior e mais avançado do ramo na Alemanha (e talvez do mundo). O trabalho do centro de pesquisa é simbolizado pela arquitetura inusitada do auditório – conhecido pelos pesquisadores residentes como "pedra filoso-fal" –, e modelado com base na estrutura de uma célula da pele.

O centro de pesquisa de Hamburgo incorpora um centro de testes, onde se põem à prova a eficácia e a tolerância de novos produtos para a pele de cerca de seis mil voluntários a cada ano. Com dezenas de banheiros e salas de exame, o centro de testes é dotado de tecnologia capaz de detectar e medir mesmo as menores mudanças na estrutura celular da pele.

Seus recursos permitem que os produtos sejam testados nas mesmas condições de uso na vida real, e as etapas são cuidadosamente monitoradas pelos pesquisadores para documentar a eficácia dos vários produtos em teste. Em um caso, a Beiersdorf descobriu que os responsáveis pelos testes não obtinham a necessária proteção contra raios UV de um protetor solar, porque o produto não estava sendo aplicado apropriadamente e, em muitos casos, era aplicado em pequena quantidade. Ao testar o protetor solar com usuários (e por usar um método inovador que permitia ver e medir a quantidade de proteção UV na pele), os pesquisadores da Beiersdorf fizeram ajustes nos próprios produtos e nas instruções aos consumidores para ajudá-los a alcançar um nível ótimo de proteção.

Claro que os testes com usuários aconteceram somente depois que a Beiersdorf fez seus próprios experimentos. A empresa testou cada matéria-prima e cada combinação de substâncias, incluindo fórmulas completas de cosméticos, usando métodos especiais para garantir que não tivessem qualquer ação nociva e fossem compatíveis com a pele. Para tanto, fez testes com culturas de células em lugar de fazê-los com animais (como acontece em outras empresas). Os experimentos da Beiersdorf ajudaram a empresa a lançar 150 a 200 novos produtos e requerer 120 a 150 patentes a cada ano.

Bezos, da Amazon, também imprimiu à empresa seu estilo voltado para experimentos. "Você precisa fazer tantos testes por unidade de tempo quantos for possível", diz ele. "A inovação é parte indissociável de entrar em um beco sem saída. Você não pode ter um sem o outro, mas de vez em quando você entra em um beco e ele se abre em uma imensa, larga avenida. Isso faz todo beco sem saída valer a pena." Uma das formas de a Amazon fazer pequenos experimentos é oferecer um produto-piloto a metade de seus clientes e comparar suas respostas com as da outra metade.

De modo similar, o Google institucionalizou testes usando com frequência *beta labels* para divulgar produtos para testes públicos, o que permitiu à empresa obter rapidamente *feedback* direto dos usuários. Ela persegue a inovação mantendo simultaneamente centenas de pequenas equipes de busca – e equipes-piloto – de novos projetos. Assim, não é de surpreender que o Google crie e ofereça tantos produtos e serviços inovadores.

A combinação de processos de descoberta para produzir inovações

Embora possamos dispor do DNA das competências do inovador como processos separados para fazer brotar novas ideias dentro das equipes ou organizações, podemos utilizá-las de modo articulado como um sistema. A empresa de design IDEO faz exatamente isso com as equipes. Kelly atribui o sucesso da empresa com a inovação aos processos de equipe. "Somos *experts* em processos de como desenhar coisas", afirma Kelly. "Pouco importa se você nos dá uma escova de dente, um trator, uma nave espacial ou uma cadeira; queremos descobrir como inovar com a aplicação dos nossos processos."[5] Então, com que processos a IDEO conta para inovar? Suas equipes começam com o processo de questionar, depois passam para os de observar e de *networking* para reunir dados sobre suas perguntas iniciais, para concluir com processos de experimentação, quando as ideias inovadoras emergem e evoluem rapidamente para a criação de protótipos. Em 1999, o programa de notícias noturno *Nightline* mostrou como a IDEO usou esses processos para redesenhar completamente um carrinho de compras em cinco dias de trabalho intenso. Hoje, a empresa adota o mesmo *approach* em sua procura por produtos e serviços mais inovadores, com uma variada gama de clientes. Os processos, por exemplo, eram o núcleo do recente trabalho da IDEO com a Zyllis, um fabricante de produtos para cozinha, para redesenhar inteiramente sua linha de utensílios, desde raladores de queijo a cortadores de pizza e fatiadores.

Processo #1: Questionar

A equipe de projeto da IDEO começou sua busca por um ralador de queijo inovador (ou um cortador de pizza, ou um fatiador) fazendo uma série de perguntas para poder entender melhor os problemas associados com o uso dos tradicionais raladores de queijo. Quais eram os problemas? Por que as pessoas não gostam dos raladores existentes? Quão importante é a segurança? Quais outras coisas as pessoas querem ralar com um ralador de queijo? Quem são os usuários dos extremos dos raladores (altamente hábeis e altamente inábeis) e no que suas necessidades diferem? Até onde se sabe, os usuários dos extremos de utensílios de cozinha são cozinheiros e chefs (os que os utilizam durante horas, todos os dias), bem como os que os usam pela primeira vez ou esporadicamente, como os estudantes universitários, as crianças ou os idosos.

Embora as equipes da IDEO não usassem nosso método de *QuestionStorming* (veja capítulo 3), o processo inicial delas era muito parecido e centrado em fazer perguntas para poder entender melhor o que procurar na fase de coletar dados para a etapa de observar e fazer *networking*. Assim que faziam as perguntas, os membros da equipe as escreviam em pequenas notas para agrupá-las facilmente e estabelecer prioridades. Matt Adams, um líder de projeto da IDEO, contou-nos que "fazendo as perguntas certas, torna-se mais claro como responder àquelas questões". Então, as equipes da IDEO conseguiam perceber melhor "o que perguntar, como perguntar e para que tipo de gente perguntar", assim que passavam para os próximos processos, de observar e fazer *networking*.

Processo #2: Observar

Essa fase envolveu o envio a campo dos membros da equipe de projeto da IDEO, com a finalidade de observar e documentar testes em primeira mão com usuários. "Nosso processo é tentar entender as pessoas para quem estamos fazendo o projeto", diz Kelley. "Testamos e procuramos uma necessidade latente do cliente, uma necessidade não vista ou não expressa de nenhuma forma anteriormente."[6] A equipe da Zyliss passou horas e horas observando vários usuários de produtos, principalmente os dos extremos, na Alemanha, na França e nos Estados Unidos, para tentar intuir o que eles pensavam ou sentiam. A equipe fez fotos e vídeos de clientes usando utensílios de cozinha para documentar o que havia sido observado.

Por meio das observações, a equipe conseguiu captar muitos problemas decorrentes do uso dos utensílios. Viu-se, por exemplo, que os raladores de queijo tradicionais entupiam facilmente, eram difíceis de limpar e exigiam considerável destreza para serem usados com segurança. Observou-se que a mandolina, um fatiador adorado por cozinheiros experientes, apresentava sérios problemas de segurança por causa de suas lâminas extremamente afiadas e expostas. Procurou-se encontrar meios de otimizá-la tanto ergonomicamente como em termos de limpeza e de funcionalidade. Entre outras coisas, foram observados os movimentos da mão e do braço para fazer ajustes no desenho do cabo ou no ângulo do utensílio e assim obter um grande benefício ergonômico.

Processo #3: *Networking*

Além de observar, os membros da equipe da IDEO também conversaram muito com os usuários a respeito dos utensílios que estavam usando. Em particular, consultaram as pessoas quando estavam operando um determinado utensílio de cozinha, porque esse é o momento em que elas estão mais propícias a oferecer ideias ou *insights* a respeito do que gostam ou odeiam em relação ao utensílio. Elas gostam especialmente de falar com *experts* (chefs profissionais *full-time* ou cozinheiros domésticos competentes), mais exigentes e mais difíceis de agradar, mas que têm ótimas sugestões para melhorar o produto.

Por meio de conversas informais, os membros da equipe da IDEO conseguiram obter boas indicações para desenhar novos utensílios de cozinha. Eles tentaram ganhar uma profunda empatia, a ponto de sair em defesa de um usuário em particular, como uma chef. Eles tentaram entender o que ela gosta, quais são seus desafios e o que é importante para ela. Assim, puderam compartilhar mais tarde essa história pessoal com outros membros da equipe. Peter Killman, um líder de projeto da IDEO, diz que durante as fases de observar e se relacionar (fazer *networking*), as equipes da empresa "vão a todos os cantos e voltam com as chaves douradas da inovação"[7]. As chaves, a observação e as ideias geradas pelo *networking* ajudam a abrir portas para as ideias inovadoras.

**Processo #4: Encontrar soluções e
associar ideias – o mergulho profundo**

A fase seguinte é levar todos os *insights* captados por meio das observações e das entrevistas para um *brainstorm* que a IDEO chama de "Mergulho Profundo", durante o qual todos compartilham, abertamente, o conhecimento adquirido durante a fase de coleta de dados (é o que a IDEO chama de fazer *downloading*). Trata-se, basicamente, de uma sessão durante a qual se contam, com muitos detalhes, as histórias das pessoas, enquanto os membros da equipe vão capturando *insights*, observações, citações e detalhes e compartilhando fotos, vídeos e anotações.

O líder da equipe conduz a discussão, mas não existem títulos nem hierarquia na IDEO. O status surge da criação das melhores ideias e todos têm igual oportunidade de falar. Depois de compartilhar as ideias, os membros da equipe discutem soluções para os problemas que surgiram. Para apoiar a associação de ideias durante a fase de *brainstorming*, a empresa mantém uma "caixa" cheia de coisas estranhas e sem relação umas com as outras, de modelos de aviões a *slinkies* (brinquedos em espiral). Os objetos são, então, espalhados em frente da equipe para estimular a associação de ideias enquanto o pessoal discute os projetos inovadores do produto.

Processo #5: Criar protótipo (experimentar)

A fase final é "desenvolver o protótipo", durante a qual os projetistas constroem modelos de utensílios de cozinha com base nas melhores ideias que emergiram do *brainstorm*. Kelly descreve assim o valor do protótipo: "Você conhece a expressão 'uma foto vale mais que mil palavras'. Bem, se é assim, então um protótipo vale cerca de um milhão de palavras. Fazer um protótipo é o modo de pôr em movimento a natureza interativa do projeto a partir do *feedback* dos outros. Quando você construir um protótipo, outras pessoas irão ajudar."[8]

A IDEO mostra os protótipos dos utensílios a diferentes usuários, de chefs a estudantes universitários e até crianças, para receber *feedback*. O projeto do novo ralador de queijo, por exemplo, tem um tambor grande, de modo que pode ralar mais queijo (ou chocolate, ou nozes) com menos movimentos. Um padrão de orifícios cortadores que dificulta o entupimento permite o máximo de rendimento com o mínimo de esforço aos usuários idosos ou com mãos pequenas. A manivela dobrável facilita o depósito do queijo na gavetinha e o uso por destros e canhotos. Essas inovações foram refinadas em cada novo protótipo porque a IDEO "constrói para pensar e pensa para construir", como diz Matt Adams. Submeter o protótipo a um teste é a maneira mais rápida de obter um ótimo *feedback* ou novas ideias de produto. Usando o processo de perguntar, observar, manter *network* e fazer protótipo, a IDEO gera com sucesso um projeto inovador após outro. Esses processos estimulam e dão suporte, na expectativa de que cada membro da equipe contribua com inovação. Não é de surpreender, portanto, que John Foster, diretor de talentos e organização da IDEO, acredite que "liderança é resultado do grupo", especialmente a liderança inovadora.

* * *

Nossa pesquisa mostra que o DNA da organização inovadora reflete o DNA de indivíduos inovadores. Quando pessoas inventivas se dedicam sistematicamente a questionar, observar, relacionar-se em rede e experimentar, para fazer surgir novas ideias, as organizações e equipes inovadoras desenvolvem processos para estimular as mesmas competências em seus empregados. Mais ainda, como demonstrou o exemplo da IDEO, elas juntam esses processos em um processo global que é capaz de produzir novas soluções para problemas.

Ao criar processos organizacionais que refletem suas atitudes individuais voltadas à descoberta, os líderes inovadores podem construir seu DNA inovador pessoal dentro de suas organizações.

10

Como Colocar em Prática o DNA do Inovador

Filosofias

*"A inovação está profundamente arraigada em
todos os cantos e frestas de nossa cultura."*

Jeff Bezos

QUAIS SÃO AS FILOSOFIAS FUNDAMENTAIS que permeiam as empresas mais inovadoras do mundo? Para responder a essa pergunta, tivemos de explorar o mundo interior de seus fundadores e equipes de executivos seniores. Fizemos perguntas a respeito das filosofias e convicções que mantiveram em ação suas competências do DNA do inovador. A resposta mais frequente era: "Não sei. Esse é o meu jeito de ser". E assim acreditavam que a tarefa de inovar fosse deles, não de outros. Isso significava aquilo que eles realmente eram, a essência que os fez devotar tempo e energia para procurar e encontrar novas ideias. Eles buscaram uma vasta gama de resultados inovadores, de incrementais a disruptivos, e nunca consideraram que estavam assumindo riscos extremos nesse processo.

Não é surpresa, então, que esses mesmos inovadores tenham trabalhado duro para infundir um conjunto de filosofias considerado garantido em cada canto ou fresta da cultura de suas empresas (como Bezos fez na Amazon). Eles reconheceram que a cultura é mais poderosa quando largamente compartilhada e profundamente arraigada. Compreenderam, também, que era possível liderar ou participar pessoalmente de cada equipe, mas que eles teriam contatos limitados com a maioria dos funcionários, conforme suas empresas fossem crescendo. Por isso, trabalharam muito para instilar, em toda a companhia, um profundo comprometimento com a inovação. Não apenas fizeram suas empresas estar atentas à contratação de pessoas inovadoras e a adotar processos inovadores, como também viveram de acordo com um conjunto de filosofias fundamentais para a inovação.

Isso foi o que empreendedores e executivos inovadores nos disseram a respeito de suas filosofias de inovação. Ouvimos que inovar é a tarefa deles, e aprendemos que a inovação de ruptura faz parte do portfólio de inovação de suas empresas. Vimos que ter várias pequenas equipes de projeto, organizadas apropriadamente, é primordial para o modo como suas companhias viabilizam ideias inovadoras. Finalmente, percebemos que eles *assumem* mais riscos que outras empresas na busca por inovação, mas adotam ações para mitigá-los, transformando-os em "riscos inteligentes". As quatro filosofias a seguir permeiam as empresas mais inovadoras do mundo e não apenas são expressas em palavras como são acentuadas por meio de ações de reforço.

Filosofia #1: Inovação é tarefa de todos, não apenas de P&Ds

A inovação é, obviamente, uma tarefa de P&Ds (departamentos de pesquisa e desenvolvimento). Nunca ouvimos uma empresa questionar isso, mas testemunhamos importantes debates, mundo afora, sobre inovação ser tarefa de *todos*. Em uma das organizações, vimos o presidente do conselho e o CEO se digladiarem por causa desse tema. O primeiro estava convencido de que todos deveriam inovar, enquanto o segundo se opunha, acreditando que somente o P&D ou o marketing do consumidor deveriam gastar energia com inovação. Enquanto o debate acontecia no alto comando, a empresa lançou uma nova iniciativa que visava fazer todos dedicarem um pouco de seu tempo de trabalho semanal à descoberta de novos produtos, serviços e processos. Não foi surpresa o fato de que poucos funcionários tivessem se apressado em aproveitar a oportunidade de inovar até terem visto executivos de nível sênior estabelecer seu debate.

Ao rejeitar a crença de que a inovação deve se limitar ao departamento de pesquisa e desenvolvimento (P&D), líderes de empresas altamente inovadoras, como foi Jobs, e ainda é Bezos e Benioff, trabalharam duro para introduzir, progressivamente, a ideia de que "a inovação é tarefa de todos" como uma filosofia organizacional que norteia a empresa. Quando voltou à Apple, depois de um intervalo de doze anos, Jobs lançou a campanha "Pense Diferente". O anúncio homenageava uma ampla gama de inovadores ao dizer: "Aqui estão os malucos. Os desajustados. Os rebeldes. Os criadores de problemas... aqueles que veem as coisas de modo diferente. Eles não gostam de regras. E não têm nenhum respeito pelo status quo... eles mudam as coisas. Eles empurram a raça humana para a frente."

Ganhadora do prêmio Emmy, a campanha Pense Diferente foi aclamada como uma das mais inovadoras de todos os tempos, porque inspirava muito as pessoas. Mas o que a maioria não entende é que a campanha atingiu muito mais os funcionários da Apple que os clientes. "A motivação para a campanha Pense Diferente foi que as pessoas, *incluindo os funcionários*, haviam esquecido o que a Apple representava", disse Jobs na época. "Nós pensamos bastante sobre como dizer a alguém o que representamos, quais são nossos valores, e nos ocorreu que se você não conhecer muito bem as pessoas, precisará perguntar-lhes: quem são seus heróis? Você pode aprender muita coisa sobre as pessoas ouvindo-as dizer quem são seus heróis. Então, nós pensamos: ok, vamos dizer a vocês quem são nossos heróis." Para restabelecer a capacidade inovadora da Apple, Jobs sabia que cada funcionário precisava dessa mensagem: "Nossos heróis são os inovadores. Nós representamos a inovação. Se você quiser trabalhar na Apple, esperamos que seja um inovador com vontade de mudar o mundo".[1]

A campanha "Pense Diferente" foi apenas uma das muitas coisas que Jobs produziu para fazer chegar aos funcionários da Apple a mensagem de que a inovação era tarefa de todos eles. Certa vez, para estimular a capacidade inovadora da equipe que desenvolveu o Macintosh original, Jobs disse a seu pessoal: "Vamos fazer uma marca no universo. Nós a faremos tão importante, que ela marcará o universo".[2] Tempos depois, incitaria os funcionários da Disney a "sonhar grande" (como o maior acionista individual da The Walt Disney Company, Jobs tinha grande interesse em que a Disney fosse inovadora). Esse audacioso chamamento soou como uma clara mensagem aos funcionários: esperamos que cada um de *vocês* seja um inovador.

Claro que declarações ousadas precisam ser imediatamente seguidas de ações ousadas para reforçar a mensagem. Lafley, da P&G, seguiu a filosofia do "nós inovamos" quando observou: "A P&G de seis anos atrás dependeu de oito mil cientistas e engenheiros para a maioria das inovações. A P&G que estamos tentando fazer deslanchar pede a centenas de milhares de nós que sejamos inovadores". Para reforçar o comprometimento com a inovação, ele solicitou ideias de toda a empresa e garantiu que toda ideia promissora seria desenvolvida. Lafley apostou, por exemplo, em uma bem-sucedida linha de produtos para o cabelo de mulheres negras, porque alguns funcionários afro-americanos expuseram-lhe a existência de produtos que não funcionavam bem e afirmaram que podiam "fazer melhor". A P&G fez melhor, lançando com sucesso uma nova linha, a Pantene Pro-V Relaxed & Natural. A ação de Lafley deu o tom que propagou a filosofia do "nós inovamos." Mas as ações pessoais de líderes fundamentais isoladamente não são suficientes. Vimos que empresas altamente inovadoras, comparadas com empresas típicas, reforçam essa filosofia ao dar mais tempo e recursos para as pessoas poderem inovar.

A criação de um espaço seguro para outros poderem inovar

Estabelecer que "a inovação é tarefa de todos" exige a criação de um espaço seguro para outros assumirem esse princípio. Os pesquisadores chamam essa condição de "segurança psicológica", em que membros de equipe, voluntariamente, expressam suas opiniões, assumem riscos, realizam experimentos e reconhecem erros sem recear punição. "Se você criar um ambiente em que as ideias das pessoas podem ser ouvidas, as coisas fluem naturalmente", diz David Neeleman, fundador da Azul e da JetBlue.

Muitos líderes pensam que estimulam outras pessoas a desenvolver e a usar suas competências de descoberta, mas seus colegas com frequência não veem dessa maneira. Na média, *em nossa pesquisa, líderes de equipe pensavam que eram significativamente melhores em estimular atividades de descoberta do que seus gerentes, pares ou subordinados diretos.* (Isso soa um pouco como o efeito "melhor que a média", segundo o qual mais de 70% de nós nos vemos acima da média em habilidade de liderança e apenas 2% se consideram abaixo dela. Esse dado mostra claramente que há margem para melhorar. Veja a figura 10-1.)

Como os líderes constroem um espaço seguro para os outros inovarem? O *primeiro passo* importante é encorajá-los a fazer perguntas. Na Southwest Airlines, Kelleher criou um espaço seguro ao solicitar aos subordinados diretos e a outros que fizessem perguntas desafiadoras. "Eu apenas observo e ouço", diz ele. "E quero que eles me questionem fortemente." Outro líder inovador estimulava todos, inclusive os veteranos, a perguntar "por quê?", todo dia, porque "eles param de usar suas mentes; ligam o modo de execução e param de fazer perguntas".

FIGURA 10-1

Como liderar a inovação: percepções próprias e dos outros

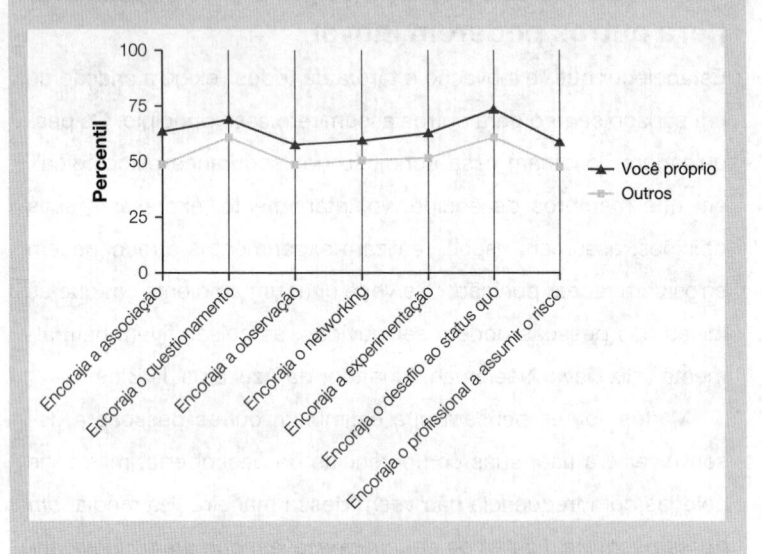

Outra chave para estimular os esforços de inovação dos outros é aplaudi-los quando usam suas competências de descoberta. Uma executiva sênior que superou as expectativas na geração de novas ideias sentiu-se intensamente frustrada com os membros da equipe por terem falhado em fazer o mesmo. Uma avaliação de 360 graus do DNA do inovador ajudou-a a entender o que havia acontecido. Os dados revelaram que ela não havia criado um espaço seguro para a inovação. Comparada com todos os outros assessores, ela classificava os membros de sua equipe muito abaixo dos outros (sua avaliação dava a seus subordinados diretos um percentil de 35 em termos de competências de descoberta, enquanto eles davam um ao outro um percentil de aproximadamente 65 – algo claramente confirmado por seus outros pares na empresa).

Por que ela fazia isso? Duas explicações surgiram durante o workshop de montagem de equipe conduzido por nós. Ela gostava mais de suas ideias do que das dos outros e, geralmente, desvalorizava as ideias criativas deles. E mesmo quando falava acerca da importância da criatividade, ela elogiava e recompensava as competências de entrega com suas ações diárias. A atenção ao sucesso na execução, combinada com sua rejeição a novas ideias dos outros, levava alguns dos membros da equipe a mudar seu comportamento quando estavam perto dela. Eles eram inovadores em outro lugar, mas ficavam desligados em sua presença. Esse não é um problema incomum para a liderança. A pesquisa de Dan Ariely, em *The Upside of Irrationality*, mostra um simples viés cognitivo que induz todas as pessoas a agir assim o tempo todo. Ideias que "não são inventadas aqui" são sempre suspeitas, porque as pessoas tendem a diminuir ou ignorar evidências provenientes de fontes que não conhecem ou nas quais não confiam, o que é especialmente verdadeiro quando a ideia contradiz uma convicção existente ou algo que já as favorece. Esse viés cria um real desafio que líderes inovadores superam quando demonstram um autêntico comprometimento com ouvir e apoiar outras ideias. Essas ações ajudam a estabelecer uma convicção profundamente arraigada e amplamente compartilhada de que a inovação é tarefa de todos.

Dê às pessoas tempo para inovar

Como já dissemos no capítulo 1, os CEOs fundadores das empresas mais inovadoras que estão na nossa lista gastam 50% mais tempo em procedimentos de descoberta que os CEOs de empresas típicas. Os líderes inovadores sabem que, para acontecer, a inovação exige um tempo significativo de compromisso com ela. Por isso, eles fazem o que não é feito em outras empresas: orçamento mais humano e recursos financeiros para as atividades de inovação. O Google, por exemplo, reforça a filosofia de que "a inovação é tarefa de todos" com sua regra dos 20%, ou seja, estimula seus engenheiros a empregar 20% do tempo de cada um (equivalente a um dia da semana) para trabalhar em um projeto de sua escolha. Até Brin, Page e Schmidt procuram aderir à regra dos 20%. A direção não especifica como usar o tempo, mas os projetos precisam receber luz verde, e os empregados precisam se responsabilizar por seu tempo. Mais do que isso, depois de relatados e documentados, os projetos são levados a um fórum interno de compartilhamento de ideias para receber contribuições e avaliações de toda a empresa, o que conduz à colaboração. Outras pessoas dentro do Google que conhecem a ideia podem contribuir com uma porção de seus 20% para ajudar a sustentá-la. Vários projetos bem-sucedidos surgiram do programa 20%, incluindo o Gmail, o Google News, o AdSense (anúncios contextuais para gerar receitas de publicidade) e o Orkut (rede social que foi muito popular no Brasil). Cerca de metade dos novos produtos do Google lançados em anos recentes saíram desse programa.

A regra do projeto 20% simboliza visivelmente a confiança da direção de que cada um pode e deve inovar.

Assim como o Google, a 3M é conhecida há bastante tempo por um programa similar de 15% do tempo, enquanto na P&G os funcionários disseram que eram estimulados a reservar 75% de seu tempo para trabalhar "no sistema" (por exemplo, executando tarefas) e 25% dedicando-se "ao sistema" (por exemplo, descobrindo novos e melhores meios para executar as tarefas). Outras empresas, como a Apple e a Amazon, não alocam nenhum tempo a esse tipo de dedicação, mas pedem aos funcionários que façam experiências e trabalhem em projetos de inovação. Alternativamente, a Atlassian Labs (empresa inovadora baseada na Austrália, que desenvolve softwares em ferramentas de colaboração) emprega uma única variação da regra de 20% do tempo voltados à inovação: ela comanda um dia anual "FedEx", quando todos os desenvolvedores de softwares dedicam-se 24 horas sem parar à tarefa de gerar novas ideias para produtos. Eles trabalham intensamente para elaborar uma "Ordem de Remessa FedEx" viável, que detalhe uma nova ideia para outros a analisarem criticamente. Vinte e quatro horas depois, a Atlassian realiza um dia de "Entrega FedEx", quando os desenvolvedores montam um protótipo e então demonstram as novas ideias de software para outras pessoas da companhia. Esse esforço anual de inovação tem sido muito bem-sucedido, porque os desenvolvedores sentem que estão crescendo no trabalho de modo divertido e ainda ajudam os gerentes de produto a preencher o estoque com novas opções.

Verifique em que ponto está a filosofia de inovação de sua empresa. Um teste decisivo que nós usamos para ver se uma organização implantou com sucesso essa filosofia em sua cultura é fazer a um grupo de cem empregados (do topo à base e de todas as funções ou lugares) estas perguntas:

1. A empresa espera que você inove em seu trabalho?

2. A inovação é uma parte explícita da sua avaliação de resultados?

Nas organizações altamente inovadoras, 70% ou mais dos empregados respondem com um sonoro sim. Inovar é um componente óbvio e garantido no dia a dia do trabalho.

Como estabelecer a filosofia de que a "inovação é tarefa de todos"

Nossa pesquisa nas empresas mais inovadoras do mundo sugere que a filosofia "inovação é tarefa de todos" tem grande visibilidade e poder de puxar a organização quando:

1. Os líderes do alto escalão inovam e todos sabem disso ou ouvem falar a respeito.
2. Todos os funcionários têm tempo e recursos para encontrar ideias inovadoras.
3. A inovação é um elemento explícito e consistente nas avaliações individuais.
4. As empresas alocam pelo menos 25% dos recursos humanos e financeiros para dar suporte ou fazer surgir projetos inovadores.
5. As empresas incorporam inovação, criatividade e curiosidade a seus valores fundamentais, em palavras e realizações.

Filosofia #2: A inovação de ruptura faz parte do portfólio de inovação

Além de estimular todos os funcionários a dedicar tempo ao trabalho de criar inovação, as empresas altamente inovadoras também alocam grande porcentagem de recursos humanos e financeiros em projetos inovadores. Elas gastam mais em P&D e dão início a mais projetos inovadores quando comparadas com empresas de porte similar no mesmo ramo de atividade. Esses investimentos mensuráveis sinalizam um real compromisso da organização com a inovação.

É certo que a maioria das empresas investe em P&D para encontrar novos produtos. Entretanto, podemos dizer que mais de 90% de seus projetos de inovação são "derivativos", ou seja, elas produzem consideráveis melhorias em produtos já existentes (por exemplo, na geração seguinte de produtos e serviços), baseados em tecnologias já estabelecidas e bem conhecidas por ela (e geralmente até pelos clientes).[3] A introdução do console de jogo PS3 da Sony – que suplantou o PS2 ao oferecer gráficos superiores, um Blu-ray player e conexão com a internet – é um projeto derivativo. A Sony simplesmente adicionou certas características a um produto existente para torná-lo mais atraente. Mas falhou na criação de uma nova plataforma de produtos, de tal modo que perdeu boa parte de um segmento de clientes, ou até um novo mercado inteiro.

Em contraposição, empresas fazem projetos inovadores de ruptura para estabelecer mercados inteiramente novos ao oferecer algo único, usando as tecnologias mais radicais. (As tecnologias se tornam mais radicais ao incorporar novos componentes – quando comparados com os de produtos já existentes – e oferecer novas ligações entre eles dentro de uma nova arquitetura de produto.) O walkman da Sony era disruptivo porque ele abria um mercado fundamentalmente novo ao oferecer um aparelho para ouvir música muito mais portátil que qualquer outro. O walkman se baseava em novos componentes miniaturizados e novas interfaces entre eles.

A Apple deu um salto similar com o iPod e o iTunes que, comparados ao walkman, baseavam-se em componentes e arquitetura de projetos diferentes para levar música a um enorme grupo de usuários. Mais de 95% dos compradores de iPod nunca haviam usado um computador da Apple e mais de 80% jamais tinham tido um aparelho portátil para música. *Isso* é abrir um mercado inteiramente novo. O iPhone também é disruptivo, não tanto porque as tecnologias empregadas fossem tão diferentes (embora algumas fossem), mas porque teve uma arquitetura diferente (um botão e *touch screen*) e por causa da "App store", que permitiu ao aparelho realizar muito mais operações que um ce-

O DNA DE ORGANIZAÇÕES E EQUIPES DISRUPTIVAS

FIGURA 10-2

O planejamento do projeto de agregar: uma estrutura para priorizar os projetos de inovação da empresa

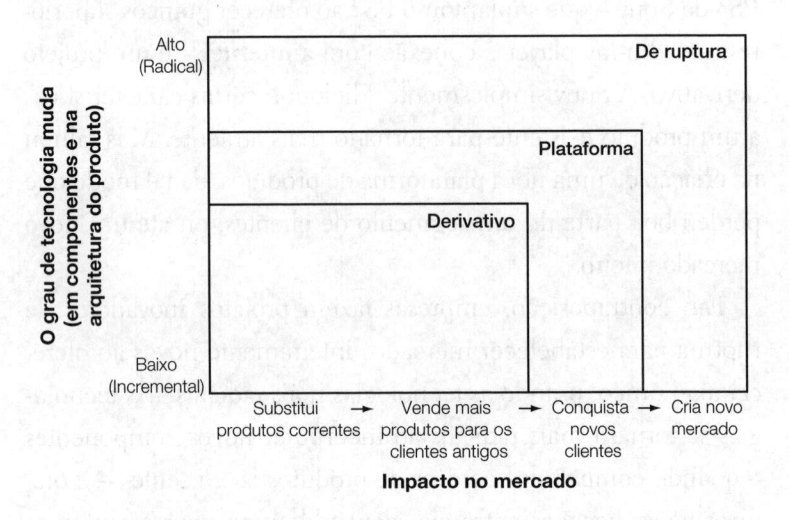

Steven C. Wheelwright e Kim B. Clark, "Creating Project Plans to Focus Product Development", *Harvard Business Review*, março-abril de 1992, 10-82

lular típico. O leitor de livros Kindle e a computação em nuvem da Amazon representam inovações igualmente de ruptura por abrir novos mercados.

Espremidos entre inovações derivativas e disruptivas, estão o que Steven Wheelwright e Kim Clark chamam de projetos inovadores de "plataforma".[4] Consideramos o laptop MacBook Air da Apple como um projeto de plataforma de inovação, porque é diferente o bastante para ser visto como nova categoria de produto, mas falha em abrir um mercado inteiramente novo como fez o iPod, embora muitos usuários do MacBook Air já sejam usuários de laptops pequenos ou outros computadores da Apple. Além disso, as tecnologias por trás do MacBook são um pouco menos radicais que as de produtos de ruptura como o iPod e o iTunes. (Claro que sempre se pode discutir até que nível esses produtos estão baseados em novas tecnologias [novos componentes, novas ligações entre eles], ou se abrem um novo mercado por oferecer algo com valor marcadamente diferente do de outros produtos.) Para nós, a estrutura da figura 10-2 ilustra como *empresas inovadoras conscientemente destinam uma significativa proporção de pessoas e recursos em plataformas e projetos com inovação de ruptura (disruptivos).* O Google, por exemplo, usa a regra 70-20-10 para alocar esforços de engenharia, incluindo o projeto de 20% do tempo garantido ao staff técnico. A empresa dedica 70% do tempo da engenharia para expandir e desenvolver produtos derivativos no próprio núcleo do negócio, ou seja, pesquisa na web e inclusões pagas; 20% para projetos para "ampliar o núcleo", como o Gmail ou o Doogle Dox; e 10% para construir "fundamentalmente novos negócios", como o celular Nexus One (seu primeiro aparelho), uma nova ferramenta colaborativa chamada Wave, o serviço wi-fi grátis em São Francisco, ou a Google Editions (sua própria loja de e-book). Do nosso ponto de vista, a priorização da regra 70-20-10 bate bem com as categorias dos projetos de inovação "derivativo", de "plataforma" e de "ruptura" de Wheelwright e Clark. A priorização do Google demonstra a disposição de investir em projetos de plataforma e de ruptura. "Não queremos nos afastar dos projetos de alto risco, de alta rentabilidade, devido à pressão por ganhos de curto prazo", escreveu Page em uma carta aos acionistas da oferta pública inicial (IPO, na abreviatura em inglês) do Google. "Nós poderíamos, por exemplo, financiar projetos que têm 10% de chance de render um bilhão de dólares a longo prazo. Não se surpreendam se fizermos pequenas apostas em áreas que pareçam muito especulativas ou mesmo estranhas."[5]

De modo similar, a Apple e a Amazon empregam um bom montante de recursos em projetos de plataforma e de ruptura inovadores (embora pareça que não sigam nenhuma orientação específica para a alocação de recursos). O que podemos dizer é que a Apple era o único fabricante de computadores a destinar recursos em negócios de música, telefone e câmera digital (a Apple QuickTake, que fracassou). Esses negócios não eram derivativos diretos do computador. Como varejista online, a Amazon destinou recursos significativos para criar um produto e-reader, o Kindle – que abriu caminho para uma nova categoria de produto – e, mais recentemente, o serviço de computação em nuvem. Esses produtos abriram novos mercados para a Amazon, mas raramente sem profundas resistências, como explicou Bezos: "Cada novo negócio em que nos metemos tem sido visto como uma distração pelo público externo e, às vezes, também pelo interno. Eles vão dizer: 'Por que você está se expandindo para fora dos produtos de mídia? Por que você está entrando no mercado com vendedores terceirizados?' Estamos sendo questionados agora por causa de nossos novos serviços de infraestrutura na web: 'Por que assumir esses novos serviços de desenvolvedor web?'."[6] Bezos e a Amazon prosseguem na habitual busca de ideias de negócios que signifiquem uma ruptura.

Resumindo: as empresas inovadoras investem mais tempo e recursos em projetos inovadores de plataforma e de ruptura. A prova de fogo para saber se uma organização tem adotado uma filosofia de buscar mais do que apenas produtos de inovação derivativos é perguntar: qual porcentagem de seus projetos de inovação é dedicado a inovações de plataforma ou de ruptura? Se a porcentagem for pequena, menos de 5%, é improvável que a empresa seja muito inovadora e os investidores não a veem assim. Se o índice for de, pelo menos, 25%, a empresa mostra tangíveis sinais de adotar a recomendação de Jobs de "sonhar grande", para perseguir com persistência mais inovações de ruptura.

Filosofia #3: Empregue pequenas e bem organizadas equipes de projeto de inovação

Toda nova ideia de produto ou serviço precisa de um veículo para levá-la da criação ao mercado. Uma pequena equipe de projeto (por exemplo, de ruptura, de plataforma ou derivativo) é o veículo usado para isso nas empresas mais inovadoras. Líderes inteligentes sabem que o caminho para habilitar pessoas a inovar é organizá-las em pequenas unidades de trabalho com grandes objetivos, em que tanto o desempenho individual quanto o coletivo têm visibilidade. A Amazon emprega a filosofia da "equipe de duas pizzas", o que quer dizer que as equipes devem ser pequenas o suficiente (seis a dez pessoas) para que possam ser adequadamente alimentadas com duas pizzas. Ao manter pequenas equipes, a Amazon pode trabalhar com um grande número de projetos, de modo a permitir que as equipes se metam em mais becos sem saída em busca de novos produtos e serviços. De maneira similar, os engenheiros do Google trabalham em equipes de três a seis pessoas. O presidente Schmidt explica a intenção: "Tentamos mantê-las pequenas. Você não obtém produtividade com grupos grandes".[7] O resultado é uma organização capacitada, com pequenas equipes trabalhando em centenas de projetos, num processo que, Schmidt afirma, "deixa mil flores desabrocharem".[8]

Com centenas de pequenas equipes de projetos desenvolvendo novas ideias, não é de admirar que o Google possa criar tantas ofertas de novos produtos. Outro ponto crítico é prover a estrutura certa com o mix certo de competências. Muitas organizações falham nos projetos de inovação, especialmente os de ruptura, porque não compreendem um princípio básico de organização: *quanto mais radical for a inovação, mais autonomia para a equipe do projeto será exigida da estrutura e das funções existentes na organização.* Por exemplo, se numa empresa os projetos radicais são "derivativos", isso significa que envolvem melhoramentos incrementais de componentes ou características. É o caso da Sony, em que designers e engenheiros muito familiarizados com os componentes e a estrutura do PS3 desenvolverão a próxima geração do console de jogo PS3 (vamos chamá-lo de PS4).

Muito provavelmente eles modificarão ou aperfeiçoarão os componentes existentes, melhorarão os gráficos, e oferecerão mais armazenagem e mais facilidades para jogar online. Talvez adicionem um novo componente, como o que possibilita a gravação de shows de TV, como faz o DVR/TiVo. A melhor equipe para um projeto de inovação derivativa como esse é uma *equipe funcional* em que cada engenheiro trabalha para elevar o nível do componente de sua especialidade. Como alternativa, a Sony poderia usar uma *equipe peso-leve* originária do grupo do console do jogo, mas que incluísse uma reduzida alocação de recursos de engenharia de outra área funcional da empresa.

Imagine, porém, que a Sony queira desenvolver algo como um iPad com características que ajudem a aproximá-lo do aparelho original (vamos chamá-lo de sPad). Se a empresa quiser desenvolver o novo sPad *dentro* do grupo de engenharia do PS3, o aparelho refletirá o conhecimento e a tecnologia de um console de jogo já existente. O mesmo poderia ocorrer se o grupo a desenvolver o sPad fosse o da engenharia de computadores ou da Sony TV. Para obter algo mais radical, a empresa faria melhor se puxasse gente de cada uma dessas áreas (e talvez de outras mais) e os juntasse em uma *equipe peso-pesado* ou numa *unidade autônoma de negócio*. Uma equipe peso-pesado, instalada num mesmo local e sob o comando de um líder com muito pique, possibilita a seus membros ultrapassar as fronteiras de suas organizações funcionais. Membros que adicionam *expertise* funcional à equipe, mas, em primeiro lugar, têm a mente voltada à inovação, vão além desses limites. Por essa razão, eles se tornam parte de uma verdadeira equipe (não apenas um grupo de pessoas que se juntam), imbuída da responsabilidade coletiva de conceber a melhor forma – novos processos, novo conhecimento – para atingir os objetivos do projeto.

Em alguns casos, o projeto de inovação difere tão radicalmente do que já é oferecido pela empresa que exige um modelo de negócio inteiramente diverso (por exemplo, para atender a vários clientes usando diferentes tecnologias). Nesse contexto, faz sentido criar uma unidade de negócio inteiramente autônoma para buscar a inovação de ruptura. Por exemplo, a Amazon decidiu abrir uma unidade autônoma de negócio para criar e lançar um serviço de computação em nuvem, porque a nova oportunidade pedia um modelo inteiramente diferente do que havia em seu negócio de vendas online.

O resultado é que alocar recursos a muitos projetos de inovação de plataforma ou de ruptura não dá retorno se as equipes não tiverem o nível certo de autonomia para fazer seu trabalho. Quanto mais radical for o projeto de inovação, mais autonomia e mais diversidade são necessárias à equipe. É bom lembrar que a inovação de ruptura demanda uma equipe formada por pessoas que mostrem ampla diversidade de conhecimento para poder gerar ideias mais radicais.

Filosofia #4: Assuma riscos "inteligentes" na busca por inovação

A maior parte das empresas deixa de lado os projetos de plataforma ou de ruptura como prioridades estratégicas porque os projetos derivativos alavancam mais eficazmente as competências existentes. Assim, consideram o sucesso dos projetos derivativos mais certos e com menos riscos. Para opor-se a essa dinâmica disfuncional de alocação de recursos, as empresas altamente inovadoras exploram uma quarta filosofia de inovação para acertadamente reforçar as três primeiras: "Assuma riscos inteligentes na busca por inovação".

Até que ponto sua empresa ou equipe de projeto é inteligente ao assumir riscos?

Para avaliar a propensão de sua organização em assumir riscos ou aprender com os fracassos, reflita sobre as seguintes perguntas:

- Sua organização estimula os funcionários a assumir riscos para aprender com eles?

- Sua organização recompensa os que aprendem com os fracassos? Ou reage a suas falhas punindo-os?

- Você consegue citar pelo menos uma inovação de sucesso que resultou do aprendizado obtido com uma inovação malsucedida?

- Sua empresa alcançou um quociente de descoberta acima da média para se garantir contra os riscos inerentes à inovação de ruptura?

- Os altos dirigentes de sua empresa entendem que precisam assumir riscos e fracassar com frequência para poder inovar?

As inovações de ruptura exigem que se assumam riscos para fazê-las acontecer. Há muito tempo, Edwin Land, inventor da tecnologia e da câmara Polaroid, observou que a parte mais essencial da criatividade é "não ter medo de fracassar". Para os inovadores, assim como para as empresas inovadoras, não há por que se envergonhar dos erros. Eles são um custo esperado do negócio. "Você pode fazer novas coisas e apostar errado", diz Bezos. "Mas, se as pessoas que fazem a Amazon funcionar não cometerem alguns erros significativos, então não estaremos fazendo um bom trabalho para nossos acionistas, porque não estaremos indo além das pernas."

O slogan da IDEO "erre bastante para ter sucesso mais cedo" emoldura uma filosofia fundamental por trás de seu sucesso como uma das mais inovadoras empresas de projetos do mundo. Ela divulga a frase por toda a companhia para lembrar aos empregados que se eles não estiverem falhando é porque não estão inovando (veja os capítulos 8 e 9 para mais informações sobre os processos e as pessoas da IDEO). Branson, da Virgin, também reconhece a "capacidade de fracassar" como um valor essencial. "É impossível tocar um negócio sem assumir riscos", diz ele. "A própria ideia do empreendedorismo evoca a assustadora perspectiva de assumir riscos e fracassar."[9]

Claro que empresas inovadoras como a IDEO e a Virgin não estão *tentando* fracassar. Elas sabem que no momento em que uma empresa trabalha com muitas ideias novas, algumas não vão dar certo. Essa é a própria natureza do desafio aos limites. Porém, elas são inteligentes o bastante para reconhecer a diferença entre bons e maus fracassos. Os bons, no Google, têm duas características principais: 1) você sabe por que fracassou e ganhou conhecimento relevante para o próximo projeto: 2) bons fracassos acontecem rapidamente, de modo que não são tão grandes a ponto de comprometer sua marca. Como reconheceram os líderes do Google, "estamos tentando fazer coisas, e algumas delas não vão funcionar. Tudo bem. Se não funcionarem, nós passamos para outras".[10]

A Apple faz eco à mesma filosofia. "Penso que uma das marcas da equipe [da Apple] é o senso de buscar o errado", diz Jonathan Ive, principal projetista do iMac e vice-presidente sênior de desenho industrial. "É a curiosidade, o senso de exploração. É sobre se sentir eufórico por estar errado, porque você descobriu algo novo."[11] Ao abraçar o fracasso *como um veículo para aprender*, as empresas inovadoras incentivam seus funcionários a tentar novas coisas. Todas as empresas fariam bem em adotar como slogan a filosofia da inovação do pesquisador e autor sir Ken Robinson: "Se você não estiver preparado para errar, nunca irá propor nada de original".[12]

Enfatizamos, porém, que as empresas inovadoras que estudamos erravam com menos frequência. Por quê? Porque assumiam riscos inteligentes por contratar e desenvolver pessoas voltadas à descoberta e institucionalizavam processos de apoio a pessoas que questionam, observam, fazem *networking*, experimentam e associam (como recomendamos nos capítulos 8 e 9). Imagine que sua empresa quer investir em um novo projeto de inovação de ruptura. Se pudesse juntar um *dream team* de inovadores como Bezos (Amazon), Benioff (Salesforce.com), Kelley (IDEO), Lazaridis (RIM), Lafley (P&G) e Dadeish (Bain & Company), você investiria no projeto? Nossa aposta é sim.

Seja como for, buscar inovações de ruptura com esse tipo de equipe parece menos arriscado do que fazê-lo com uma equipe comum voltada à entrega, porque esses inovadores de ruptura são portadores de fortes competências de descoberta e compreendem os procedimentos (e processos) necessários para gerar uma ruptura bem-sucedida. Não surpreende que os riscos pareçam mais calculados com eles. O risco é baixo, porque colocar em ação pessoas e processos inovadores aumenta a probabilidade de sucesso (e diminui a de dar passos desastrosos).

Em nosso estudo, os inovadores *financeiramente bem-sucedidos* demonstraram um quociente de descoberta mais alto (competências de descoberta mais fortes) que os menos bem-sucedidos. Encontramos a mesma equação no trabalho com as empresas mais inovadoras do mundo. O fracasso na inovação (em termos financeiros) resulta do fato de as empresas falharem em se comprometer, de modo consistente, com todas as competências de descoberta. Elas não perguntam corretamente tudo que é preciso, não fazem as observações necessárias, não se relacionam na medida necessária com pessoas de diferentes áreas e não realizam os experimentos certos para reduzir os riscos inerentes à inovação. Ao contrário disso, para o nosso *dream team* é fato que impulsionar plenamente o DNA do inovador reduz a probabilidade de fracasso, como eles mesmos sabem por experiência própria. De modo similar, a certeza de que sua organização cuida com muita atenção de colocar *pessoas, processos* e *filosofias* certas nos lugares certos significa uma apólice de seguro para minimizar os riscos associados à inovação.

Empresas altamente inovadoras se orientam por um conjunto de filosofias de inovação que garantem um profundo compromisso de todos com a inovação. Em primeiro lugar, elas deixam claro que a inovação é tarefa de todos. Em segundo, esclarecem que a inovação de ruptura é parte importante de seus portfólios de inovação. Em terceiro, criam uma porção de equipes de pequenos projetos e as preenchem com pessoas, estruturas e recursos para levar novas ideias ao mercado. Para completar, elas assumem riscos na busca por inovação, porém os reduzem dotando suas equipes de pessoas e processos certos e de uma estrutura que lhes proporcione adequados níveis de autonomia. Em última análise, as empresas inovadoras contam com essas filosofias para criar uma cultura que não apenas faça eclodir novas ideias, mas que também as coloque no mercado. Quando isso acontece, as pessoas trabalham em uma cultura empresarial que as ajuda a responder às quatro perguntas a seguir com um sonoro sim:

Filosofia #1: Em sua empresa, a inovação é tarefa de todos?

Filosofia #2: Em sua empresa, a ruptura faz parte do portfólio de inovação?

Filosofia #3: As pequenas equipes de projeto são a base para levar as novas ideias ao mercado?

Filosofia #4: Sua empresa assume riscos inteligentes na busca por inovação?

Conclusão

Aja Diferente, Pense Diferente, Faça a Diferença

"Preocupe-se com alguma coisa o suficiente
para fazer algo com ela."

Richard Branson

AO FINAL de nosso projeto de oito anos de pesquisas sobre algumas das pessoas e empresas mais inovadoras em todo o mundo, passamos a acreditar que se indivíduos, equipes e organizações quiserem pensar de modo diferente, terão de agir de modo diferente. Agora que você quase acabou de ler *DNA do inovador*, gostaríamos de saber como se sente. Você acredita que, se agir diferente, você pode pensar diferente? E se a sua organização agir diferente, poderá pensar diferente? Esperamos que sim, pois a jornada do inovador, individual ou coletivamente, pode se parecer com frequência com uma estrada "pouco percorrida", porém vale a pena pegá-la, porque ela poderá fazer "toda a diferença" em sua vida e na vida de muitos outros.

Dominar as cinco competências de descoberta de inovadores de ruptura e demonstrar coragem para inovar é o que procuramos passar para você neste livro. É algo que exige ser colocado em prática em termos pessoais, profissionais e organizacionais (para conhecer o "mapa" de como dominar as cinco competências de descoberta, e até de como construí-las na próxima geração, veja o apêndice C). A prática consistente resulta em ter o domínio dessas competências, o que conduz a novos hábitos ou, nas organizações, a novas capacidades. É desenvolvendo competências de descoberta de peso que nos tornamos diferentes. Vamos agir diferente, pensar diferente e, assim, poderemos fazer a diferença.

Há muitos caminhos para levar suas competências de descoberta a fazer a diferença. Teoricamente, você pode descobrir uma grande e disruptiva ideia dando início a mudanças significativas em muitas vidas. Bezos, Jobs, Benioff e outros empreendedores inovadores impactaram profundamente o mundo. Suas empresas empregam centenas de milhares de pessoas, e seus produtos influenciam – e na maior parte dos casos pode-se dizer que melhoram – a vida de centenas de milhões. Não é de admirar que muitos desses inovadores saíram de indústrias disruptivas para produzir um impacto ainda maior ao direcionar sua atenção e seus recursos (incluindo as competências do DNA do inovador) para alguns dos mais duros desafios do planeta, como a pobreza, a educação e as doenças.

Veja o que acontece na Salesforce.com, a empresa que Benioff construiu para ser disruptiva em todo o ramo da indústria do software e também para fazer a diferença onde quer que opere. Ele fez tudo isso com a filosofia 1-1-1: 1% do tempo de todos os empregados, 1% de todos os seus produtos e 1% de todo seu capital, aplicados em melhorar comunidades e promover um capitalismo compassivo. Ao fazer isso, Benioff se colocou no "negócio de mudar o mundo", para o qual contribui com centenas de milhares de horas dos empregados e milhões de dólares para atacar problemas que vão dos sem-teto ao saneamento.

Benioff não está sozinho nessa empreitada. Bill e Melinda Gates, Richard Branson e muitos outros fazem o mesmo, do seu jeito.

Embora em menor escala, mas com o mesmo propósito, os inovadores sociais com os quais trabalhamos, em todo o mundo, empregam as competências do DNA do inovador na criação de soluções profundas para alguns dos mais difíceis problemas sociais. É o caso de Andreas Heinecke, que fundou um empreendimento social com fins lucrativos, a Dialogue in the Dark (Diálogo no Escuro) quando trabalhava em um jornal na Alemanha. Seu chefe levou um colaborador deficiente visual até sua mesa e pediu a Heinecke que o ensinasse a se tornar um jornalista. Heinecke não tinha a menor ideia de por onde começar, mas rapidamente resolveu como levar adiante sua tarefa, em parte porque sua audição não era exatamente perfeita. Ajudou seu colega a se tornar jornalista e, durante esse processo, usou suas competências de DNA do inovador para fundar a Dialogue in the Dark, que contratou especialistas deficientes visuais para conduzir, de uma a três horas, os visitantes nessas mesmas condições em um ambiente de completa escuridão. (Nossa avaliação revelou que Heinecke é excepcional em perguntar e fazer *networking*.) Heinecke observou que, para entender e avaliar melhor pessoas deficientes, era preciso experimentar o mundo delas.

Até agora, mais de seis milhões de pessoas, em trinta países, aprenderam a se locomover através de parques, ou a cruzar ruas e a comer em ambientes completamente escuros, visitando instalações da organização fundada por Heinecke. A Dialogue in the Dark também promove bem-sucedidas sessões de desenvolvimento de liderança para empresas, além de conferências, inclusive no Fórum Econômico Mundial de Davos. (Nós colaboramos regularmente com Heinecke para produzir as experiências de "DNA do Inovador no Escuro", que disponibilizam um contexto de aprendizagem único e profundo com o fim de cultivar as competências do DNA do inovador juntamente com companhias, que vão desde a Aramex, líder das empresas de logística no Oriente Médio, até a Christie's, líder mundial na comercialização de arte.) A Dialogue in the Dark é hoje um dos maiores empregadores de deficientes visuais em todo o mundo (já contratou e treinou mais de seis mil). Tudo isso foi alcançado porque Heinecke decidiu, com persistência, focar suas perguntas e conversas na procura de novos meios de criar trabalho para cegos e ultrapassar barreiras.

Afinal, a maioria de nós poderá fazer a diferença por meio de muitas inovações (derivativas) menores. Uma ideia com impacto pode ser um novo processo de recrutamento que ajuda sua companhia a encontrar pessoas mais talentosas (como o concurso Code Jam, do Google, descrito no capítulo 9). Pode ser também uma nova abordagem para o marketing dos produtos de sua companhia (como o novo uso de blogueiras e conteúdo gerado por clientes descrito também no capítulo 9). Ou pode ser, ainda, a construção de um modelo de negócio baseado na promessa de que, para cada par de calçado vendido, a empresa doará outro par, como Blake Mycoskie fez quando fundou a TOMS Shoes (depois de viajar pela Argentina em 2006 e ver por lá muitas crianças com problemas nos pés porque não tinham calçados).

O processo de descoberta criativa pode, logicamente, ser difícil, mas compensa com sobras os desafios. Ser um criador é estimulante, e ser um autor ou coautor de uma ideia que resulta em um novo produto, serviço ou negócio é um energético. Ser um inovador é psicológica e emocionalmente gratificante, de modo que não há dinheiro que pague, embora as recompensas financeiras por inovações bem-sucedidas sejam significativas. Mark Ruiz, cofundador da MicroVentures e finalista do prêmio Empreendedor do Ano das Filipinas, em 2010, admitiu a mesma coisa quando nos disse: "Embora eu seja um empreendedor, o que me guia não é realmente o dinheiro. O que me guia é um profundo sentimento de missão e propósito. Eu apenas vejo problemas que estão gritando por soluções inovadoras". Ruiz trabalha sem descanso na montagem de uma nova *venture*, depois daquela que cuidará desses problemas em sua terra natal, as Filipinas. Ruiz e todos os inovadores de ruptura que encontramos durante nosso trabalho para este livro levam a sério as perguntas: "Se não for você, quem?", "Se não for agora, quando?". Eles não param, ainda estão fisicamente ativos e sempre fazendo perguntas, observando, mantendo *networking* e experimentando. Outros podem "ver", de fato, suas competências de descoberta funcionando, porque seu trabalho inovador está longe de ser sedentário. Judi Sandrock, CEO do Centro de Empreendedorismo Branson, contou-nos que vive se perguntando "como faço isso agora?", e trabalha sem descanso para ajudar empreendedores emergentes da África do Sul a fazer o mesmo. Em sua pesquisa pioneira sobre risco e incerteza, o economista Frank Knight viu empreendedores inovadores como uma categoria de indivíduos com "disposição para agir", a despeito das incertezas do contexto em que operavam. Ouvimos a mesma coisa muitas vezes, de vários inovadores, entre eles Branson, cujo lema é "Dane-se. Vamos fazer" ("Screw it. Let's do it"), e Zennström, do Skype, que fez a seguinte analogia entre ação e empreendedorismo bem-sucedido:

Vamos dizer que você tem um daqueles *reality shows* de TV e despeja um punhado de gente no meio de uma ilha deserta. O vencedor do desafio proposto será a pessoa que chegar mais rapidamente ao litoral. Alguns procuram analisar onde estão e qual direção tomar. Alguns dizem: "Vamos subir numa árvore, numa rocha ou numa encosta, quem sabe podemos ver mais longe e termos uma ideia da melhor direção a tomar". Eles perderão algum tempo planejando e analisando como encontrar a melhor direção. Algumas outras pessoas, porém, dão apenas uma olhada ao redor, seguem sua intuição e começam a correr em uma direção. Como muita gente foi deixada na ilha, posso quase garantir que quem começa subindo numa árvore para então analisar sua localização e em qual direção deve correr não vai ganhar a competição. Por quê? Porque há um punhado de maníacos que seguirão sua intuição e começarão a correr logo. É muito mais provável que eles cheguem ao litoral mais rapidamente. Conclusão: se você tem um bom *feeling* sobre a direção a tomar, o que precisa fazer é correr o mais depressa que puder.

O desafio posto por Zennström é: aja e resolva enquanto você estiver indo. Desse modo, você receberá um valioso *feedback* por agir e outro melhor ainda por aplicar inteiramente suas competências do DNA do inovador ao longo do percurso. Mas entre em ação agora ou poderá ser tarde demais. As janelas de oportunidade existem para se obter o máximo rendimento de uma ideia de negócio inovadora. Por isso, os inovadores bem-sucedidos implementam rapidamente uma ideia antes que a janela se feche.

Afinal, inovação é um investimento – em você, nos outros e, se você for um dirigente sênior ou um empreendedor emergente, em sua companhia. Quer você esteja na alta direção de uma organização ou na base, como um técnico especializado, Whitman, da eBay, recomenda a todos que "tenham coragem de plantar pequenas sementes antes de precisar das árvores". Inovação quer dizer plantar sementes (ideias) com total confiança em que cada uma crescerá como algo significativo. A alternativa, entretanto, é crescer pouco ou nada quando das sementes não brotarem árvores. Quando se entende e reforça o DNA de inovadores individuais em equipes e organizações inovadoras, pode-se encontrar os meios para ser mais bem-sucedido com o crescimento de amostras e com as árvores do crescimento futuro. Enquanto você continua em sua jornada de inovação, deixe que o discurso de sua vida[2] seja a última linha da campanha "Pense Diferente", da Apple: "As pessoas loucas o bastante para pensar que podem mudar o mundo são as únicas que fazem isso". Então, faça isso. Faça isso agora!

Apêndice A

Amostragem dos Inovadores Entrevistados

Entrevistados

Nome	Empresa	Aspecto inovador da empresa*
Nate Alder	Klymit	Uma das primeiras a oferecer os coletes e as jaquetas Klymit Kinetic, com isolamento de gases nobres (argônio).
Marc Benioff	Salesforce.com	Uma das primeiras a oferecer softwares de automação online/on-demand CRM/Salesforce.
Jeff Bezos	Amazon.com	Uma das primeiras varejistas de livros online; desenvolveu possibilidades de atendimento online.
Mike Collins	Big Idea Group	Intermediário entre inventores de produtos e empresas compradoras e canais de distribuição de produtos inovadores.
Scott Cook	Intuit	Uma das primeiras empresas a oferecer softwares de finanças pessoais e impostos Quicken e Turbo Tax.

Entrevistados

Nome	Empresa	Aspecto inovador da empresa*
Gary Crocker	Research Medical Inc.	Apresentou produtos médicos destinados a cirurgias com o coração em funcionamento para reduzir a perda excessiva de sangue e melhorar a visibilidade dos cirurgiões.
Michael Dell e Kevin Rollins	Dell Computer	Desenvolveu um modelo de vendas diretas ao consumidor de computadores, permitindo a customização em grande escala.
Orit Gadeish	Bain & Co.	Bill Bain fundou a Bain & Company, mas sabe-se que foi Gadeish quem deu início a ideias inovadoras em diversos compromissos com clientes.
Aaron Garrity e Joe Morton	XANGO	Uma das primeiras empresas a oferecer suco e outros produtos para a nutrição a partir do mangostão, ao lado de uma abordagem de marketing de rede.
Diane Greene	VMWware	Uma das primeiras empresas a oferecer tecnologia de softwares de virtualização, que permitiu a hospedagem por servidores e desktops virtuais de sistemas de operação múltiplos e aplicações múltiplas no local e em locais remotos.
Andreas Heinecke	Dialogue in the Dark	Empreendimento social que contrata especialistas deficientes visuais para conduzir visitantes inexperientes, dotados de visão, por um mundo de escuridão completa, para diversos objetivos de treinamento e ensino.
Jennifer Hyman e Jennifer Fleiss	Rent the Runway	Uma das primeiras empresas a oferecer vestidos de grife por aluguel na internet.
Eliot Jacobsen	Freeport.com; Lumiport	Uma das primeiras empresas a lançar um ISP gratuito com alcance único a varejistas locais. Colaborou com o lançamento da Lumiport, uma lâmpada de uso tópico para o tratamento da acne.
Josh James e John Pestana	Omniture	Uma das primeiras empresas a desenvolver e oferecer softwares analíticos na web.
Jeff Jones	NxLight; Campus Pipeline	Um dos primeiros a oferecer recursos digitais nos campi universitários, permitindo o acesso remoto dos usuários aos seus dados.

Entrevistados

Nome	Empresa	Aspecto inovador da empresa*
A.G. Lafley	Ex-CEO, Procter & Gamble	Deu início a importantes mudanças organizacionais na P&G para pôr o foco da empresa na inovação, inclusive o processo "Connect and Develop", que vem sendo uma importante fonte para a introdução de novos produtos.
Mike Lazaridis	Research In Motion (RIM)	Desenvolveu o BlackBerry, um aparelho de comunicação portátil sem fio que vem sendo considerado o pioneiro de novas tecnologias.
Kristen Murdock	Relógios e cartões de cumprimentos Cow Pie	Criou o Cow-Pie Clock, um relógio colocado em esterco de vaca vitrificado, que é entregue acompanhado de uma frase engraçada.
David Neeleman	Morris Air; JetBlue; Azul	Pioneiro na venda eletrônica de passagens na Morris Air, de TV ao vivo na JetBlue e, na Azul, de viagem gratuita de ônibus ao aeroporto.
Pierre Omidyar; Meg Whitman	eBay	Lançou o site de leilões online que veio facilitar leilões de pessoa a pessoa.
Ratan Tata	Presidente do Conselho, Tata Group	Filho do fundador da Tata, Ratan Tata deu início ao projeto Nano, que levou a empresa a comercializar o carro mais barato do mundo.
Peter Thiel	PayPal	Uma das primeiras empresas a oferecer serviços financeiros pela internet. Com Max Levchin, desenvolveu programas que transferem quantias como um anexo de e-mail.
Corey Wride	Movie Mouth	A Movie Mouth cria uma aplicação interativa, com assinatura pela internet, que tem um media player com acesso a material protegido por copyright, como DVDs e CDs, usando máquina local e conteúdo remoto na internet.
Niklas Zennströom	Skype	Usou uma tecnologia "supernode" para efetuar chamadas telefônicas pela internet e apresentou uma abordagem única de marketing viral.

* Usamos o termo "um(a) do(a)s primeiro(a)s" quando nos referimos ao lançamento de um produto ou serviço, porque não obtemos a confirmação de que a empresa foi mesmo a primeira a oferecer um deles. Os inovadores entrevistados afirmaram que a ideia original era sua e que não estavam simplesmente imitando a oferta de outra companhia.

Apêndice B

O DNA do Inovador – Métodos da Pesquisa

Nosso projeto de pesquisa teve duas partes: 1) um estudo indutivo de inovadores comparados com não inovadores e 2) um grande estudo de comparação de amostras de aproximadamente oitenta inovadores e uma centena de executivos não inovadores (que ampliamos depois para uma amostragem maior). Realizamos entrevistas exploratórias com cerca de trinta empreendedores inovadores e um número semelhante de executivos de alto nível em organizações maiores (veja uma lista parcial dos que entrevistamos no apêndice A). O objetivo de nossas entrevistas com os inovadores era o de compreender quando e como eles chegavam pessoalmente às ideias criativas sobre as quais construíram novos negócios inovadores. Fizemos perguntas como:

1. Qual foi a percepção estratégica ou ideia nova de negócios de maior valor que o senhor produziu em sua carreira nos negócios? Por favor, descreva detalhes da ideia (por exemplo, por que a ideia era nova e como o senhor chegou até ela?).

2. Em sua opinião, o senhor tem competências especiais importantes para ajudá-lo a desenvolver novas ideias de negócios? Como essas competências influenciam sua capacidade de produzir percepções estratégicas ou novas ideias de negócios?

Para obter uma perspectiva externa, sempre que possível entrevistamos executivos de alta hierarquia que conheciam bem o empreendedor inovador. Por exemplo, entrevistamos o CEO da Dell, Kevin Rollins, sobre Michael Dell; a ex-CEO da eBay, Meg Whitman, sobre o fundador da eBay, Pierre Omidyar; o da Skype, Niklas Zennström; e o da PayPal, Peter Thiel.

Durante as entrevistas, identificamos quatro padrões de comportamento – questionar, observar, usar o *networking* e experimentar – que eram mais pronunciados nos inovadores e pareciam dar origem ao pensamento associativo. Essas quatro competências comportamentais e uma cognitiva compõem as cinco competências de descoberta que discutimos no livro. Desenvolvemos, então, uma série de itens de pesquisa para medir a frequência e a intensidade com as quais a pessoa participava de questionar (seis itens de pesquisa), observar (quatro itens de pesquisa), experimentar (cinco itens de pesquisa) e trocar ideias com sua *network* (quatro itens de pesquisa). As opções de resposta variavam de 1 para *discordar fortemente* a 7 para *concordar fortemente*. Também realizamos uma análise de fatores exploratórios e comprobatórios para descobrir a estrutura subjacente de fatores nos 19 itens que mediam os comportamentos.

Realizamos uma regressão binomial negativa para testar as relações entre os quatro comportamentos de descoberta e o início de empreendimentos inovadores. Os resultados mostraram que observar, usar o *networking* e experimentar tinham correlações significativas com o lançamento de um novo negócio inovador (e questionar tinha um papel significativo quando combinado a um dos outros três comportamentos). Os quatro padrões comportamentais estavam correlacionados de maneira significativa uns com os outros – com correlações tipicamente superiores a 0,50 –, sugerindo que quem se dedica a um dos comportamentos está mais propenso a se dedicar aos outros. Os resultados eram mais evidentes quando cada um dos comportamentos era usado em combinação com outro. Detalhes completos do estudo inicial podem ser encontrados em: Jeffrey H. Dyer, Hal B. Gregersen, e Clayton M. Christensen, "Entrepreneur Behaviors, Opportunity Recognition, and the Origins of Innovative Ventures", *Strategic Entrepreneurship Journal* 2 (2008): 317-338.

Apêndice C

Desenvolvendo as Competências de Descoberta

Alguns anos atrás, Arnold Glasow [1905-1998], empreendedor e humorista, chegou à conclusão de que "melhorar começa com M". Concordamos inteiramente. O foco deste apêndice é dar sugestões sobre como você pode melhorar suas competências de descoberta – associar, questionar, observar, usar o *networking* e experimentar.

Desenvolvendo as suas competências de descoberta

Para desenvolver suas competências, oferecemos diversas dicas práticas entre os capítulos 2 e 6. E para decidir quais delas têm mais sentido em ser seguidas, sugerimos que você dê cinco passos: (1) passe em revista suas prioridades para determinar como você gasta seu tempo; (2) avalie suas competências de descoberta; (3) identifique um desafio de inovação premente que tenha importância; (4) pratique sempre suas competências de descoberta; e (5) tenha um *coach* para apoiar seus esforços de desenvolvimento. Combinados, esses passos podem ajudar você – e sua equipe – a construir as competências de inovação relevantes e necessárias para obter um impacto maior e melhor em seu trabalho e além dele. (Se você quiser melhorar as competências de descoberta de sua equipe, siga os passos apresentados, mas ponha o foco de seu trabalho de desenvolvimento em sua equipe).

Passo 1: Passe as prioridades em revista

Considere a maneira como você passa seu tempo no trabalho. Sugerimos que divida suas tarefas básicas em três categorias típicas: descoberta, execução e desenvolvimento. A *descoberta* tem foco na motivação e inclui o engajamento ativo das cinco competências de descoberta na busca de novos produtos, serviços, processos e/ou modelos de negócios. A *execução* inclui tudo o que diz respeito a produzir resultados, análises, planejamentos, preparações e implementação de estratégias. O *desenvolvimento* está centralizado em construir suas capacidades e as de outros (essencialmente, supervisionar relatórios, se você tiver cargo de direção). Essa tarefa inclui escolher pessoas corretas para sua equipe e treiná-las nas competências do DNA do inovador.

Agora, procure em sua agenda uma semana de trabalho típica. Qual a porcentagem de tempo que você dedica a cada tarefa – descoberta, execução e desenvolvimento? Você pode optar por responder a essa pergunta preenchendo o mapa na tabela C-1, usando um processo simples: primeiro, faça o melhor cálculo que puder sobre como você passa seu tempo (a coluna "hoje"). Segundo, registre o melhor julgamento possível sobre como você acha que *deveria* passar seu tempo ("amanhã"), levando em conta os objetivos de sua equipe e a estratégia de sua empresa. Terceiro, calcule a diferença ou o "intervalo" entre hoje e amanhã para cada categoria.

Em seguida, foque em primeiro lugar o intervalo. É grande? Negativo? Positivo? Ou neutro? Se o intervalo for zero, você gasta tempo e energia que deveria empregar em descoberta. Entretanto, um intervalo negativo reflete a necessidade de dedicar mais tempo a atividades de descoberta, para melhorar suas capacidades como líder voltado à descoberta.

CEOs inovadores e empreendedores fundadores gastam cerca de 50% a mais de sua semana típica em atividades de descoberta do que CEOs e empreendedores não inovadores. Assim, se você não estiver dedicando pelo menos 30% de seu tempo à descoberta, provavelmente não estará à frente no encargo de inovar. Solucionar problemas criativamente exige tempo, por isso aumente o período que você dedica à descoberta para conseguir maior impacto em inovação.

TABELA C-1

Como você gasta seu tempo

Tarefa de liderança	Hoje	Amanhã	Intervalo
Descoberta			
Execução			
Desenvolvimento			
Total	100%	100%	

Passo 2: Avalie suas competências de descoberta

Depois de refletir sobre a maneira como gasta seu tempo (descoberta *versus* execução), obtenha um senso mais refinado e específico sobre os pontos fortes e fracos de suas competências de descoberta e execução. Você terá uma ideia de seu desempenho nessas competências se usar a breve autoavaliação do capítulo 1. Pode também ir ao site www.innovatorsdna.com para obter uma autoavaliação mais completa online (em inglês) ou uma avaliação online de 360 graus (que oferece *feedback* de seu chefe, pares e relatórios diretos) para chegar a uma visão melhor de seus pontos fortes e fracos.[1] Essas avaliações podem se mostrar valiosas para ajudar você a responder: "Como está minha orientação de descoberta comparada à de execução em meu dia a dia? Em quais competências de descoberta sou mais forte? Quais delas quero desenvolver? Em quais competências de execução sou mais forte? Quais competências de execução preciso desenvolver?".

Passo 3: Identifique um desafio de inovação premente

Depois de avaliar seus pontos fortes e fracos em descoberta e execução, o passo seguinte é identificar um desafio ou oportunidade de inovação específico e atual, para pôr em prática suas competências de descoberta. Esse desafio deve variar entre a criação de um novo produto ou serviço, a redução da rotatividade de funcionários ou a apresentação de novos processos para reduzir em 5% os custos de sua unidade de negócios. Mantendo o desafio de inovação bem claro em sua mente, prepare um plano para praticar algumas competências de descoberta durante sua busca por soluções criativas.

Passo 4: Pratique suas competências de descoberta

Sugerimos que você comece trabalhando suas competências de fazer perguntas, pois a inovação muitas vezes tem início com uma pergunta instigante, e equipes inovadoras têm uma cultura que apoia o hábito de fazer perguntas. Escreva pelo menos 25 perguntas sobre seu desafio de inovação e promova uma sessão de *QuestionStorming* (ou aproveite outra dica sobre fazer perguntas) com sua equipe, como descrevemos no final do capítulo 3. O hábito de fazer perguntas ajuda a criar um espaço seguro para que outros membros da equipe façam o mesmo.

Depois de fortalecer sua capacidade de questionar, identifique sua competência *mais forte* entre questionar, observar, usar o *networking* e experimentar, e procure praticá-lo quando se empenhar em seu desafio de inovação (a menos que ele seja tão forte que praticá-lo ainda mais leve a uma diminuição na volta; neste caso, trabalhar uma competência de descoberta mais fraca pode ser melhor opção de desenvolvimento). Mais uma vez, use os capítulos sobre essas competências (capítulos de 4 a 6) e leia as sugestões sobre como melhorá-las. Envolva sua equipe na competência de descoberta na qual está trabalhando (observar, usar o *networking* ou experimentar), enquanto procura a solução para o seu desafio. Finalmente, promova sessões de *brainstorming* frequentes (sozinho e com sua equipe) para praticar a associação (veja as dicas sobre associação do capítulo 2).

Passo 5: Tenha um *coach*

Inovar cria hábitos. Melhor que isso, inovar exige a formação de novos hábitos em relação às cinco competências de descoberta. Nosso amigo Steve [Stephen] Covey, autor de um livro sobre hábitos de pessoas muito eficientes (*Os 7 hábitos das pessoas altamente eficazes*), poderia chamar sua obra de *DNA do inovador: os cinco hábitos de pessoas muito criativas*. Como você pode aumentar as probabilidades de testar as novas competências sugeridas, como você vai transformá-las em novos hábitos? Um modo de começar é pedir a alguém para servir como seu mentor ou técnico (*coach*) criativo – alguém capaz de motivar e orientar enquanto você trabalha no desenvolvimento de novos padrões de comportamento. Mudança é uma coisa difícil, e pedir ajuda a alguém que você respeite para apoiar seu esforço de mudança é um passo importante (envolver uma pessoa no processo de mudança aumentará suas chances de sucesso entre 15% e 20%). O *coach* pode ser o chefe, um colega de trabalho, um professor, um colega de classe ou mesmo alguém com quem more (você pode praticar as competências com outros membros da família quando tentar resolver criativamente problemas em casa). Mas, seja qual for sua escolha, tenha certeza de que se trata de alguém em quem você confia para dar avaliações e sugestões honestas. Um mentor e *coach* criativo pode fazer grande diferença na hora de ajudar a melhorar suas competências de criatividade.

Domine as cinco competências dos inovadores de ruptura

O domínio de qualquer competência vem da prática de elementos específicos dessa competência. Por exemplo, atletas, músicos e empresários de categoria internacionais separam as partes muito específicas de seu "jogo" e então treinam sem descanso essas pequenas partes. Para um jogador de golfe, isso pode significar repetir tacadas continuamente, dias a fio, até dominar um pequeno elemento do giro do taco. Pianistas de concerto fazem a mesma coisa com uma pequena parte de uma peça musical. Praticar durante semanas, meses e anos conduz ao domínio não apenas de uma competência, mas de uma série de competências.

Os inovadores de ruptura de nossa pesquisa faziam precisamente isso. Consciente ou inconscientemente, punham suas competências em prática sem descanso, com qualquer pessoa ou coisa com a qual interagiam. O domínio da inovação tem muito menos mistérios quando as pessoas praticam regularmente as competências do DNA do inovador até transformá-las em novos hábitos. Isso exige tempo e autodisciplina. Assim, comece com expectativas realistas e dedique tempo para melhorar suas competências de descoberta. Lembre-se de que esforços para seu desenvolvimento transmitem um sinal sério à sua equipe e organização sobre o lugar de destaque que tem a inovação entre as suas prioridades, além da importância que pode vir a ter para a própria equipe.

Como desenvolver competências de descoberta na futura geração

O mais importante trabalho de inovação que qualquer um de nós pode fazer está entre as quatro paredes de nossas casas, nas fronteiras de nossos bairros, nas salas de aula das escolas locais. Por quê? Quase todos os inovadores de ruptura que entrevistamos mencionaram pelo menos um adulto em suas vidas que deu atenção às suas competências de inovação e ajudou a mantê-las enquanto cresciam. É por isso que achamos tão importante que adultos louvem e ampliem as competências de descoberta dos jovens no mundo todo.

Considere a vida de Steve Jobs. Logo no começo, seu pai separou parte de sua bancada de trabalho para ele fazer experiências com coisas mecânicas. Mais tarde, um vizinho, Larry Lang, o ensinou (e a outros garotos interessados da vizinhança) muita coisa sobre eletrônica, montando juntos Heathkits (produtos semelhantes a rádios transistores que eram vendidos em kits para serem montados pelo cliente). Retrospectivamente, Jobs compreendeu que montar Heathkits com o vizinho e explorar coisas na bancada de trabalho do pai o fizeram saber o que havia no interior de um produto acabado. Mais importante ainda, Jobs adquiriu o senso de que "coisas não eram mistérios" e, consequentemente, ganhou "uma tremenda autoconfiança" a respeito de aparelhos mecânicos e eletrônicos.

Jobs não foi o único a ter sorte no desenvolvimento da geração seguinte de inovadores de ruptura. Os avós de Jeff Bezos também tiveram um papel crucial no estímulo de suas competências de experimentação, durante as férias que ele passava na fazenda no Texas. A mãe de Richard Branson apoiou sua curiosidade de levar adiante uma herança familiar de descoberta em novas áreas. Os pais e professores de Orit Gadiesh não só toleravam suas perguntas, como davam muito valor a elas. Os inovadores de ruptura, como se pode ver, contaram com um ou mais adultos cujo papel foi decisivo para manter o DNA de inovador *natural* vivo até depois da infância. Você pode assumir esse mesmo importante papel com uma geração futura de inovadores.

Como desenvolver competências de descoberta em casa e no bairro

Qual o lugar melhor do que sua casa e seu bairro para começar a construir as cinco competências dos inovadores de ruptura? Se você aceitar esse desafio de "mandar o elevador para baixo", como disse a empreendedora (e fundadora da Ariadne Capital) Julie Meyer, e criar uma nova geração de inovadores de ruptura, eis aqui algumas dicas concretas que podem ajudá-lo.

Competências de associação

1. Você pode participar de um jogo, especialmente durante uma viagem de automóvel, chamado "qual é a conexão?". Duas pessoas escolhem uma palavra ao acaso. A terceira pessoa é o jogador. Depois que as duas primeiras escolherem suas palavras, elas as anunciam. A terceira vai ter que criar uma conexão lógica entre as duas palavras, mas de uma forma criativa. Por exemplo, as palavras são "pontos" e "limão". A conexão pode ser: "Fazemos caras feias quando levamos pontos num corte no pronto-socorro e quando mordemos um limão". O jogo de tabuleiro TriBond (distribuído pela Mattel) funciona de forma semelhante, dando indicações sobre as palavras e pedindo ao jogador para dizer o que elas têm em comum. (Você pode experimentar o jogo no endereço http://www.Tri-Bond.com, em que uma combinação nova de três palavras é colocada todos os dias.)

2. Procure livros que estimulem o pensamento associativo. Um de nossos favoritos [em inglês] é *Not a box**. O personagem principal, um coelho, tenta convencer os leitores de que cai-

---

* De Antoinette Portis, editora HarperCollins, 1ª edição, 2006, EUA.

xas não são caixas. As caixas podem ser qualquer coisa, se deixarmos nossa imaginação vagar livremente (indo de um carro de corridas a uma nave espacial). Depois que um de nós leu *Not a box* para um neto de três anos, descobriu o garoto, mais tarde, sentado em uma caixa. Mas não era uma caixa, e sim um navio de piratas! Se você gostar de ler livros criativos para crianças, eis outros [em inglês]: série *Harold and the purple crayon** (de Crockett Johnson), *Ish*** (de Peter Reynolds), *The anti-coloring book**** (de Susan Striker e Edward Kimmel).

Competências para perguntar

1. Quando a maioria das crianças chega em casa depois da escola, os pais costumam perguntar como foi seu dia, ou se fez alguma coisa interessante. A segunda pergunta é melhor que a primeira (em termos de percepções adquiridas), mas que tal se você perguntar ao seu filho (ou ao filho do vizinho): "Quais perguntas você fez hoje?" ou "Quais perguntas os outros alunos fizeram hoje?", ou ainda, "Quais perguntas você teve tempo de fazer hoje?". Depois disso, ouça com os ouvidos bem abertos. Você poderá se surpreender com o que descobrir. (Seria bom tirar um tempinho para assistir a um vídeo curto chamado *What is that?*, da MovieTeller films, que mostra como as perguntas feitas por pai e filho afetam vigorosamente os dois.)

2. Sempre que tiver um problema de família, de escola ou de comunidade que precisa ser solucionado, tente usar uma versão modificada do nosso *QuestionStorming* com os jovens. As crianças não têm paciência para submeter 50 questões a um *brainstorm*, mas se saem bem com dez. Vamos supor que

* Série de livros, na maioria publicados pela editora Harper Collins, EUA.
** Editora Candlewick, 1ª edição, 2004, EUA
*** Série de livros publicados pela Holt Paperbacks nos EUA.

seu filho não esteja fazendo as tarefas domésticas ou as lições de casa. Fazer dez perguntas sobre o "problema" pode levar, muitas vezes, a percepções interessantes. Você pode perguntar: "Por que você não acha ciências interessante? O que eu posso fazer para ajudar você?". A criança pode perguntar: "Para que eu preciso aprender ciências?" ou "Por que ciências são tão importantes para você?". Esse processo de fazer perguntas sobre um problema pode provocar o aparecimento de ideias ou percepções que levarão a soluções novas.

Competêncas para observar

1. Dê às crianças a oportunidade de ver você trabalhando. Você não sabe quantas surpresas elas podem ter ao passar um dia com você no trabalho. Fique atento para aquilo que chama a atenção delas quando entrarem em seu mundo, se transformarem em uma mosca na parede e virem o mundo por seus olhos, enquanto experimentam o novo – o mundo do trabalho adulto. Para Jon Huntsman Jr., ir ao trabalho do pai quando tinha 11 anos mudou o curso de sua vida. Ele fez uma visita ao pai, que trabalhava como assessor especial do presidente Richard Nixon, na Casa Branca. Lá, conheceu Henry Kissinger, que estava a caminho de uma reunião secreta na China. Quando o jovem Jon perguntou a Kissinger para onde estava viajando, ele respondeu: "China". Até então, na vida de Jon, a China não era um lugar real, com pessoas reais. Mas ouvir aquela única palavra de alguém que estava indo de verdade à China desencadeou um interesse que duraria a vida toda. Huntsman estudou história da Ásia e idiomas asiáticos na escola. Passou quinze anos estudando mandarim e falava o idioma fluentemente quando se tornou embaixador dos Estados Unidos na China.

2. Faça passeios a pé frequentemente, por lugares conhecidos e novos. Leve uma criança com você e sinta a experiência

através dos olhos dela. O que ela vê? Ouve? Prova? Toca? Cheira? Você pode se surpreender com coisas nas quais nunca prestou atenção antes. Observar com cuidado o que encanta uma criança pode encantar você também. Quando estiver viajando, ou se for morar em lugares novos, faça a mesma coisa, especialmente nos momentos de transição (logo depois de chegar ou logo antes de partir). Às vezes, você enxerga coisas que de outra maneira ficariam invisíveis. Mantenham um diário para registrar suas observações. *How to be an explorer of the world** (de Keri Smith) é um excelente guia para adultos e crianças interessados em observar melhor o mundo.

Competências para usar o *networking*

1. Você pode começar a construir suas competências de *networking* com os jovens levando a eles um problema de trabalho (ou mesmo de família) e pedindo uma opinião. Explique que os problemas são resolvidos com maior facilidade quando diversas pessoas os examinam, a partir de múltiplas perspectivas. Você pode até mesmo convidá-los, se demonstrarem interesse, a ir junto quando for levar o mesmo problema a outra pessoa, com formação diferente. Isso se torna um exemplo da importância do *networking* para as ideias, e mostra como usá-lo.

2. Ocasionalmente, quando você estiver diante de um problema de família, da escola ou da comunidade, examine a possibilidade de convidar três ou quatro pessoas com formações diferentes para que apresentem suas perspectivas sobre como resolvê-lo da melhor maneira possível. Isso pode incluir um convite para jantar ou servir drinques e refrigerantes para acompanhar a discussão.

3. Se houver jovens morando em sua casa, promova um *networking* de ideias, convidando pessoas diversificadas para uma

* Editora Perigee Trade, 1ª edição, 2008, EUA.

visita. Escolha uma pessoa de outro país, outro grupo étnico, religião ou idade diferente, ou ocupação pouco comum, e a convide para almoçar ou jantar com sua família. Explorem juntos como outras pessoas vivem e veem o mundo.

Competências de experimentação

1. Realize experiências em casa ou no bairro e as discuta com as crianças. Por exemplo, Bill Dyer (sociólogo, pai de Jeff Dyer) colocou uma camisa branca passada no chão da entrada principal de casa. Ficou observando durante dois dias. As crianças davam a volta cuidadosamente para não pisar na roupa, mas nenhuma se abaixou para apanhá-la. Então, discutiu com as crianças os motivos de não apanharem a camisa, e, de forma mais ampla, como viam suas responsabilidades em relação à casa. Em outra ocasião, trocou um filho adolescente pelo filho adolescente da família de um vizinho durante uma semana. Depois desse prazo, as famílias se reuniram para discutir o que cada rapaz e cada família tinham aprendido com a experiência.

2. Vá com um jovem a um ferro-velho, ou a um mercado de pulgas, e escolha alguma coisa para desmontar. Pegue alguma coisa para você também. Leve os objetos para casa e passe a desmontá-los ao mesmo tempo, para ver se aparecem novas percepções sobre como e por que os aparelhos funcionam. Um pai e um filho fizeram isso com um velho motor de avião. A experiência deu origem a uma futura carreira na aviação, pois o jovem escolheu ser piloto quando cresceu.

3. Faça com que jovens participem de um esforço para montar protótipos. Escolha um produto que você queira melhorar (ou imagine um novo) e projetem e construam juntos um protótipo inicial. Crianças gostam muito de criar algo novo, especialmente se puderem usar massinha de modelagem.

Você não imagina o atributo novo que podem descobrir para o protótipo.

4. Leve seu filho numa viagem a outro país (ou até mesmo a uma parte "estrangeira" de sua cidade) com o objetivo de experimentar tudo o que for novo. Experimente novas comidas, costumes, produtos e serviços locais. Se possível, fique em casa de família para experimentar a vida como se fosse um nativo. Tente ter o máximo possível de experiências interativas.

Chamada final para a ação

Qual é a nossa chamada final para a ação? *Adote um jovem inovador!* Ache pelo menos uma criança (seu filho, ou de um parente, ou de um vizinho) e ajude-a a apreciar e a fortalecer suas competências de inovação. Todas as crianças merecem um adulto que dê valor às suas competências de inovação, um adulto que dê atenção às suas perguntas honestas. Como o doutor Seuss* sabia muito bem, "a menos que alguém como você se importe muito, demais, nada vai ficar melhor. Não vai". Se não formos nós a educar coletivamente a próxima geração de inovadores de ruptura, quem será?

Existem crianças demais precisando da ação de um adulto no que se refere a nutrir a próxima geração. Se fizermos coletivamente bem essa ação, muitos jovens irão crescer agindo de forma diferente, pensando de forma diferente e, no fim, fazendo diferença em um mundo que estoura de problemas complexos e desafiadores. Talvez ingenuamente, acreditamos na força de um, naquele adulto que ao reverenciar as competências de inovação de uma criança acaba por fazer toda a diferença na construção de uma nova geração de inovadores de ruptura. Essa é nossa esperança.

---

* N. da E.: Theodor Seuss Geisel, autor e ilustrador infantil americano.

Notas

Introdução

1. IBM, "Capitalizing on Complexity: Insights from the Global Chief Executive Officer Study", 18 de maio de 2010.

2. Jeffrey H. Dyer, Hal B. Gregersen e Clayton Christensen, "Entrepreneur Behaviors, Opportunity Recognition, and the Origins of Innovative Ventures", *Strategic Entrepreneurship Journal* 2 (2008): 317-338.

3. Todd Kashdan, *Curious?: Discover the Missing Ingredient to a Fulfilling Life* (Nova York: Harper Collins, 2009).

Capítulo 1

1. M.T. Hansen, H. Ibarra e U. Peyer, "The Best Performing CEOs in the World", *Harvard Business Review*, janeiro-fevereiro de 2010.

2. J. Young and W. Simon, *iCon: Steve Jobs, The Second Greatest Act in the History of Business* (Hoboken, NJ: John Wiley & Sons, 2005), 37.

3. Ibid., 38.

4. Ann Brashares, *Steve Jobs: Thinks Different* (Nova York: Twenty First Century Books, 2001).

5. Steve Jobs, discurso de patrono de formatura Stanford University, 2005.

6. Marvin Reznikoff, George Domino, Carolyn Bridges e Merton Honeyman, "Creative Abilities in Identical and Fraternal Twins", *Behavior Genetics* 3, nº 4 (1973): 365-377. Exemplo: os pesquisadores aplicaram o Teste de Associações Remotas (RAT, em inglês), em que se apresentam conjuntos de três palavras e se pede que a pessoa submetida ao teste encontre uma quarta que ligue as outras três; pode ser aplicado também o Teste de Usos Alternativos, em que se pede aos submetidos ao teste que façam um *brainstorm* sobre usos alternativos de um objeto comum – como um tijolo – e depois se contabilizam quantas respostas totais e divergentes o objeto possibilita.

7. Veja K. McCartney e M. Harris, "Growing Up and Growing Apart: A Developmental Meta-Analysis of Twin Studies", *Psychological Bulletin* 107, nº 2 (1990): 226-237.

8. Outros estudos que descobriram que o adquirido supera o inato no que diz respeito à criatividade incluem: F. Barron, *Artists in the Making* (Nova York: Seminar Press, 1972); S.G. Vandenberg, ed., *Progress in Human Behavior Genetics* (Baltimore: Johns Hopkins Press, 1968); R.C. Nichols, "Twin Studies of Ability, Personality and Interest", *Homo* 29 (1978), 158-173; N.G. Waller, T.J. Bouchard, D.T. Lykken, A. Tellegen e D. Blacker, "Creativity, Heritability, and Familiality: Which Word Does Not Belong?", *Psychological Inquiry* 4 (1993): 235-237; N.G. Waller, T.J. Bouchard Jr., D.T. Lykken, A. Tellegen e D. Blacker, "Why Creativity Does Not Run in Families: A Study of Twins Reared Apart", manuscrito não publicado, 1992. Para um sumário de pesquisa nessa área, veja R.K. Sawyer, *Explaining Creativity: The Science of Human Innovation*, segunda edição (Nova York: Oxford University Press).

9. A.G. Lafley e Ram Charan, *The Game Changer* (Nova York: Crown Business, 2008).

10. O objetivo da "terapia genética" é inserir novos genes em uma

célula de um indivíduo para substituir um gene defeituoso por outro que funcione adequadamente.

11. L.W. Busenitz e J.B. Barney, "Differences between Entrepreneurs and Managers in Large Organizations: Biases and Heuristics in Strategic Decision-Making", *Journal of Business Venturing* 12 (1997): 9-30.

12. R.C. Anderson e D.M. Reeb, "Founding Family Ownership and Firm Performance: Evidence from the S&P 500", *The Journal of Finance*, 58, nº 3 (junho de 2003): 1301-1327. Esse estudo concluiu que empresas comandadas por CEO fundadores eram 29% *mais rentáveis* (receita líquida antes de impostos) e tinham valor de mercado 21% *mais elevado*. Esses resultados não podem ser atribuídos ao fato de que empresas dirigidas por fundadores são menores e de crescimento mais provável ou são setores mais atrativos. Os autores concluíram que "fundadores trazem competências raras, que agregam valor à empresa e que resultam em desempenho contábil e valor de mercado maiores" (p. 1317).

Capítulo 2

1. Walt Disney Company, Relatório Anual, 1965.

2. Gary Wolf, "Steve Jobs: The Next Insanely Great Thing", *Wired*, wired.com/wired/archive/4.02jobs_pr.html (acessado em 10 de novembro de 2009).

3. Nós preferimos o termo *pensamento associativo* a *reconhecimento de padrões*, porque este parece sugerir que há um *padrão* identificável que os empreendedores inovadores reconhecem. Pela descrição que os inovadores nos fizeram do modo como descobriram ou reconheceram ideias para *ventures* novas, nos pareceu que enquanto ligavam ideias díspares, não reconheciam um padrão, ou mesmo que poderia ser uma oportunidade de negócio viável. Descobriam, com frequência, que as coisas se encaixam por meio de tentativa e erro e adaptação.

4. Embora Frans Johansson tenha cunhado o termo "Efeito Médici" com seu *bestseller*, preferimos uma versão mais contemporânea e circunscrita do termo. Por isso, usamos "Efeito inovador" quando há referência a lugares do presente, passado e futuro em que uma poderosa con-

vergência de ideias diferentes gera substanciais resultados inovadores. Historicamente, esses lugares eram espaços geográficos que possibilitavam contatos entre povos com conhecimentos e experiências diferentes. Hoje, podem ser espaços geográficos ou de mercados virtuais projetados para fomentar conexões entre pessoas com diferentes conhecimentos.

5. Em resumo, o efeito Médici não ficou limitado à família Médici ou ao período do Renascimento em Florença. Foi simplesmente um exemplo da experiência comum dentro da ciência ou de outros conhecimentos de que o resultado da interseção de disciplinas é a inovação.

6. Mihaly Csikszentmihalyi, *Creativity* (Nova York: Harper Perennial 1996).

7. Leslie Berlin, "We'll Fill This Space, but First a Nap", *New York Times*, 28 de setembro de 2008.

8. Se você quiser livros cheios de sugestões de como associar ideias mais criativamente, veja qualquer um destes dois de Michael Michalko, *Cracking Creativity* ou *Thinkertoys*. São excepcionais.

9. Bill Taylor, "Trading Places: A Smart Way to Change Your Mind", blog, *Harvard Business Review*, 1º de março de 2010.

Capítulo 3

1. Quinn Spitzer e Ron Evans, *Heads You Win: How the Best Companies Think* (Nova York: Simon and Schuster, 1997), 41.

2. Peter Drucker, *The Practice of Management* (Nova York: Wiley, 1954), 352-353.

3. Mihaly Csikszentmihalyi, *Creativity* (Nova York: Harper Perennial 1996).

4. Karen Dillon, "Peter Drucker and A.G. Lafley want you to be curious", 8 de outubro de 2010, http://blogs.hbr.org/hbr/hbreditors/2010/10/what_will_you_be_curious_about.html.

5. Land não criou apenas a câmera Polaroid, mas registrou outras 532 patentes para fins científicos e comerciais (uma produção superada apenas por Thomas Edison).

6. Marissa Ann Mayer, "Turning Limitations into Innovations", *Business Week*, 1º de fevereiro de 2006, http://www.businessweek.com/innovate/content/jan2006/id20060131_531820.htm.

7. Rekha Balu, "Strategic Innovation: Hindustan Lever Ltd.", *FAST Company*, 31 de maio de 2001, http://www.fastcompany.com/magazine/47/hindustan.html.

8. Alan Deutschman, "The once and future Steve Jobs", 11 de outubro de 2000, http://www.salon.com/technology/books/2000/10/11/jobs_excerpt.

9. Brooks Barnes, "Disney's Retail Plan Is a Theme Park in Its Stores", *New York Times*, 13 de outubro de 2009.

10. Depois de nossa feliz descoberta de *QuestionStorming*, soubemos que outros também esbarraram em práticas similares (como John Roland, *Questorming*, http://www.pynthan.com/vri/questorm.htm; ou Marilee Goldberg, *The Art of the Question*, Nova York: Wiley, 1997).

Capítulo 4

1. Bob Sutton, professor da Stanford University, usou essa expressão, mas Tom Kelley, da IDEO, disse ter ouvido que seu criador foi o comediante George Carlin.

2. Tom Kelley, *The Art of Innovation* (Nova York: Doubleday, 2005), 16.

3. http://www.wired.com/magazine/tag/trimpin/, 12 de novembro de 2009.

4. Howard Shultz e Dori Jones Yang, *Pour Your Heart Into It: How Starbucks Built a Company One Cup at a Time* (Nova York: Hyperion, 1997), 51-52

5. Ethan Waters, "Cars, Minus the Fins", *Fortune*, 9 de julho de 2007, B-1.

6. Veja http://www.nytimes.com/1991/01/27/books/notes-from-amore-real-world.html?src=pm.

Capítulo 5

1. Ron Burt, "Structural Holes and Good Ideas", *American Journal of Sociology* 110, nº 2 (setembro de 2004): 349-399.

2. Veja http://www.ted.com/pages/view/id/47.

Capítulo 6

1. Steve Jobs, discurso de patrono de formatura na Stanford University, 12 de junho de 2005.

2. M. Carpenter, G. Sanders e H. Gregersen, "Bundling Human Capital: The Impact of International Assignment Experience on CEO Pay and Multinational Firm Performance", *Academy of Management Journal* 44, nº 3 (2001): 493-512.

3. Walter Isaacson, *Einstein* (Nova York: Simon and Schuster, 2007), 2.

Capítulo 7

1. Como o prêmio de inovação é calculado:

Etapa 1: Ao acessar um valor estimado atual da companhia, a HOLT determina, considerando o negócio existente, a geração de caixa dos próximos dois anos para cada firma com base no consenso estimado pelos analistas para receitas e lucros. Esse consenso de receitas e lucros é baseado na média das estimativas combinadas, feitas por analistas cuidadosamente escolhidos, das companhias de capital aberto selecionadas pelo Institutional Brokers Estimate System (I/B/E/S). *Benchmarks* para períodos históricos (como os utilizados no prêmio inovação) usam taxas de lucratividade e investimento informadas como ponto de partida para as projeções de *cash flow*.

Etapa 2: a HOLT projeta, então, os *cash flows* dos 38 anos seguintes, a partir dos negócios existentes, baseada em algoritmos em ordem decrescente (*fade algorythms*) desenvolvidos a partir de análises dos *cash flows* de mais de 45 mil empresas e mais de 500 mil dados. O conceito de decrescente incorpora a noção de que a competição é a única constante nos mercados livres (*à la* "destruição criativa" de Schumpeter), e a noção de que a mudança tecnológica e as dinâmicas mutáveis do mercado militam contra a persistência de retornos excessivamente elevados (o que é consistente com pesquisa anterior, que mostra um efeito de "retorno à média" com relação a rentabilidade da empresa).

O algoritmo decrescente para uma determinada companhia se baseia no seguinte:

a. *O consenso estimado de nível ROI para dois anos.* Empresas com níveis mais elevados de rentabilidade e ROI (abreviatura em inglês para retorno sobre investimento) mantêm altos retornos no futuro. Entretanto, a experiência histórica da maior parte das firmas mostra um efeito de "retorno à média", o que significa que altos ROIs decrescem gradualmente rumo ao ROI médio. Quanto mais elevado for o nível corrente de lucro, mais rápido será o declínio esperado. (As empresas tendem a manter sua classificação no ranking, porém a diferença entre os desempenhos do topo e da base tende a se estreitar.)

b. *Volatilidade do ROI histórico* (cinco anos anteriores). Quanto maior for a volatilidade do ROI, mais rápida será a tendência de a empresa chegar à média de todas as firmas. As que apresentam um ROI consistente e estável são mais propícias a manter um ROI consistente no futuro.

c. *A taxa de reinvestimento da companhia.* Quanto mais rápido tiver sido o crescimento da companhia e maior o montante do reinvestimento, mais rapidamente o ROI da empresa tenderá à rentabilidade média de firmas na economia. É bastante difícil para uma equipe de gestão manter altos níveis de performance financeira; fazer isso enquanto se está crescendo é ainda mais difícil.

Etapa 3: A diferença entre o valor total da empresa (valor de mercado das ações mais a dívida total) e o *valor do negócio existente* constitui o prêmio de inovação, expresso em uma porcentagem do valor da empresa.

Embora o algoritmo algoritmo decrescente (*fade*) da HOLT baseie-se especificamente nas performances histórica e projetada de uma determinada empresa, ele pode refletir uma identificação ou posição do setor.

Na medida em que empresas de um setor compartilham as características do nível de ROI, variabilidade e reinvestimento, o padrão de decréscimo (*fade*) também será similar. Há ainda uma aparente correlação entre a expectativa de decréscimo (*fade*) de uma companhia e sua posição no

setor, já que a maior parte das líderes setoriais tem taxas de ROI mais elevadas e mais estáveis e, tendo chegado às posições de liderança durante a fase
de crescimento, não têm necessidade de crescer acima das taxas médias.

Exigimos que uma empresa tenha, pelo menos, dez anos de dados financeiros para poder entrar em nossa lista das mais inovadoras.
Utilizamos também um controle de "pesquisa e desenvolvimento"
para saber se a companhia faz algum investimento em P&D. E, para
controlar por diferenças de tamanho, incluímos apenas as companhias
com um valor de mercado superior a US$ 10 bilhões. Em alguns casos
muito raros, quando mais de 80% das receitas da companhia origina-
-se em um único mercado de alto crescimento (como China e Índia),
admitimos que uma pequena porção de seu prêmio de inovação (5%
da diferença no crescimento) fosse devido ao crescimento do mercado
interno em vez de resultar das entradas com novos produtos, serviços
ou mercados. Assim, fizemos um leve ajuste para baixo no prêmio inovação da companhia, o que representou apenas uma mudança mínima
no ranking e não deslocou nenhuma para fora da lista. O prêmio de
inovação mostrado nas tabelas deste capítulo reflete a média do peso
do prêmio em cinco anos, com as seguintes ponderações: ano mais
recente (30%), anos 2-4 (20%), ano 5 (10%).

2. Nosso ranking precisou excluir empresas de capital fechado como
a Virgin (#16 na lista da *Business Week*) e Tata (# 25) porque elas não
negociaram ações publicamente nem divulgaram resultados financeiros.

3. A.G. Lafley e R. Charan, *Game Changer* (Nova York: Random
House, 2008), 21.

Capítulo 8

1. Como citado em Carmine Gallo, *The Innovation Secrets of Steve
Jobs* (Nova York: McGraw-Hill, 2011).

Capítulo 9

1. Carmine Gallo, *The Innovation Secrets of Steve Jobs* (Nova York:
McGraw-Hill, 2011), 31.

2. http://www.shmula.com/987/jeff-bezos-5-why-exercise-rootcause-
-analysis-cause-and-effect-ishikawa-lean-thinking-six-sigma.

3. Gallo, *The Innovation Secrets of Steve Jobs*, 96.

4. Cultura de Inovação do Google, Innoblog, 14 de novembro de 2005, http://www.innosight.com/blog/index.php?/archives/36-Googles--Culture-of-Innovation.html.

5. *Nightline*, "Deep Dive" vídeo, 9 de fevereiro de 1999.

6. Entrevista de David Kelley na escola de administração de empresas e design da Stanford University, 21 de agosto de 2006, http://sites.google.com/site/wyndowe/iinnovateepisode3:davidkelley, founderofideo.

7. *Nightline*, "Deep Dive" vídeo.

8. Entrevista de David Kelley, 21 de agosto de 2006.

Capítulo 10

1. Steven Levy, *The Perfect Thing: How the iPod Shuffles Commerce, Culture, and Coolness* (Nova York: Simon & Schuster, 2006), 118.

2. Jeffrey S. Young, *Steve Jobs: The Journey Is the Reward* (Glenview: IL: Scott Foresman and Company, 1988), 176.

3. A categorização de projetos de inovação como "derivativos", "plataformas" ou "de ruptura" vem do *framework* Aggregate Project Planning, introduzido por Steven C. Wheelwright e Kim B. Clark. Veja: "Using Aggregate Planning to Link Strategy, Innovation, and the Resource Allocation Process", HBS N9-301-431 (Boston: Harvard Business School Publishing, 2000).

4. O conceito de planejamento de projeto agregado foi primeiramente introduzido por Steven C. Wheelwright e Kim B. Clark, em "Creating Project Plans to Focus Product Development", *Harvard Business Review*, março-abril de 1992, 10-82.

5. Larry Page e Sergey Brin, "Letter from the Founders: 'An Owner's Manual' for Google Shareholders", Google Inc., Form S-1 Registration, 29 de abril de 2004, 1, via Thomson Research/Investext, http://research.thomsonib.com.

6. "The Institutional Yes. An Interview with Jeff Bezos", *Harvard Business Review*, outubro de 2007.

7. David Vise e Mark Malseed, The Google Story (Nova York: Delacorte Press, 2005), 256.

8. John Battelle, *The Search: How Google and Its Rivals Rewrote the Rules of Business and Transformed Our Culture* (Nova York: Penguin Group, 2005), 141.

9. Veja http://www.virgin.com/aboutvirgin/allaboutvirgin/richardreplies/default.asp.

10. Keith Hammonds, "How Google Grows...and Grows...and Grows", FastCompany.com, http://www.fastcompany.com/online/69/google.html, março de 2003.

11. Jonathan Ive, "Lessons on Designing Innovation", entrevista, Radical Craft Conference, Art Center College of Design, Pasadena, CA, 25 de março de 2006.

12. Ken Robinson com Lou Aronica, *The Element* (Nova York: Penguin, 2009), 15.

Apêndice C

1. Essas avaliações online constituem um guia de desenvolvimento, com seu relatório de avaliação personalizada, para ajudar a entender seus pontos fortes e as áreas com potencial de progresso e ter o olhar voltado às suas competências de descoberta e de entrega (execução). O guia ajuda a construir um plano de desenvolvimento capaz de alavancar seus pontos fortes e de melhorar os pontos fracos que possam fazer sua carreira naufragar.

Índice remissivo

Agradecimentos

O projeto de pesquisas sobre DNA *do inovador* começou a tomar forma há quase uma década. Ele evoluiu por meio das contribuições de centenas, talvez milhares, de pessoas de todas as partes do mundo. Todos nós sentimos profunda gratidão aos colegas que tiveram papéis muito importantes para fazer com que nossas ideias progredissem e chegassem muito mais longe do que teriam chegado de outra forma. Agradecemos individualmente a vários deles, mais abaixo, mas muitos outros tiveram papel crítico para o avanço deste projeto e, no fim, para levá-lo a uma conclusão.

Não há dúvida de que este livro não seria possível sem a contribuição do tempo precioso que nos foi dedicado por muitos inovadores de ruptura, que partilharam conosco seus *insights* sobre as características pessoais que os ajudaram a ser inovadores. Embora tenhamos entrevistado perto de uma centena dessas pessoas, queremos agradecer especialmente às seguintes: Nate Alder (Klymit), Marc Benioff (Salesforce.com), Jay Bean (ah-ha.com; OrangeSoda, Inc.), Jeff Bezos (Amazon.com), Mike Collins (Big Idea Group), Scott Cook (Intuit), Gary Crocker (Research Medical, Inc.), Michael Dell e Kevin Rollins (Dell Computer), Orit Gadeish (Bain & Co.), Aaron Garrity e Joe Morton (XanGo), Diane Greene (VMware), Andreas Heinecke (Dialogue in the

Dark), Jennifer Hyman e Jenny Fleiss (Rent the Runway), Eliot Jacobsen (Freeport, Inc.; Lumiport), Josh James e John Pestana (Omniture), Jeff Jones (NxLight; Campus Pipeline), A.G. Lafley (Procter & Gamble), Mike Lazaridis (Research in Motion), Kristin Murdock (Cow-Pie Clocks and Greeting Cards), David Neeleman (JetBlue; Azul), Pierre Omidyar e Meg Whitman (eBay), Mark Ruiz (Hapinoy), Ratan Tata (Tata Group), Peter Thiel (PayPal), Corey Wride (Movie Mouth) e Niklas Zennström (Skype).

Lisa Stone, assistente de Clayton Christensen, trabalhou intensamente para coordenar muitos aspectos do projeto, mas, acima de tudo, fez um excelente trabalho para marcar as entrevistas com inovadores de alto nível. Embora possa parecer simples, foi às vezes um trabalho hercúleo coordenar as agendas de quatro pessoas muito ocupadas espalhadas por três continentes. Obrigado, Lisa, por ter feito milagres acontecerem.

Queremos também fazer um agradecimento especial a Michael McConnell, da HOLT (uma seção do Credit Suisse), que conduziu a pesquisa feita para calcular o prêmio de inovação exibido pelas empresas que analisamos neste livro. A orientação e a análise cuidadosa de Michael tornaram possível nosso ranking de empresas mais inovadoras do mundo. Não podemos agradecer-lhe (e à HOLT) o bastante por seus conhecimentos e sua sensibilidade.

Quando o trabalho de redação se aproximava do final, recorremos a diversos inovadores e autores de *best-sellers*, que nos deram seu tempo precioso para ler com cuidado os originais e nos oferecer suas opiniões. Por esses esforços, queremos agradecer a Marc Benioff, A.G. Lafley, Stephen Covey e Scott Cook.

Muitas pessoas na Harvard Business Review Press deram o melhor de si durante todo o tempo que durou o projeto para fazer deste um livro melhor. Melinda Merino, nossa editora, ouviu nossas ideias iniciais e as levou adiante com visão e empenho. Apreciamos sua significativa orientação sobre a estrutura e o conteúdo do livro e por seu inabalável apoio e estímulo. Mais de uma vez, seu otimismo nos contagiou, por meio do charme de sua voz e de seu sorriso, que manteve as ideias criativas fluindo e os originais sendo preparados. Na *Harvard Business Review*, Sarah Cliffe nos deu valiosas opiniões e orientações com relação ao nosso artigo original publicado pela HBR, "The Innovator's DNA". Bronwyn Fryer, nossa editora na HBR e mais tarde editora freelancer, que trabalhou conosco no livro, foi indispensável para tornar nosso texto mais coerente. Ela nos empurrou constantemente para tornar as ideias de cada capítulo mais interessantes, convincentes e acessíveis – e o fez com surpreendentes rapidez e profissionalismo. Quando o livro passou à etapa de produção e marketing, muitos outros tiveram participações importantíssimas na manutenção do entusiasmo por trás de nossas ideias e para nos manter com o foco nos prazos principais. Especialmente, Jen Waring, Courtney Cashman, Julie Devoll e Alex Merceron dedicaram por completo seus talentos profissionais ao controle de todos os aspectos dos originais.

Além da Harvard Business Review Press, outras duas organizações e seu pessoal ajudaram especialmente a transformar este livro em realidade. Na Innosight, Scott Anthony, Mark Johnson e Matt Eyring trabalharam bastante conosco para dar a nossas ideias o formato necessário ao seu uso, na prática, por líderes do mundo todo. Seus esforços nos ajudaram a manter as ideias solidamente no chão. De forma semelhante, na Stern + Associates, Danny Stern e sua equipe foram excepcionais em nos ajudar a enquadrar nossas ideias para serem usadas por um público ainda mais amplo – e, esperamos, terem o máximo de impacto.

De Jeff Dyer

Quando começamos este projeto, há quase dez anos, não tinha ideia da jornada de alegrias, e de desafios, que me esperava.

A pesquisa sobre *DNA do inovador* abriu meus olhos para o fato de que todos nós podemos fazer contribuições criativas para um mundo melhor. Quero agradecer em primeiro lugar aos meus sábios e perceptivos coautores, Hal Gregersen e Clayton Christensen, que me ensinaram muito e tornaram este livro possível. Hal, especialmente, é excepcional no que diz respeito a fazer grandes perguntas e a dar o passo necessário para enxergar o quadro mais amplo; Clay é um monstro no que diz respeito à teoria e a saber como usar "o caso" para deixar a teoria mais interessante e mais prática. Além de tudo, são ambos grandes amigos e pessoas maravilhosas.

O esforço de coleta de dados para este livro foi imenso e tenho muitos assistentes de pesquisas a quem agradecer, aqueles que trabalharam horas sem conta para tornar possível este trabalho. Gostaria de dizer obrigado especialmente a Nathan Furr, Mihaela Stan, Melissa Humes, Ryan Quinlan, Jeff Wehrung, Nick Prince, Brandon Ausman, Jon Lewis, Stephen Jones, Andrew Checketts e James Core. Além deles, gostaria de agradecer a Spencer Cook por ter desenvolvido os instrumentos necessários à captura dos dados individuais de avaliação em nosso site na internet, pois não é possível fazer uma pesquisa sem dados. Muito obrigado também a Greg Adams por sua inteligente análise dos dados que usamos para testar hipóteses em nosso artigo para o *Strategic Entrepreneurship Journal*, "Opportunity Recognition, Entrepreneur Behaviors, and Origins of Innovative Ventures".

Gostaria também de agradecer a contribuição prestada por dezenas de estudantes de MBA da Universidade Brigham Young que participaram de meu curso sobre Pensamento Criativo Estratégico e entrevistaram empreendedores inovadores como parte de seus projetos de aula. Seu trabalho e as transcrições de entrevistas que eles ofereceram tiveram um valor inestimável para nos ajudar a compreender os processos pelos quais os inovadores descobrem novas ideias de negócios. Corey Wride, um desses estudantes de MBA, prestou uma ajuda especial ao ler os originais e dar sugestões de muito valor. As transcrições de todas as entrevistas com inovadores, inclusive as realizadas por Hal, Clay e por mim, foram feitas por Nina Whitehead e sua equipe, que sempre conseguiram cumprir meus prazos apertadíssimos. Aliás, todos os membros do grupo que me dá apoio na Universidade Brigham Young são excepcionais e merecem meu agradecimento, especialmente meus assistentes Holly Jenkins, Stephanie Graham e Stephen Powell. Quero também apresentar meu mais sincero obrigado ao diretor Gary Cornia e a todos os outros diretores da Marriott School, da Universidade Brigham Young, pela verba para pesquisas que sustentou este projeto nos últimos dez anos.

Quero também registrar meu agradecimento pela contribuição de meus pais, Bill e Bonnie Dyer. Minha mãe foi uma constante fonte de amor e de apoio durante toda a minha vida. Meu pai foi um extraordinário exemplo para mim em todos os aspectos da vida; mas por este livro, especialmente, eu lhe agradeço por me ensinar que fazer perguntas é uma coisa correta.

Finalmente, tenho uma profunda dívida de gratidão à minha mulher Ronalee e aos meus filhos Aaron, Matthew e McKenzie, que sempre me deram apoio neste projeto, apesar de ele exigir uma grande parte de meu tempo e de minha atenção. Ronalee, especialmente, merece meu reconhecimento por ter cuidado com tanto carinho de nossos filhos e de mim – nós todos somos enormemente abençoados por seu amor. Assim, muito obrigado, Ronnie – o livro, finalmente, está pronto.

De Hal Gregersen

Para mim, DNA do inovador trata de maneira profunda da origem de ideias que deixam marcas. Agora, no fim do projeto, é com satisfação que reflito sobre como as ideias e as ações de outras pessoas deram forma à minha jornada pela inovação. Vou começar pelos meus pais.

Meu pai foi um mestre em muitas coisas, indo do conserto e da manutenção de qualquer coisa mecânica a tocar clarineta, saxofone e contrabaixo com tamanha intensidade e maestria que seus pés muitas vezes marcavam o ritmo enquanto dormia. Minha mãe, igualmente, praticava música, com a flauta e o piano, mas, mais importante, sempre prestava atenção ao que não era dito quando os outros falavam. Seus olhos e ouvidos inquisitivos refletiam um coração em busca, e depois a serviço, de necessidades ocultas. Muito obrigado, mamãe e papai, por constantemente fazerem perguntas ao mundo (embora de ângulos diferentes) e por terem transmitindo essa herança a seus filhos.

Mudando de casa para a escola, um professor se destaca acima de todos em termos de curiosidade sem limites – J. Bonner Ritchie. Trabalhei muito com ele durante meu programa de mestrado, no qual ele sozinho redesenhou os mapas na minha mente ao confrontar constantemente minhas visões do mundo. Em termos simples, Bonner personificava o DNA do inovador muito antes que puséssemos essas ideias no papel. Suas perguntas surpreendentes, observações inesperadas e habilidade incomum com as metáforas ergueram meu próprio senso de inquirir a um nível inteiramente diferente. Por esse dom, professor Bonner, eu lhe agradeço.

Depois de terminar meu doutorado, dei início a uma busca de 20 anos pela compreensão do que torna grandes os grandes líderes globais.

Entretanto, não estive sozinho nessa procura. Muitos colegas no mundo acadêmico e executivos no mundo dos negócios tiveram papel importante nela. Stewart Black, em especial, bem como Mark Mendenhall, Allen Morrison e Gary Oddou, foram bastante questionadores em relação ao nosso trabalho (além de grandes amigos) – do mesmo modo que, conforme descobrimos, os líderes globais são questionadores em relação ao próprio trabalho. A cada um, dou um muito sincero obrigado, profissional e pessoal.

Durante a década de 1990 e o princípio dos anos 2000, tive na Universidade Brigham Young a experiência de uma incubadora perfeita para a descoberta de ideias de DNA do inovador no princípio – especialmente com relação a fazer perguntas e à curiosidade. Essas ideias, vagas no início, ganharam forma e criaram raízes em discussões com colegas de todo o campus, especialmente Gary Cornia, Matt Holland, Curtis LeBaron, Lee Perry, Jerry Sanders, Michael Thompson, Greg Stewart, Mark Widmer, Dave Whetten e Alan Wilkins, além de um quadro de assistentes de pesquisas excepcional, que incluía Cyndi Barrus, Chris Bingham, Bruce Cardon, Jared Christensen, Ben Foulk, Melissa Humes Campbell, Spencer Harrison, Mark Hamberlin, Julie Hite, Marcie Holloman, Rob Jensen, Jayne Pauga, Alex Romney, Laura Stanworth e Spencer Wheelwright. Na área administrativa, Holly Jenkins sempre se destacou no apoio a esse trabalho e era um alegre sopro de ar fresco quando a situação parecia estar desanimadoramente pesada. Do outro lado do Atlântico, a London Business School e mais tarde o INSEAD transformaram meu papel no projeto de DNA do inovador em uma trajetória verdadeiramente global. O slogan do INSEAD, "A Escola de Administração de Empresas para o Mundo", significa muito mais que uma frase de marketing. Colegas, apoio administrativo e educação para executivos vêm de todas as partes do mundo. Numerosos colegas com foco na inovação e no empreendedorismo de todos os campi (Fontainebleau, Cingapura e Abu Dhabi), incluindo Phil Anderson, Henrik Bresman, Steve Chick, Yves Doz, Soumitra Dutta, Charlie Galunic, Morten Hansen, Mark Hunter, Quy Huy, Roger Lehman, Will Maddux, Steve Mezias, Jürgen Mihm, Mike Pich, Subi Rangan, Gordon Redding, Loïc Sadoulet, Filipe

Santos, Manuel Sosa, James Teboul, Ludo van der Heyden, Hans Wahl e Luk van Wassenhove tiveram papel excepcional em conversas cheias de *insights* que me foram muito úteis. Membros da administração, do gabinete do diretor – Frank Brown, Anil Gaba, Dipak Jain e Peter Zemsky – e da área de comportamento organizacional – Paul Evans, Martin Gargiulo e Herminia Ibarra – foram igualmente generosos em seu apoio à pesquisa de DNA do inovador. Além disso, diversas dotações para pesquisas do INSEAD foram cruciais para a manutenção do estudo em seus estágios críticos, e membros do Centro de Liderança Global do INSEAD trataram as numerosas avaliações de DNA do inovador com consistente profissionalismo. Outros membros da equipe de apoio do INSEAD foram de enorme ajuda para o projeto, enquanto os assistentes pessoais Jocelyn Bull, Melanie Camenzind e Sumy Manoj tiveram papel importantíssimo em manter meu trabalho (e muitas vezes, minha vida) nos eixos no decorrer dos anos. Finalmente, muito obrigado a pelo menos duzentos participantes da educação executiva do INSEAD (executivos, empreendedores e empreendedores sociais) que contribuíram com percepções importantíssimas sobre DNA do inovador por vários anos e ofereceram enormes quantidades de dados de pesquisas de relevância vital.

No mundo dos empreendimentos de negócios, de governos e sociais, muitos executivos foram particularmente generosos em relação ao seu tempo e aos seus talentos para alimentar minhas percepções sobre a inovação. Stefan Bauer, da Eli Lilly, foi um colaborador dedicado e fonte constante de sabedoria e de *insights* no que se refere a compreender o que é a inovação e como fazer com que ela aconteça. Suas ideias e sua vida ajudaram a transformar as minhas próprias. De forma semelhante, Schon Beechler, acadêmico, consultor e preparador de executivos, fez a mesma coisa ao trabalhar comigo em numerosos projetos centralizados na inovação, indo de workshops de desenvolvimento profissional sobre como fazer perguntas na Academy of Management a pesquisas em curso com a Teach for America sobre as competências de inovação de seus professores. Outros incluem David Breashears (cineasta, fotógrafo, aventureiro); Larry Kacher, da ADIA; Fadi Ghandour, da Aramex; Edward Dolman, Steven Murphy, Lisa King, Karen Deakin, Gillian Holden e Naomi Graham, da Christie's International; Ahmet Bozer e Stevens J. Sainte-Rose, da Coca-Cola; Andreas Heinecke, Orna Cohen e Meena Vaidya-nathan, do Dialogue in the Dark; Mark Ruiz da Hapinoy; Pat Stocker da Marriott; David Daines e Denice Jones da Nu Skin; e Dave Ulrich, Wayne Brockbank e Norm Smallwood, da RBL (Results-Based Leadership).

Além disso, devo profundos agradecimentos a meus incríveis coautores, Jeff e Cris, pelas contribuições que fizeram a este livro e à minha vida. Quando Jeff se uniu a nós na Universidade Brigham Young, ele trouxe a mentalidade de "construtor institucional" de seu pai. Jeff não se limitou a trabalhar incansavelmente para apoiar os esforços criativos de seus colegas no grupo de estratégia; ele foi além do mundo da estratégia para colaborar comigo em uma classe especial do MBA, Pensamento Estratégico Criativo. Nós esperávamos unir uma perspectiva estratégica sobre como as empresas inovam a uma perspectiva psicológica de como os indivíduos inovam. Essa união representava uma experiência de mudança de perspectivas em sala de aula que ainda continua, com Jeff no comando. O efeito colateral inesperado desse curso foi um aumento do nível de colaboração em seu entorno, de onde surgem ideias inovadoras, e de como essas ideias progridem com sucesso. Nossa colaboração se mostrou muito forte, tanto em nível profissional como pessoal. A capacidade de Jeff para construir ideias claras e injetar disciplina em um projeto, que poderia de outra forma sair do rumo, é excepcional. Esses dons se mostraram inestimáveis durante uma década que balançou a família Gregersen de muitas maneiras difíceis e inesperadas. Durante todo esse período, Jeff não só manteve o projeto nos trilhos como, de forma ainda mais importante, ofereceu apoio pessoal firme em meio a difíceis desafios em sua vida.

Serei sempre agradecido a ele por sua excelência profissional e sua amizade pessoal.

Conheci Clay Christensen há quase dez anos. Ainda lembro a conversa, como se fosse ontem. Falamos profundamente sobre o poder transformador que as perguntas têm em nossas vidas, em casa e no trabalho. Foi um diálogo pontilhado por *insights* e um pouquinho precursor das perguntas disruptivas que Clay e eu viríamos a apresentar no decorrer do projeto. Entretanto, mal sabíamos que Clay (e sua família) viriam a enfrentar sérios problemas de saúde nos anos que se seguiriam: seu ataque cardíaco, depois um câncer e então um AVC. Cada um desses acontecimentos causou grandes danos à saúde de Clay e cada um deles abriu o caminho de volta ao bem-estar. Por tudo isso, sinto admiração por sua capacidade de continuar a fazer seu trabalho e a fazê-lo com sua costumeira delicadeza. Quando discutia as ideias de *DNA do inovador* com Clay – estivesse ele com boa saúde ou lutando pela recuperação –, ele quase sempre recompunha a estrutura teórica do livro ou de um capítulo, e quase sempre o deixava melhor. Sua paixão pela teoria e sua capacidade de *construir* boas teorias deixou marcas indeléveis neste livro. Não é de admirar que ele seja o autor da motivação de ruptura. Acima de tudo, apresento meus agradecimentos a Clay por, mesmo durante seus problemas físicos, ter encontrado tempo para oferecer apoio e percepções que transmitiam energia nos altos e baixos de minha própria família.

Finalmente, minha gratidão, fechando o círculo, chega em casa. Nossos netos, Elizabeth, Madysen, Kash, Brookelynn e Stella, nunca param de me surpreender com pequenas e inocentes percepções sobre as nuances sutis e muitas vezes invisíveis da vida. Nossos filhos, Kancie, Matt (e Emily), Emilee (e Wes), Ryan, Kourtnie, Amber, Jordon e Brook, continuam a rodar pelo mundo (de forma literal e simbólica) à procura de ideias e ações que fazem a diferença. De forma coletiva e individual, sua persistência em períodos difíceis inspira e encoraja minha própria esperança em um futuro melhor – e com bons motivos.

Há quase dez anos, minha mulher, Ann, enfrentou corajosamente os aterrorizantes problemas de um câncer de mama. Infelizmente, dois anos depois, médicos navegando no piloto automático diagnosticaram de forma totalmente errada o rápido retorno de seu câncer e, em consequência, ela nos deixou de forma súbita e talvez desnecessária (levantando profundas questões para as quais provavelmente não há respostas claras nesta vida). A partir dessa tragédia, porém, outro milagre aconteceu em minha vida: Suzi, que tomou minha mão e meu coração para iniciar uma jornada pelo mundo que nenhum de nós esperava. Casamos e mais tarde deixamos os Estados Unidos para experimentar mais culturas e pessoas do que eu pensava que pudessem existir. Viver e viajar com Suzi sempre incluem excursões não planejadas que geram maravilhas, coisas espantosas e, no meio de tudo, a restauração do coração. Nessas jornadas, sinto-me inspirado ao vê-la fazer esboços e quadros sobre suas próprias observações do mundo. Sua maneira contraintuitiva de abordar a vida e seu intuitivo senso de direção são âncoras firmes em meu mundo às vezes confuso. Aliás, os termos "para sempre" e "até o fim" ganharam um significado ainda mais profundo enquanto enfrentamos as alegrias e as tristezas da experiência na Terra (inclusive a própria experiência de Suzi com o câncer de mama). É um belo prêmio ser casado com a melhor amiga. Nada melhor – especialmente quando penso no tempo e na energia dedicados a redigir este livro. Por isso, muito obrigado, Suzi, por se unir a mim nesta jornada e por tê-la preenchido com tamanha energia. Nunca vi as coisas tão azuis assim antes.

De Clayton M. Christensen

Tenho a mesma gratidão às pessoas que Jeff e Hal já mencionaram. Acrescento a elas minha mulher, Christine, que assume a maior parte das coisas quando escrever um livro toma conta de minha vida. Além disso, quero agradecer às centenas e centenas de dirigentes – alguns executivos de alto nível, mas a maioria nos rankings intermediários, que também nos ensinaram profundas lições sobre como ser inovador – porque eles repetidamente malograram nesse campo. Poucos desses dirigentes encontrarão seus nomes neste livro, apesar de eles terem dado forma ao nosso pensamento. Mas espero que eles ouçam suas vozes dentro destas páginas – não atribuídas, infelizmente, pois eles são numerosos demais para serem mencionados. Grandes teorias surgem somente de um trabalho no qual os pesquisadores tentam encontrar anomalias que a teoria não consegue explicar. É por isso que sou tão agradecido aos que estiveram dispostos a nos explicar por que as coisas nem sempre funcionaram como pretendiam.

Sou muito grato pela oportunidade que Jeff e Hal me deram de trabalhar em seu grupo. Hal me ensinou o valor de fazer as perguntas certas. Jeff me ensinou a obter as respostas corretas. Meu papel em nosso grupo foi o de ficar de pé na área técnica, acompanhando o jogo. Hal e Jeff foram os artilheiros, capítulo após capítulo. Espero que possamos jogar juntos mais uma vez.

Sobre os autores

Jeff Dyer é professor de Estratégia na Marriott School da Universidade Brigham Young, onde ocupa a cadeira de Horace Beesley, e professor-assistente de Estratégia da Wharton School, da Universidade da Pensilvânia. Dyer tem doutorado em Administração pela UCLA. É o único acadêmico de estratégia do mundo a ter trabalhos publicados cinco vezes tanto no *Strategic Management Journal* quanto na *Harvard Business Review*. O impacto de sua obra é evidenciado por ser reconhecido pelo Essential Science Indicators como o quarto acadêmico de administração mais citado e o décimo sétimo estudioso mais citado de forma geral (1996-2006) nos campos de Administração, Finanças, Marketing, Operações e Economia. Seu livro *Collaborative Advantage* ganhou o prêmio Shingo de Publicações de Pesquisas e Profissionais.

Dyer, ex-dirigente da empresa Bain & Company, faz regularmente conferências, presta consultoria e dirige programas de treinamento nas áreas da inovação e estratégia. Entre as empresas que já usaram seus serviços estão Baxter International, Boeing, Ford, Kraft, General Electric, Johnson & Johnson e Medtronic.

Hal Gregersen é professor de Liderança no INSEAD, onde segue sua vocação nas áreas de ensino executivo, treinamento e consultoria, fazendo pesquisas sobre como os líderes descobrem novas ideias, desenvolvem a capacidade de ter essas ideias e chegam a resultados de alto impacto. Fez seu doutorado pela Universidade da Califórnia em Irvine. Antes de ingressar no INSEAD, lecionou na London Business School, na Tuck School of Business de Dartmouth e na Universidade Brigham Young.

Também serviu como Fullbright Fellow na Escola de Economia de Turku, na Finlândia.

Gregersen é coautor de muitos livros, entre os quais *It starts with one: changing individuals changes organizations*, e publicou mais de 50 artigos acadêmicos. Pondo suas pesquisas em prática, presta consultoria a grupos de alto nível, dirige workshops e faz conferências de destaque para clientes globais, entre os quais Adidas, Aramex, Cemex, Christie's, Coca-Cola, Daimler, IBM, Intel, LG, Lilly, Marriott, Nokia, Sanofi-Aventis, Twinings e Fórum Econômico Mundial. Também trabalha com empreendimentos sociais como Teach for America, Diálogo no Escuro e Room 13, ajudando a formar a próxima geração de líderes. Viajando pelo mundo, segue uma vocação de toda a vida – a fotografia – como parte de uma comunidade internacional de empreendedores sociais que assumiu o compromisso de criar mudanças positivas por meio da arte.

Clayton M. Christensen é professor de Administração de Empresas da Harvard Business School, onde ocupa a cadeira de Robert e Jane Cizik. É considerado um dos maiores especialistas do mundo em gerenciamento de inovação e mudanças tecnológicas. Christensen é bacharel em Economia pela Universidade Brigham Young, mestre em Economia pela Universidade de Oxford, onde estudou como Rhodes Scholar*; e tem diplomas de MBA e DBA pela Harvard Business School, onde se formou com as mais altas honrarias como George F. Baker Scholar. Suas publicações sobre

* N. da E.: Rhodes Scholar é prêmio internacional de pós-graduação.

o gerenciamento de inovação tecnológica mereceram diversos prêmios, incluindo o McKinsey Award e o Global Business Book Award. Um de seus artigos mais recentes, "How to Measure Your Life", publicado na *Harvard Business Review*, ganhou o McKinsey Award de 2010. Além de suas atividades acadêmicas, Christensen é fundador de três empresas de sucesso, CPS Technologies, Innosight LLC e Rose Park Advisors. Serviu na Casa Branca durante o governo do presidente Ronald Reagan.

ONHEÇA OUTROS LIVROS DA ALTA BOOKS!

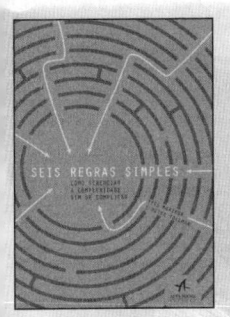   

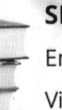

SEJA AUTOR DA ALTA BOOKS!

Envie a sua proposta para: autoria@altabooks.com.br

Visite também nosso site e nossas redes sociais para
conhecer lançamentos e futuras publicações!

www.altabooks.com.br

f /altabooks · 🅾 /altabooks · 🐦 /alta_books

ALTA BOOKS
E D I T O R A